DU MÊME AUTEUR

Une brève histoire du tracteur en Ukraine
Alto, 2008
J'ai lu, 2010

Deux Caravanes
Alto, 2010
J'ai lu, 2011

Marina Lewycka

DES ADHÉSIFS DANS LE MONDE MODERNE

ROMAN

Traduit de l'anglais (Royaume-Uni)
par Sabine Porte

alto

Les Éditions Alto remercient le Conseil des Arts du Canada
pour son soutien financier

Titre original : *We are all made of glue*
Éditeur original : Fig Tree, Penguin Books Ltd, Londres

ISBN original : 978-1-905-49022-6

Conception graphique : Pascal Blanchet
Mise en page : TypoLab

www.marinalewycka.com

ISBN : 978-2-923550-68-8

À mon père, Petro Lewyckyj,
poète, ingénieur, excentrique,

octobre 1912-novembre 2008.

I

Des adhésifs dans le monde moderne

1

Une odeur de colle

La première fois que j'ai rencontré Wonder Boy, il m'a pissé dessus. Sans doute voulait-il me mettre en garde, ce qui était plutôt perspicace si l'on songe à ce qui est arrivé par la suite.

Un après-midi à la fin du mois d'octobre, quelque part entre le quartier de Stoke Newington et celui de Highbury, je m'étais aventurée dans une rue que je ne connaissais pas et j'étais tombée sur une ruelle pavée bordée de hauts murs de jardin. Au bout d'une cinquantaine de mètres, la ruelle débouchait sur une pelouse ronde et je me suis retrouvée devant une grande maison à double corps à moitié délabrée qui étouffait sous le lierre, si bien dissimulée parmi les jardins alentour qu'on n'aurait jamais soupçonné qu'elle était là, tapie derrière une haie de troènes mal taillée et un bosquet de frênes sauvages et de jeunes érables. Je me suis dit qu'elle devait être inhabitée – qui aurait pu vivre dans un endroit pareil ? Il y avait quelque chose de gravé sur le pilier du portail. J'ai écarté le lierre et lu : Canaan House – même le nom dégageait une poussiéreuse odeur de sainteté.

Un nuage est passé et l'espace d'un instant un rayon de soleil rasant a illuminé les fenêtres comme par magie. Puis le soleil s'est éclipsé et la lumière terne a révélé les stucs effrités, les boiseries dont la peinture s'était écaillée, les fenêtres rapiécées, les gouttières affaissées et un araucaria hérissé d'épines planté bien trop près de la maison. Derrière moi, le portail s'est refermé en claquant.

Soudain, un long sanglot pareil aux pleurs d'un enfant a déchiré le silence. Il semblait provenir du bosquet. J'ai reculé vers le portail en frissonnant, m'attendant plus ou moins à voir surgir Christopher Lee en Dracula, les crocs dégoulinant de sang. Mais ce n'était qu'un chat, un gros matou blanc aux allures de malabar avec une tête affreuse et trois pattes noires, qui a émergé des fourrés la queue bien droite en se dirigeant vers moi, une lueur de détermination dans le regard.

« Coucou, le chat. Tu habites ici ? »

Il s'est avancé vers moi comme s'il allait se frotter contre mes jambes, mais à l'instant où je me penchais pour le caresser, sa queue s'est dressée, il a été parcouru d'un frémissement et une puissante giclée d'eau de matou a embaumé l'atmosphère. J'ai voulu lui donner un coup de pied, mais il avait déjà disparu dans l'ombre. J'ai rebroussé chemin à travers les ronces en sentant l'odeur de pisse sur mon jean – une odeur âcre qui rappelait vaguement celle de la colle.

Je l'ai revu environ une semaine plus tard, et cette fois j'ai également fait la connaissance de sa maîtresse. Un soir, vers onze heures, j'ai entendu un remue-ménage dans la rue, suivi d'un fracas de verre brisé. J'ai regardé par la fenêtre. Quelqu'un sortait des affaires de la benne déposée devant chez moi.

J'ai d'abord cru que ce n'était qu'un adolescent, une petite silhouette aux allures de moineau, la casquette baissée sur le visage ; puis la silhouette s'est retrouvée dans la lumière et je me suis aperçue que c'était une vieille dame aussi efflanquée qu'un chat de gouttière qui tirait sur des rideaux en velours bordeaux pour atteindre le carton de vieux vinyles de mon mari à demi enfoui sous le bric-à-brac. Je lui ai fait signe de la fenêtre. Elle m'a répondu gaiement en continuant à tirer. Soudain, le carton s'est dégagé et elle est tombée à la renverse, éparpillant les disques au beau milieu de la rue et en cassant quelques-uns. J'ai ouvert la porte et me suis précipitée pour l'aider.

« Ça va ? »

Elle s'est relevée péniblement en se secouant comme un chat. Elle avait le visage à demi dissimulé par la visière de sa casquette – une de ces grosses casquettes de gavroche à la Twiggy, ornée d'une broche en strass épinglée d'un côté.

« Je demande quel genre de personnes qu'il peut jeter la musique comme ça. Grands compositeurs russes. » Elle avait une belle voix ambrée, qui s'effritait comme un cake. J'avais du mal à reconnaître son accent. « Il doit avoir les barbares qui habitent le coin. »

Elle était plantée devant moi, la tête haute, les jambes écartées, comme un adversaire en train de me jauger.

« Regardez ! Tchaïkovski. Chostakovitch. Prokofiev. Et tout qu'il est jeté dans le poubelle !

– Prenez les disques, ai-je dit d'un ton confus. Je n'ai pas de tourne-disque. »

Je ne voulais pas qu'elle me considère comme une barbare.

« Merci. J'adore particulièrement les sonates pour piano de Prokofiev. »

J'ai alors remarqué derrière la benne un landau à l'ancienne avec de grosses suspensions recourbées, dans lequel elle avait déjà entassé des livres de mon mari.

« Vous pouvez aussi prendre les livres.

– Tous vous avez lus ? m'a-t-elle demandé comme si elle cherchait à détecter d'éventuels penchants barbares.

– Tous.

– Bien. Merci.

– Je m'appelle Georgie. Georgie Sinclair. »

Elle a incliné la tête avec raideur, mais elle n'a rien dit.

« Je n'habite pas ici depuis très longtemps. Nous sommes arrivés de Leeds il y a un an. »

Elle a tendu une main gantée – les gants étaient déchirés aux pouces – avec des airs de souveraine légèrement toquée saluant un de ses sujets.

« Mrs. Naomi Shapiro. »

Je l'ai aidée à ramasser les disques éparpillés pour les empiler au-dessus des livres. La pauvre, me disais-je, une des laissées-pour-compte de la vie qui transporte tous ses maigres biens dans un landau. Elle est repartie en vacillant légèrement sur ses hauts talons. Malgré le froid qui régnait dehors, je sentais son odeur forte et âcre de fromage trop fait. Après son départ, j'ai aperçu le matou blanc hirsute avec ses trois pattes bottées de noir qui s'extirpait des fourrés du jardin voisin et la suivait dans la rue en filant se mettre à l'abri de temps à autre. Puis j'ai vu toute une cohorte de chats sombres surgir des murs et des buissons et se glisser furtivement sur ses talons. Je l'ai suivie du regard jusqu'à ce qu'elle disparaisse au coin de la rue. La Reine des chats. Et elle est aussitôt sortie de mon esprit. J'avais bien d'autres soucis en tête.

Du trottoir, je voyais la lumière allumée dans la chambre de Ben et l'écran de son ordinateur qui clignotait tandis qu'il surfait sur les vagues du monde. Ben, mon bébé, seize ans déjà et citoyen à part entière du Web. « Je suis un cyber-ado, m'man. J'ai grandi avec l'hypertexte », m'avait-il répondu un jour où je lui reprochais de passer trop de temps sur le Net. Le carré de lumière passait du bleu au rouge, puis au vert. Quelles mers parcourait-il ce soir ? Quels paysages avait-il vus ? Encore debout à cette heure. Seul. Mon cœur s'est serré – mon gentil Ben si sérieux pour son âge. Comment se fait-il que les enfants de mêmes parents puissent devenir si différents ? À vingt ans, sa sœur Stella avait déjà pris la vie par les cornes, l'avait retournée, plaquée au sol et lui apprenait à lui manger dans la main (ainsi qu'une brochette changeante de jeunes hommes pleins d'espoir) dans une maison en colocation du côté de Durham University, où, chaque fois que j'appelais, j'avais l'impression de tomber sur une fête ou en pleine répétition d'un groupe de rock.

À la fenêtre d'en haut, le carré de couleur a clignoté une dernière fois avant de disparaître. L'heure de se coucher. Je suis allée écrire un petit mot à mon mari, lui demandant de venir chercher ses affaires, et je l'ai mis dans une enveloppe que j'ai affranchie au tarif économique. Le lendemain matin, à la première heure, j'ai appelé le loueur de bennes.

Que je vous explique pourquoi je mettais à la benne les affaires de mon mari – comme ça vous jugerez par vous-mêmes à qui la faute. Un matin, dans la cuisine – c'est le branle-bas général habituel, Rip qui s'apprête à partir au bureau, Ben au lycée. Rip qui tripote son BlackBerry. Je prépare du café, fais mousser le lait et brûler les toasts. La cuisine est envahie par la fumée, la vapeur et l'effervescence matinale. À la radio, c'est l'heure des informations. Les pas de Ben résonnent à l'étage.

Moi : J'ai acheté un nouveau porte-brosses à dents pour la salle de bains. Quand tu auras un moment, tu pourras le fixer au mur ?

Lui : (Silence.)

Moi : Il est très joli. C'est de la porcelaine blanche. Style scandinave.

Lui : Quoi ?

Moi : Le porte-brosses à dents.

Lui : Mais putain, de quoi tu me parles ?

Moi : Le porte-brosses à dents. Il faut le fixer au mur. Dans la salle de bains. (Une pointe d'ironie désemparée dans le ton.) Je crois qu'il faut mettre une chenille.

Lui : (Gros soupir viril.) Il y en a qui essaient d'accomplir quelque chose qui vaille vraiment la peine dans ce monde. Tu vois, quelque chose qui puisse contribuer au progrès de l'humanité et façonner les générations futures. Et toi, tu es là à radoter sur une brosse à dents.

Je ne sais pas alors ce qui m'a pris. Mon bras est parti d'un coup, et soudain la mousse de lait a volé aux quatre coins de la cuisine – sur le mur, sur lui, partout sur son BlackBerry. Une giclée de mousse prise dans les poils blonds de son sourcil gauche tremblotait comme de la gélatine tant il enrageait.

Lui (furieux) : Qu'est-ce qui te prend, Georgie ?

Moi (hurlant) : Mais tu t'en fiches ! Tout ce qui t'intéresse, c'est ton boulot, changer le monde, façonner les destins !

Lui (secouant la tête d'un air incrédule) : Absolument, ça m'intéresse beaucoup. Je m'intéresse à ce qui se passe dans le monde. Mais j'avoue que je ne m'intéresse pas vraiment aux brosses à dents.

Moi (regardant avec fascination la giclée de mousse qui se détache et se met à dégouliner) : Un porte-brosses à dents.

Lui : Un porte-brosses à dents, c'est quoi, ça, putain ?

Moi : C'est… Ah ! (Voilà… Plof !)

Lui (s'essuyant l'œil d'un air digne) : Je ne vois pas pourquoi je supporterais ça.

Moi (fière de mon exploit) : Rien ne t'oblige à supporter ça. Pourquoi tu ne t'en vas pas ? Et n'oublie pas d'emporter cette saloperie de BlackBerry, surtout. (Quoique, ça, il y avait peu de chances qu'il l'oublie.)

Lui (péteux) : Tes crises d'hystérie n'ont rien de séduisant.

Moi (insolente) : Non, et tu n'es pas vraiment séduisant non plus, espèce de gros con bouffi d'arrogance.

Mais il était séduisant. C'est bien là le problème. Et j'avais tout fichu en l'air, me disais-je en pensant à Mrs. Shapiro qui se baladait dans la rue avec sa précieuse collection de grands compositeurs russes soigneusement rangée dans son landau.

2

Phéromones

J'étais assise à mon bureau, contemplant la pluie tout en essayant de boucler l'édition de novembre d'*Adhésifs dans le monde moderne*, quand le camion est venu enlever la benne. J'avoue que les adhésifs ont parfois un côté monotone et je n'étais pas mécontente de trouver une distraction. Je l'ai regardé reculer et se positionner, abaisser les chaînes pour arrimer la benne qui débordait et balancer son chargement en l'air, le matelas d'appoint trempé, les papiers en désordre, les magazines qui claquaient mollement au vent, les sacs-poubelles pleins de vêtements et les cartons qui contenaient les vestiges de son Travail de Haute Importance, puis la laisser retomber à l'arrière avec un bruit sourd des plus satisfaisants. À la fin, je suis sortie régler le chauffeur et je dois dire qu'en voyant le camion s'éloigner lourdement, j'ai été saisie d'une grande appréhension. Je savais que Rip serait furieux.

Quand il était rentré du bureau ce jour-là – le jour du porte-brosses à dents –, je m'étais calmée, mais il était encore hors de lui. Il avait commencé à entasser ses affaires dans la voiture.

Moi (inquiète) : Qu'est-ce que tu fais ?

Lui (visage de marbre) : Je pars. Je vais m'installer chez Pete.

Moi (insistante, pitoyable, méprisable, me détestant) : Ne pars pas, Rip. Je suis désolée. Ce n'est qu'un porte-brosses à dents. Je vais le fixer moi-même. Tu sais quoi ? (Petit gloussement.) Je vais apprendre à mettre des chenilles.

Lui (mâchoires serrées) : Mais il n'y a pas que ça, hein ?

Moi : Qu'est-ce que tu veux dire ? (Une horrible vérité me vient soudain à l'esprit.) Tu as ?…

Lui : (Soupir las.) Il n'y a personne d'autre, si c'est ce que tu veux savoir. C'est juste…

Moi (soulagée) : Juste… moi ?

Lui (regardant sa montre) : Il faut que j'y aille. J'ai dit à Pete que je serais là à sept heures.

Moi (l'air faussement nonchalant, malgré mon impression de n'être qu'un misérable ver de terre indigne de sortir de son trou) : Très bien. Comme tu voudras. Ça ne me dérange pas. Dis bonjour à Pete de ma part.

Pete était australien. C'était le partenaire de squash de Rip et un de ses supérieurs hiérarchiques du Programme de développement. On l'appelait Pete les Pectos, parce qu'il portait toujours des tee-shirts blancs moulants et de grosses baskets blanches, et ne cessait de faire des blagues sur les lesbiennes. Je l'aimais bien, ceci étant. Il habitait avec sa femme Ottoline dans une maison avec de hautes fenêtres qui donnait sur un parc d'Islington, dont ils louaient parfois le dernier étage transformé en appartement. Un soir, j'y suis allée et je suis restée un moment à regarder les fenêtres éclairées. Ils ne pouvaient pas voir que j'étais là dans le noir, le visage ruisselant de larmes.

Ça a duré comme ça quelques semaines, la phase des pleurs. Puis la fureur a pris le dessus.

« Je viendrai chercher le reste plus tard », avait déclaré Rip en partant.

Mais il n'était jamais venu. Les chaussures dans l'entrée – je leur donnais un coup de pied à chaque fois que je passais –, les vieux vêtements dans la penderie – ils étaient encore vaguement imprégnés de son odeur –, les anciens numéros de l'*Economist* et du *New Statesman* empilés contre le mur, les classeurs de bureau bourrés de développement. Sans compter les caleçons sales qu'il avait laissés dans le panier à linge. Qu'est-ce que j'étais censée faire ? Les laver ?

Je ne voulais pas que ma nouvelle vie soit encombrée par son vieux fatras. Je m'en sortirais, me disais-je. Je m'en remettrais. Je rencontrerais quelqu'un d'autre. Et pour me convaincre que je parlais sérieusement, j'avais loué une benne. J'aurais peut-être mieux fait de tout donner à une association, mais je n'avais pas de voiture et ça me semblait trop compliqué. Et puis, dans ce cas, cette histoire n'aurait peut-être jamais vu le jour, car c'est grâce à la benne que Mrs. Shapiro est entrée dans ma vie.

Une heure après le départ de la benne, on sonnait à la porte. Déjà ! Je me suis figée sur place, pétrifiée par l'énormité de mon geste. J'ai entendu qu'on sonnait de nouveau, un long coup de sonnette insistant, style je-sais-que-tu-es-là. Il valait mieux ne pas répondre. Et s'il regardait par la fenêtre et me voyait plantée là ? Je pouvais peut-être enlever mes chaussures et monter discrètement dans la chambre ? Et s'il regardait par la fente de la boîte aux lettres et me voyait grimper l'escalier à pas de loup ? Je me suis faufilée dans le couloir sur la pointe des pieds, je me suis allongée par terre, à l'écart des fenêtres, et j'ai retenu mon souffle.

Ça a encore sonné à plusieurs reprises. De toute évidence, il n'était pas dupe. Puis la boîte aux lettres a claqué. Ensuite, plus rien. Pendant que j'étais allongée par terre à contempler le plafond qui s'assombrissait peu à peu, les battements de mon cœur se sont ralentis et j'ai retrouvé un souffle normal. Au bout d'un moment, une chanson m'est venue à l'esprit.

« *You thought I'd lay down and die. Oh no, not I ! I will survive !* » Gloria Gaynor. Une des préférées de maman. Comment c'était déjà ? « *At first, I was afraid, I was petrified.* » Je me suis mise à chanter : « *I didn't know if I could* je ne sais plus quoi *without you by my side*… la la la… *change the locks… I will survive !* » J'avais oublié les trois quarts des paroles, mais je me rappelais encore le refrain : « *I will survive ! I will survive !* » Je l'ai beuglé à n'en plus finir.

C'est comme ça que Ben m'a trouvée en rentrant du lycée, braillant à tue-tête, couchée sur le dos par terre. Il avait dû entrer si doucement que je n'avais pas entendu la porte. Soudain, j'ai ouvert les yeux et je l'ai vu là, penché sur moi.

« Ça va, m'man ? » Il plissait les yeux d'un air inquiet.

« Bien sûr, mon cœur. C'est juste… un petit intermède musical. »

Je me suis relevée péniblement et j'ai regardé par la fenêtre. La rue était déserte. Il avait recommencé à pleuvoir. Il n'y avait aucune trace du passage de la benne, si ce n'est quelques éclats de vinyle sur la chaussée. Puis j'ai aperçu un prospectus sur le paillasson. Ben l'a ramassé avec curiosité. *La Tour de garde. Guettez et priez car vous ne savez pas quand l'heure viendra.*

« C'est quoi ?

– C'est la revue des Témoins de Jéhovah. Ça parle de la fin du monde et du retour de Jésus, où tous les vrais croyants seront expédiés au paradis.

– Hmm. » Il l'a feuilletée rapidement et, à mon grand étonnement, l'a fourrée dans sa poche avant de monter à pas lourds dans sa chambre.

Dommage. Une petite conversation à cœur ouvert avec un gentil Témoin de Jéhovah ne m'aurait pas fait de mal.

Ça a sonné de nouveau au moment où je m'apprêtais à prendre le thé avec Ben. Il est allé répondre.

« Salut, papa.

– Salut. Ta mère est là ? »

Impossible de se cacher cette fois. Je me suis retrouvée face à face avec lui de l'autre côté de la table. Il était accompagné de Pete les Pectos. Ils étaient tous les deux en jogging. Ils avaient dû faire tout le chemin d'Islington à ici en courant. Je sentais l'odeur de leur transpiration. La cuisine empestait les phéromones. Soudain, j'ai été prise d'un accès de désir humiliant – saletés d'hormones qui me trahissaient juste au moment où je croyais commencer à maîtriser la situation.

Lui (s'affalant sur sa chaise en étendant les jambes comme s'il était chez lui) : Salut, Georgie. J'ai eu ton message. Je suis venu sauver mes biens.

Moi : (Au secours ! Qu'est-ce que j'ai fait ?) Trop tard. Ils sont passés chercher la benne ce matin.

Lui (les yeux ronds, battant des paupières ; la bouche ouverte formant un petit O tout rond comme une truite accrochée à l'hameçon) : Tu plaisantes ? (Décidément, il fait bien plus truite que façonneur de destin. Ha ha ha !)

Moi : Pourquoi je plaisanterais ? (Son front a aussi l'air de s'être un peu dégarni. Parfait. Il n'est pas aussi sublime qu'il le croit.)

Lui (incrédule) : Ils ont embarqué les disques. Mes grands compositeurs russes ?

Moi : (Sourire narquois.) Hmmm.

Lui (encore plus incrédule) : Mes premières crampons de rugby ?

Moi : Tout le bazar. (Comment un homme qui se débarrasse de son épouse fidèle et dévouée sans le moindre état d'âme peut-il avoir la larme à l'œil pour une paire de vieilles chaussures de football toutes moisies ?)

Lui : (Soupir désabusé.) Tu es tellement puérile, Georgie.

Puérile ? Moi ? J'ai attrapé une assiette de pâtes. De nouveau, mon bras a été agité d'un spasme. Pete souriait l'air embarrassé et plongeait le nez dans le *Guardian*. Puis j'ai aperçu le regard effrayé de Ben – pauvre Ben, il n'avait pas besoin de voir ses parents se comporter ainsi. J'ai reposé les pâtes, pris la porte et j'ai couru là-haut. Je me suis jetée sur mon lit en refoulant mes larmes. Je survivrai. Je serai forte. Je changerai les serrures. Regardez Gloria Gaynor : elle a fait de son chagrin d'amour une chanson qui s'est vendue à des millions d'exemplaires. Tandis que j'étais là à écouter les voix qui montaient de la cuisine en me maudissant de ne pas avoir su garder mon sang-froid, une idée séduisante a germé dans mon esprit.

En réalité, j'avais déjà fait la moitié du chemin. J'avais un titre provisoire et un pseudonyme génial. Je me suis imaginée en auteur publié, très chic en lin froissé, un élégant sac en cuir bourré d'épreuves négligemment jeté par-dessus l'épaule, sautant d'un avion à l'autre avec une escorte de poètes-gigolos. Rip apparaîtrait aux yeux du monde comme un égocentrique accro au boulot, tristement sous-équipé, affligé de pellicules et d'une insatiable dépendance au Viagra. Sa femme, belle et d'une patience à toute épreuve, aurait des fesses sublimes.

« Forget ! Survive ! » résonnait en moi la voix de Gloria Gaynor. *« You'll waste too many nights thinking he did you wrong. Change the locks ! Grow strong ! »* Inutile de passer des nuits entières à penser à tout le mal qu'il t'a fait. Oublie ! Change les serrures ! Sois forte !

Et le fait est qu'elle avait raison. Mes précédentes velléités de roman constituées de douze cahiers et demi remplis étaient rangées au fond d'un tiroir avec tout un dossier de lettres de rejet.

Chère Miss Tempest,

Je vous remercie de m'avoir soumis le manuscrit du *Cœur éclaté.* Votre livre met en scène des personnages pittoresques et présente un éventail impressionnant d'adjectifs, mais, à mon grand regret, il n'a pas suscité chez moi l'enthousiasme suffisant…

C'est le genre de choses qui vous démolit le moral et le mien était déjà bien assez bas. Mais trop tard – une graine d'optimisme s'était logée dans mon cœur et les premières lignes jaillissaient dans mon esprit. Il me restait un cahier vierge.

Le Cœur éclaté
Chapitre 1

Il était minuit passé quand Rick roula, épuisé, sur son large dos ~~musclé~~ légèrement grassouillet et passa négligemment ses doigts ~~vigoureux~~ aux ongles rongés dans ses épais cheveux bouclés ~~naturellement blonds~~ rehaussés d'un discret balayage blond.

Bon d'accord, je sais que ce n'est pas du Jane Austen. La carencée de l'enthousiasme n'a peut-être pas tort au sujet des adjectifs. En étais-je déjà à l'angoisse de la page blanche ? En bas, j'ai entendu des voix, puis le cliquetis du verrou. Ensuite, la porte de ma chambre s'est entrouverte.

« Ça va, m'man ? Tu ne dînes pas ? »

3

Durée de conservation

Une fois Rip installé au dernier étage de la maison de Pete les Pectos, nous avons décidé que Ben passerait la moitié de la semaine chez chacun. Une fois, je l'ai surpris à cocher les jours sur le calendrier, armé de sa montre et de son crayon. Dimanche, lundi, mardi : papa. Mercredi, jeudi, vendredi : maman. Le samedi, ça se compliquait – une semaine chez papa, la suivante chez maman. On l'avait coupé en deux et on se l'était partagé. Je le voyais froncer les sourcils en essayant de se rappeler quelle semaine on était. Il tenait absolument à être équitable envers nous deux. Il ne voulait léser personne.

Tandis que la rage que m'inspirait Rip se figeait peu à peu au fond de moi, j'éprouvais parfois une torpeur tellement immense que c'en était presque une souffrance. Les jours où Ben n'était pas là, je ne pouvais quasiment pas supporter de rester seule à la maison. Le silence avait un timbre discordant, comme un acouphène persistant. En passant d'une pièce à l'autre, j'entendais mes pas sur le parquet stratifié. Quand je mangeais, j'entendais le crissement de la fourchette et du couteau sur l'assiette dans la cuisine pleine d'échos. Au début, j'avais essayé de mettre la radio ou de la musique, mais c'était encore pire : j'avais conscience du silence même si je ne le percevais pas.

Quand le silence devenait insupportable, j'allais me promener, juste pour sortir de la maison. Avec mes vieilles baskets confortables et un duffel-coat antédiluvien muni d'une large capuche flottante et de manches en forme d'ailes de chauve-souris, je me baladais au crépuscule en épiant la vie des autres par les fenêtres éclairées, les surprenant en plein dîner ou installés sur le canapé devant la télé, et j'essayais de me rappeler ce que ça faisait d'être en couple. J'aurais peut-être dû me pomponner et me mettre en chasse d'un nouvel homme, mais pour l'heure je devais me contenter des bras de mon duffel-coat qui m'enlaçaient de leurs manches ailées. J'avais davantage l'air d'une vieille folle que de Batwoman, mais ça n'avait aucune importance car je ne croisais jamais personne que je connaissais et, de toute façon, le manteau me rendait invisible.

Un après-midi, je suis allée à Islington avec l'intention d'acheter deux-trois choses qu'il me fallait chez Sainsbury's et de rentrer en bus. Il était à peu près quatre heures et la responsable de l'étiquetage effectuait ses réductions de fin de journée. Les clients grouillaient autour d'elle comme un banc de piranhas à l'heure du repas. Ma mère avait toujours été une fervente adepte des produits qui s'apprêtaient à être retirés des rayons et je repensais avec un pincement de nostalgie à l'époque où elle m'envoyait, petite, trottiner dans les allées à la recherche des étiquettes rouge vif marquées RÉDUCTION qui soufflaient des baisers écarlates sur le film étirable. Elle ne faisait pas grand cas de la listernia et de la pellicule plastique, et son expérience malheureuse avec des bâtonnets au crabe d'un âge avancé n'avait pas suffi à refroidir son enthousiasme. Elle tapotait sa taille élastiquée. « Il n'y a pas de petites économies. » Maman veillait sur ses pennies comme sur une manne tombée du ciel. C'est drôle de voir comment des années après avoir quitté la maison on trimbale encore en soi des fragments de ses parents. Maintenant que je n'avais plus la certitude du salaire de Rip qui atterrissait tous les mois sur notre compte conjoint avec un sympathique *shkling !* de caisse enregistreuse, je comprenais le sentiment aigu d'insécurité qui avait dû poursuivre ma mère toute sa vie. Ou peut-être étais-je si abattue à l'époque que je me sentais une parenté nauséeuse avec les pâtisseries racornies et les tristes ailes de poulet rejetées. Toujours est-il que je me suis précipitée dans la mêlée.

La responsable de l'étiquetage progressait avec une lenteur incroyable, crachant des étiquettes qui n'arrêtaient pas de se coincer dans la machine. Dès qu'elle avait collé une nouvelle étiquette sur un paquet, une main surgissait de la cohue pour le lui arracher. Les produits au rabais n'avaient pas même le temps d'atteindre les rayons. C'était toujours la même main – une main osseuse, déformée, incrustée de bijoux – qui jaillissait et s'emparait de l'article. En me retournant pour la suivre du regard, j'ai remarqué une vieille femme qui plongeait sous les épaules de deux grosses dames. Elle avait les cheveux ramassés sous une grosse casquette écossaise ornée d'une broche en strass en forme de cœur transpercé d'une flèche épinglée sur le côté, dont s'échappaient quelques boucles noires rebelles. Elle se jetait sur les articles comme une enragée. C'était Mrs. Shapiro.

« Bonjour ! » ai-je lancé.

Elle a levé les yeux et m'a fixée un instant. Puis elle m'a reconnue.

« Georgine ! » s'est-elle écriée. Elle prononçait les *g* à l'allemande et rajoutait un *é* à la fin : Gheorginé ! « Bonjourrr, chérrrie !

– Je suis ravie de vous revoir, Mrs. Shapiro. »

Je me suis penchée pour l'embrasser sur les joues. Dans l'espace clos du rayon épicerie, elle dégageait une puanteur de vieux fromage mêlée à de vagues effluves de Chanel N° 5. Je voyais la mine des autres clients qui s'écartaient sur son passage. Ils la prenaient pour une simple clocharde, une cinglée. Ils ne savaient pas qu'elle collectionnait les livres et écoutait les grands compositeurs russes.

« Plein les bonnes affaires aujourd'hui, chérrrie ! » Elle était si surexcitée qu'elle avait la voix haletante. « D'abord plein tarif, et hop, la minute après moitié prix – le même produit, tout pareil. C'est toujours meilleur quand tu paies moins cher, hein ?

– Je devrais vous présenter ma mère. Elle adore les bonnes affaires. Elle dit que c'est à cause de la guerre. »

Elle devait être un peu plus âgée que ma mère – à mon avis, près de quatre-vingts ans. Plus ridée peut-être, mais plus énergique. Elle était à l'âge où l'on porte des bottines extra-larges à velcro, mais elle trottinait comme une reine de l'élégance, coquettement perchée sur des escarpins à bouts ouverts, d'où émergeait l'extrémité crasseuse de ses chaussettes d'un blanc douteux.

« Pas juste la guerre, chérrrie. Dans ma vie, j'apprenais

me débrouiller. Les difficultés de la vie qu'ils sont le bon professeur, non ? »

Les joues empourprées, l'œil vif, elle étudiait attentivement les nouvelles étiquettes apposées sur les anciennes, le front légèrement plissé par l'effort qu'exigeait d'elle le calcul mental.

« Allez, Georgine, attrapez ! »

Je me suis faufilée à côté d'une des grosses dames et j'ai saisi au vol un poulet *korma* passé de 2,99 à 1,49 livre. Maman aurait été fière de moi.

« Il faut être vite ! Vous aimez le saucisse ? Tenez ! »

Mrs. Shapiro a arraché un paquet de saucisses en promotion à 59 pence des mains d'un retraité interloqué et l'a jeté dans mon panier.

« Oh… merci. »

Elles étaient d'un rose peu ragoûtant. Mrs. Shapiro m'a tirée par le poignet pour me chuchoter à l'oreille : « C'est pas problème. Juif. Pas saucisse. » Le retraité fixait les saucisses dans mon panier.

« Vous juive aussi, Georgine ? » Elle avait dû remarquer que je lorgnais les saucisses d'un air écœuré.

« Non. Pas juive. Yorkshire.

– *Ach so.* Peu importe. Vous pouvez rien.

– Vous avez écouté les disques ? Ils sont en bon état ? Pas trop rayés ?

– Très beaux disques. Glinka. Rimski-Korsakov. Moussorgski. Quelle musique qu'elle t'emmène tout droit dans le paradis. » D'un geste théâtral, elle écartait ses mains osseuses, les bagues étincelantes, les ongles vernis aussi éclatants que de petits bouquets de cerises. En la regardant de plus près, je me suis aperçue que ses joues enflammées, que j'avais par erreur mises sur le compte de l'excitation, étaient en fait deux ronds de blush, dont l'un portait en plein milieu une trace de pouce bien visible.

« Chostakovitch. Prokofiev. Miaskovski. Mon Arti qu'il a joué avec eux tous.

– C'est qui, Arti ? » lui ai-je demandé, mais elle était concentrée sur une quiche lorraine à 79 pence.

Je rechignais à admettre que je n'étais pas une grande amatrice de musique classique – ça m'a toujours paru être le genre de truc que Rip écoutait l'air de me dire : « T'as vu ? Je passe l'aspirateur. » Moi, je suis plutôt fan de Bruce Springsteen et de Joan Armatrading.

« Je n'ai pas vraiment l'oreille musicale. »

Rip me disait sans arrêt que je n'avais aucune oreille et que le seul fait de m'entendre chanter dans mon bain était pénible pour l'amateur éclairé.

« Pas tout le grand art qu'il est pour les masses, chérrrie. Mais vous voulez apprendre, non ? a-t-elle ajouté en battant ses paupières azur. Je jouera pour vous. Vous aimez la poisson ? »

À l'instant même où elle prononçait ces mots, j'ai cru sentir de vagues relents de poisson émerger sous le

Chanel au fromage. Ils provenaient de son caddie. J'ai vu qu'au milieu de ses articles au rabais il y avait plusieurs sachets de poisson, qui tous portaient la mention RÉDUCTION. J'ai hésité. Ils avaient vraiment une odeur d'avarié. Même maman se serait abstenue.

« Vous venez chez moi. Je préparera pour vous. »

La pauvre, elle devait se sentir seule, me suis-je dit.

« Avec plaisir, mais… » Mais quoi ?

J'essayais d'inventer une excuse quand, soudain, elle a poussé un cri à vous figer le sang :

« Non, non ! Voleur ! »

Il y a eu une échauffourée dans l'allée et un fracas de caddies poussés sans ménagements. Le retraité à qui elle avait arraché les saucisses avait essayé de les reprendre en douce dans mon panier. Mrs. Shapiro s'en est emparée et les a brandies en l'air.

« Voleur ! Si tu veux ton saucisse, tu le paies plein tarif ! »

Vaincu, humilié, le retraité a battu en retraite. Elle s'est retournée vers moi, la mine triomphale.

« Je l'habite pas loin de vous. Grand maison. Grand jardin. Trop les arbres. Totley Place. Kennen House. Vous venez samedi sept heures. »

« Vous avez la carte Nectar ? » m'a demandé la caissière

en passant mes achats devant le lecteur de codes-barres. (D'où venait cette immonde sauce au fromage ?)

J'ai fait non de la tête en marmonnant un commentaire à la Rip sur le règne de Big Brother. Derrière moi, Mrs. Shapiro se disputait avec un client qui faisait la queue et je voulais filer au plus vite.

« Bravo, chérrrie ! Partout on est surveillé maintenant », s'est-elle écriée en se précipitant vers la sortie, cognant aux jambes le monsieur de la caisse d'à côté avec son caddie. C'était un type costaud aux cheveux blonds coupés ras, avec une carrure de joueur de rugby. Il s'est retourné et l'a fusillée du regard.

« Pardon, pardon, mon cherrr. » Un éclat de rouge amarante. Un battement de paupières bleues. Le monsieur a secoué la tête, l'air attristé de voir des fous lâchés dans la nature.

Une fois passé à la caisse, il s'est dirigé vers le parking. Je l'ai regardé charger ses provisions dans un énorme 4 × 4 aux vitres fumées garé sur un emplacement réservé aux handicapés, devant le landau de Mrs. Shapiro. Juste derrière lui, une Robin Reliant bleue digne d'un épisode de *Mr. Bean* s'était rangée de côté. Elle avait une vignette « handicapé » sur le pare-brise. Il a mis le 4 × 4 en marche arrière – on aurait dit un blindé de l'armée américaine – et commencé à reculer, mais il était bloqué par la petite voiture à trois roues. De l'autre côté, Mrs. Shapiro entassait ses courses dans son landau. Il a avancé et passé la tête par la portière.

« Vous pourriez bouger votre landau pour que je puisse manœuvrer ?

– Un moment, je vous prie ! s'est écriée Mrs. Shapiro. Il faut un autre réduction ! » Elle avait trouvé une pomme non soldée légèrement abîmée et retournait au supermarché négocier un nouveau rabais.

Pendant que j'attendais, le propriétaire de la Robin Reliant est revenu. C'était un petit monsieur tout ratatiné qui s'aidait d'une canne. Il est monté dans la Reliant, a sorti un pâté à la viande d'un sachet en papier et s'est mis à manger. Le conducteur du blindé s'est acharné sur le klaxon, mais l'homme au pâté à la viande a continué à manger. Le blindé a commencé à reculer petit à petit jusqu'à ce que son pare-chocs touche la portière de la Reliant. Clonk ! La petite voiture a tremblé sous le choc. À présent, un groupe s'était rassemblé pour observer la scène. J'ai remarqué les deux grosses dames de la mêlée des étiquettes qui plongeaient la main dans un sac de biscuits. Le vendeur de *Big Issue* avait quitté son poste devant le supermarché et une fille qui distribuait des prospectus quand j'étais arrivée s'était jointe à lui. Ils lui criaient tous d'arrêter. L'homme au pâté à la viande prenait tout son temps, savourant chaque bouchée.

Brusquement, le conducteur du blindé a repassé la marche avant en braquant le volant au maximum, dirigeant son pare-chocs chromé vers l'endroit où je me trouvais. En voyant sa mâchoire serrée, cette façon de fixer droit devant lui sans un regard pour moi, je suis devenue blême. Je me suis placée devant le landau d'un air de défi, serrant la main sur la poignée, mes sacs de provisions coincés entre les jambes. Ce n'est pas moi qui avais commencé, mais j'étais prête à me sacrifier. Le conducteur a klaxonné et continué à avancer. Il allait finir par défoncer le landau avec son énorme pare-chocs !

Sur ce, Mrs. Shapiro a émergé, rayonnante, du

supermarché en brandissant la pomme qui portait désormais une étiquette RÉDUCTION.

« Ils ont baissé 5 pence ! »

Elle a sorti un paquet de cigarettes et une boîte d'allumettes de sous le capot du landau, m'en a offert une – que j'ai refusée – et a allumé la sienne.

« Merci de attendre. »

Elle a indiqué du menton le vendeur de *Big Issue* et la fille au prospectus et m'a glissé assez fort pour qu'ils l'entendent : « On dirait le gitans. Il veut voler mon provision ?

– Non, ils…

– Mais tu vas le bouger, ton landau, la vieille ! a rugi le conducteur du blindé par la portière.

– Ne lui parlez pas sur ce ton, espèce de brute ! je lui ai rétorqué.

– Qu'est-ce qu'il dit, Georgine ?

– Il veut juste que vous déplaciez votre landau pour qu'il puisse sortir sa voiture. Mais prenez votre temps.

– Pardon, pardon, mon cherrr », lui a-t-elle lancé avec un battement de paupières azur.

Elle a poussé le landau en vacillant légèrement sur ses talons et s'est éloignée à petits pas vers Chapel Market en tirant sur sa cigarette.

4

Assemblage de matériaux dissemblables

En rentrant, j'ai mis l'eau à chauffer pour me faire un thé et j'ai appelé maman pour lui raconter l'histoire du landau. Je savais que Mrs. Shapiro l'intriguerait autant que moi. (Papa, quant à lui, verrait d'un bon œil que je prenne sous mon aile une vieille dame vulnérable.) Maman avait eu soixante-treize ans en octobre et le poids des années se faisait sentir. Sa vue se détériorait (« dégénérescence immaculée », comme elle disait) et le médecin lui avait annoncé qu'elle ne devait plus conduire. Papa avait des « soucis de plomberie ». Son fils, mon frère Keir, qui était divorcé depuis cinq ans et ne voyait quasiment jamais ses deux enfants, était affecté en Irak. Et voilà que je me séparais de mon mari. Alors qu'elle aurait dû voguer sur les eaux sereines du couchant, l'orage et la tourmente menaçaient à l'horizon.

Pour l'amuser, je me suis lancée dans la description de mes achats :

« Du poulet *korma*. Passé de 2,99 à 1,49 livre.

– Formidable. C'est quoi, du poulet coma ? »

Maman n'est pas idiote, mais elle est dure d'oreille – ma grand-mère a eu la rougeole quand elle était enceinte. Papa et moi, on se moque d'elle car elle refuse de mettre un appareil auditif. (« On va me prendre pour un alien si on me voit avec des bouts de fil qui me sortent du crâne. » Et le fait est qu'à Kippax, d'où je viens, ce n'est pas impossible.)

« Du poulet *korma*. C'est un plat indien. Crémeux, un peu épicé.

– Holà, je ne suis pas sûre que ton père apprécierait. » Elle avait le ton morne, découragé.

J'ai essayé autre chose :

« Tu as lu des bons livres récemment ? »

Quand elle était bien lunée, c'était son sujet favori, un plaisir coupable que nous partagions toutes les deux. Quand j'avais seize ans, papa m'avait offert *The Ragged Trousered Philanthropists* de Robert Tressel, grand classique de la littérature ouvrière que j'avais fait semblant d'apprécier alors que je le trouvais aussi déprimant que rébarbatif. Maman, quant à elle, m'avait fait connaître Georgette Heyer et Catherine Cookson, que je faisais semblant de mépriser mais dévorais en secret.

« Il faut toujours veiller sur les opprimés, avait dit papa.

– Rien de tel qu'un *happy end* », avait dit maman.

« Je viens de finir *Tentation en turquoise*, a-t-elle soupiré à l'autre bout du fil. Mais c'est très mauvais. C'est truffé de halètements et de sous-vêtements arrachés. » Silence. « Tu as revu Euripode ? »

Je savais qu'au fond elle espérait qu'on se réconcilierait. Je ne lui ai pas dit qu'il était passé chercher ses affaires.

Au début de notre rencontre, je nous imaginais parfois comme les héros romantiques d'une folle passion au cœur des tourments de la grande grève des mineurs, transgressant les frontières de classes et de richesse pour être ensemble. Je lui ouvrais les portes d'un monde exotique peuplé de nobles sauvages qui parlaient socialisme en se savonnant le dos dans les douches de la mine. Il m'ouvrait les portes du monde de Jane Austen. Nous nous faisions tant d'illusions l'un sur l'autre, peut-être était-ce voué à l'éclatement.

Quand maman a raccroché, je suis allée me faire du thé et j'ai pris mon stylo.

Le Cœur éclaté
Chapitre 2

Tout à ses pensées charnelles, Ri~~p~~ck roulait par une belle journée d'octobre ensoleillée au volant de sa ~~mini~~ Porsche qui ~~serpentait lentement~~ rugissait au milieu des ~~Roaches~~ collines éclatantes de beauté dans les somptueuses couleurs de l'automne. Quelques kilomètres ~~après Leek~~… (devais-je également changer les noms de lieux ? j'ai bien essayé de me souvenir de mes cours de journalisme avec la pétulante Mrs. Featherstone, impossible de retrouver ce qu'elle disait de la diffamation) *la route bifurqua brusquement vers la droite, et Gina vit un chemin qui débouchait sur une barrière flanquée de deux piliers en pierre, et tout en bas de la vallée, à plus d'un kilomètre, se dressait ~~Holtham House~~ Holty Towers, voguant tel un galion de pierre sur une mer miroitante de reflets rouges, verts et or.* (Pause admirative : pas mal, le passage du galion.) *Malgré elle, Gina ~~était impressionnée~~ se trouvait inéluctablement attirée par ~~la maison~~ l'imposante demeure et ne put s'empêcher de ~~se dire que ces gens n'étaient pas à plaindre~~ de remarquer les magnifiques détails d'époque. C'est donc ainsi que vivent les privilégiés, se dit-elle. ~~En fait, elle était sous le charme.~~ Elle était écœurée.*

Pour tout dire, Rip était bien moins embarrassé que moi par les différences entre nos deux familles.

Moi (chuchotement) : Tu ne m'avais pas dit qu'ils étaient si huppés.

Lui (murmure) : Quand on a de l'argent, on s'aperçoit que ça n'a aucune importance.

Moi (à mi-voix) : Oui, mais c'est important quand on n'en a pas assez.

Lui (sûr de lui) : L'inégalité n'a d'importance que si les gens se sentent inférieurs.

Moi : Oui, mais… (Mais c'est des foutaises.)

Lui : Tu ne te sens pas inférieure, Georgie ?

Moi : Non, mais… (Mais qu'est-ce que tu crois, bon sang ? Je ne sais pas quoi faire de tous ces couteaux et ces fourchettes. J'ai l'impression qu'ils me regardent de haut. Mais je ne peux pas l'admettre, à moins de passer pour une pauvre andouille. Alors mieux vaut que je me taise.)

Lui : Hmm. (Il m'embrasse tendrement, puis nous finissons au lit, ce qui est toujours agréable.)

5

Poisson

Quand j'ai remonté l'allée de Canaan House samedi soir pour me rendre au dîner, il faisait déjà nuit. À mesure que je m'éloignais de la lueur sinistre des réverbères au sodium de Totley Place, l'obscurité se refermait sur moi. Je dois dire que j'éprouvais une pointe d'appréhension. Dans quoi étais-je allée m'embarquer ?

Il faisait froid et le ciel était étoilé. Le clair de lune découpait dans le noir la silhouette argentée des arbres et du toit de Canaan House. Malgré la lumière cendrée, la maison présentait un tel fatras de styles qu'elle avait un côté joyeusement excentrique : des bow-windows victoriens, un porche roman orné de colonnes torsadées soutenant de petites arches rondes, d'exubérantes cheminées Tudor et une hallucinante tourelle digne de Dracula, dont un des côtés était agrémenté de fenêtres gothiques. Je n'irais pas jusqu'à dire que j'étais inéluctablement attirée, mais j'ai accéléré le pas. L'allée du jardin était quasiment envahie par les ronces, mais un petit chemin menait directement au porche. Je me suis emmitouflée dans mon duffel-coat et j'ai regardé s'il y avait de la lumière. Avait-elle oublié que je venais ?

La maison était plongée dans l'obscurité, mais j'avais le sentiment d'être épiée. Je me suis arrêtée et j'ai tendu l'oreille. Je n'entendais qu'un léger bruissement de feuilles qui pouvait provenir du vent. À l'odeur de terre et d'humus se mêlait une puanteur musquée. Je me suis avancée vers la maison, et à l'instant où j'approchais du porche un chat a jailli des buissons, juste devant moi. Puis un autre, puis encore un autre. Je n'arrivais pas à les compter au milieu de cette masse soyeuse qui grouillait autour de moi, se frottant contre mes jambes, ronronnant, miaulant, les yeux lançant des éclats vert et or. À croire que j'étais tombée dans un banc foisonnant de poissons velus.

À travers la vitre dépolie de la porte d'entrée, j'ai aperçu un trait de lumière tout au fond. D'un côté, il y avait une sonnette. J'ai appuyé et je l'ai entendue résonner quelque part au bout de la maison. Le trait de lumière s'est transformé en fente, puis un rectangle de porte s'est dessiné. J'ai entendu des pas traînants, une chaîne de sécurité qu'on ôtait, et Mrs. Shapiro a ouvert la porte.

« Georgine ! Chérrrie ! Entrez ! »

Dès que j'ai franchi le seuil, j'ai été assaillie par une puanteur indescriptible. J'ai manqué suffoquer et j'ai eu du mal à masquer mon dégoût. C'était un mélange d'humidité, de crottes et de pipi de chat, de pourriture, de nourriture avariée, de saleté, d'évier encrassé, le tout mêlé d'ignobles relents de poisson qui vous soulevaient le cœur. Non sans désespoir, je me suis rendu compte que cette dernière odeur n'était autre que celle du dîner.

Les chats s'étaient faufilés entre mes jambes – finalement, ils n'étaient que quatre – et s'étaient précipités au fond de la maison. Mrs. Shapiro a frappé dans ses mains comme si elle voulait les chasser, puis elle a souri avec indulgence.

« Petites *pisskes* ! »

Elle portait une robe cintrée à manches longues en velours carmin, audacieusement échancrée devant et dans le dos, qui révélait ses épaules ridées et la peau flasque de son décolleté. À son cou brillait un double rang de perles. Ses impressionnantes boucles noires étaient ramassées au sommet de son crâne grâce à une collection de peignes en écaille et elle s'était maquillée – et pas seulement la bouche – d'une touche de rouge à lèvres carmin assorti à sa robe. De mon côté, j'étais en jean et grand pull sous mon duffel-coat. Elle a reculé sur ses hauts talons et m'a lorgné d'un œil sévère.

« Pourquoi vous portez ce vieux *shmata*, Georgine ? C'est pas fletteur pour le jeune femme. C'est pas comme ça que vous trouvez un homme.

– Je... euh... je n'ai pas besoin... » Je me suis interrompue. Peut-être avais-je besoin d'un homme, après tout.

« Venez. Je trouvera quelque chose qu'il est mieux. »

Elle m'a accompagnée dans le vaste hall carrelé, où trônait un escalier tournant en acajou ciré qui conduisait au premier. Sous l'escalier s'entassaient des monceaux de sacs-poubelles noirs pleins – à vrai dire, je ne sais pas ce qu'ils contenaient, mais j'apercevais des vêtements, des livres, de la vaisselle, des draps, des couvertures qui s'échappaient par endroits de quelques sacs fendus. Dans un coin, le vieux landau perché sur ses hautes roues était apparemment rempli de ballots de chiffons, sur lesquels sommeillaient deux félins tigrés. Elle les a chassés et s'est mise à fourrager dans les ballots. Au bout d'un moment, elle a tiré sur un bout de tissu vert qui s'est avéré être une robe de soie lourde avec de longues manches évasées.

« Tenez, a-t-elle dit en la tenant sous mon menton, ça, je crois, c'est plus fletteur pour vous. » J'ai regardé l'étiquette – c'était un 40, ma taille – et elle était signée Karen Millen. En fait, c'était une robe sublime. Où avait-elle pu la trouver ?

« Elle est très jolie, mais… » À bien y réfléchir, je devinais où elle l'avait dénichée : elle avait dû la sortir d'une benne. « … mais je ne peux pas la prendre. »

Qui avait pu jeter une robe pareille dans une benne ? Sur ce, j'ai repensé aux vêtements de Rip que j'avais mis dans la benne, et d'un coup j'ai compris – ailleurs, un autre cœur avait éclaté.

« Trop grande pour moi, a-t-elle dit. Elle ira mieux pour vous. Prenez, je vous prie.

– Merci, Mrs. Shapiro, mais… » J'ai brossé les poils de chat collés sur la soie. En la secouant, j'ai senti la légère odeur de transpiration et le parfum de luxe de sa précédente propriétaire, et je me suis demandé ce qui avait conduit son amant à se débarrasser de la robe.

« Essayez, essayez ! Pas l'embarras, chérrrie. »

Elle voulait que je l'essaie, là, maintenant ? Manifestement oui. Elle est restée plantée devant moi tandis que je me mettais en petite culotte dans la puanteur du hall glacé et que j'enfilais par la tête le vêtement encore imprégné de la chaleur des chats. La robe a glissé sur mes épaules et mes hanches comme si elle avait été taillée sur mesure. Qu'est-ce qui me prenait ? Qu'est-ce que je faisais là, au lieu de me rhabiller et de lui dire poliment au revoir ? J'ai eu envie de fuir. Sérieusement. Puis j'ai pensé au mal qu'elle s'était donné pour préparer le dîner, à sa déception. J'ai pensé à ma maison vide, aux saucisses rose vif qui traînaient dans le réfrigérateur, à *Casualty* à la télé. Le temps que je réfléchisse, il était trop tard.

« Attendez, je remonte le fermeture ! » J'ai senti sur ma peau ses mains aussi maigres que des griffes qui s'acharnaient sur la fermeture éclair. « Magnifique, chérrrie. Vous êtes beaucoup mieux déjà. Vous êtes une belle femme, Georgine. Belle peau. Beaux yeux. Bien faite. Mais regardez vos cheveux. On dirait le crotte du mouton. Combien de temps ça fait que vous n'êtes pas chez le coiffeur ?

– Je ne sais plus. Je… » Je revoyais le regard de Rip, cette façon qu'il avait de me passer les doigts dans les cheveux quand il m'embrassait.

« Vous voulez que je mettais le rouge à lèvres ?

– Non, non. »

Elle a hésité un moment en m'examinant des pieds à la tête.

« Bon, d'accord. Pour ce soir, c'est bon. Venez. »

Je l'ai suivie dans une longue salle sinistre où deux couverts avaient été dressés à l'extrémité d'une table en acajou ovale recouverte d'une nappe blanche. Un gros matou blanc dormait en rond au centre de la nappe.

« Raus, Wonder Boy ! Raus ! » a-t-elle lancé en frappant dans ses mains. Elle prononçait *Vunder Boy*.

Le chat a tendu une patte musclée bottée de noir derrière son oreille et entrepris de se lécher les parties génitales. Puis il s'est gratté en faisant voler des poils un peu partout. Ensuite, il s'est levé en s'étirant mollement, il a sauté de la table et s'est éloigné d'un pas nonchalant.

« C'est Wonder Boy. On dirait il faisait le petite vœu dans le coin. » Une trace humide près de la porte, plus ou moins à la hauteur de la queue de Wonder Boy, m'a rappelé notre première rencontre. Elle a tendu la main pour le gratter derrière les oreilles et il s'est mis à ronronner comme une moto au démarrage. « C'est mon petite chérrri. Bientôt, vous rencontrez Violetta et Stinker (hum, le Puant : tout un programme…). Vous connaissez déjà les petits du landau. Moussorgski qu'il est caché quelque part. Il est un petit peu jaloux du Wonder Boy. Borodine, vous ne verrez pas. Il vient que pour chercher le manger. Sept en tout. Ma petite famille. »

Je lui ai tendu la bouteille de vin que j'avais apportée. Un rioja blanc. Idéal avec le poisson. Après nous être débattues toutes les deux avec le bouchon, elle a réussi à l'ouvrir et nous a servies.

« Aux bonnes affaires ! » a-t-elle lancé. Nous avons trinqué.

« Je peux vous aider ? » Je m'inquiétais à l'idée de ce qui pouvait se passer dans la cuisine, mais elle m'a fait signe de m'asseoir d'un geste autoritaire.

« Vous êtes invitée. Asseyez-vous, Georgine, je vous prie. »

De près, je me suis aperçue que la nappe n'était pas blanche, mais d'une espèce de jaune grisâtre moucheté hérissé de poils de diverses couleurs. Les serviettes non plus n'étaient pas blanches, mais couvertes de traces roses et rouges qui pouvaient être des taches de vin, de betterave ou de soupe à la tomate. Pendant que Mrs. Shapiro s'activait dans la cuisine, j'ai discrètement essayé de nettoyer la crasse accumulée entre les dents de ma fourchette tout en examinant la pièce où je me trouvais. La seule lumière provenait d'une ampoule longue durée vissée dans un lustre en cuivre dont les autres ampoules étaient grillées. Face à la porte, il y avait une cheminée en marbre surmontée d'un miroir piqué si voilé que lorsque je me suis levée pour jeter un coup d'œil à l'allure que me donnait la robe verte, je me suis trouvée plus triste et plus vieille que je l'imaginais, les yeux cernés, trop sombres, les cheveux ébouriffés par le vent, trop bouclés, avec cette tenue si différente de ce que je portais depuis des années que j'ai eu du mal à me reconnaître. Je me suis aussitôt détournée, comme si j'avais vu un fantôme. Sur le mur d'à côté se trouvaient deux hautes fenêtres qui semblaient condamnées derrière les rideaux, et au milieu une photo en noir et blanc, un portrait de studio représentant un jeune homme en tenue de soirée avec de beaux traits anguleux, des cheveux blonds bouclés coiffés en arrière dégageant un front haut, qui tenait dans sa main gauche la tête d'un violon appuyé contre son menton. Ses yeux clairs étaient si saisissants qu'il attirait irrésistiblement mon regard comme s'il se trouvait dans la pièce. Curieusement, bien que la photo fût en noir et blanc, il avait l'air plus expressif, plus vivant que mon reflet dans le miroir.

Alors que j'examinais la photo, j'ai senti flotter dans la pièce une vague odeur de poisson. J'ai tourné les yeux et vu Mrs. Shapiro qui se tenait sur le pas de la porte avec un grand plateau d'argent chargé de deux bols fumants.

« Soupe de poisson. Cuisine française », a-t-elle lancé fièrement en posant un bol devant moi avant de s'asseoir en face en prenant l'autre. J'ai regardé le contenu du bol. C'était un liquide clair vaguement mousseux où flottaient des espèces de choses grisâtres.

« Commencez. N'attendez pas. »

J'ai plongé ma cuillère. Je ne vais pas en mourir, me suis-je dit. J'ai mangé bien pire à Kippax. En face de moi, Mrs. Shapiro lampait allégrement sa soupe avec une belle désinvolture, ne s'arrêtant que pour se tamponner les lèvres sur sa serviette. Ah ! Voilà d'où provenaient les traces rouges. Je me suis aperçue que si je retenais mon souffle en avalant, j'arrivais à ingurgiter le liquide. Quant aux choses grisâtres, je les écrasais au fond du bol pour qu'on voie moins tout ce que je laissais.

« Délicieux », ai-je dit en essayant de trouver un coin de serviette propre pour m'essuyer la bouche.

Le second plat était meilleur à certains égards et pire à d'autres. Meilleur, car il y avait des bouts de pommes de terre et de poireaux dans une sauce blanche, qui avait l'air à peu près mangeable malgré les grumeaux. Pire, car le poisson, un filet racorni marron et jaunasse, avait une odeur si infecte que je savais bien que je ne réussirais jamais à l'avaler. Même ma mère ne nous avait jamais servi une chose aussi immonde.

Pendant que je piquais les pommes de terre et les poireaux du bout de ma fourchette, j'ai subitement senti une pression sur mon aine. J'ai regardé Mrs. Shapiro. Elle m'a souri. La pression s'est transformée en coups répétés, rythmés, insistants. Mais que se passait-il ?

« Mrs. Shapiro… »

De nouveau, elle a souri. Je sentais une vibration accompagnée d'un curieux grincement de moteur de voiture qu'on essaie de démarrer dans le froid. Puis, brusquement, des griffes se sont enfoncées dans ma cuisse, perforant le tissu soyeux de la robe. J'ai passé la main sous la nappe et je suis tombée sur la chaleur d'un pelage. C'est alors qu'une idée m'est venue.

« Dites-moi, qui est-ce sur la photo, là-bas ? » lui ai-je demandé en indiquant le mur derrière elle.

Elle s'est retournée et j'en ai profité pour faire glisser le filet de poisson par terre, puis j'ai poussé le chat.

« C'est mon mari. » Elle s'est retournée vers moi en joignant les mains. « Artem Shapiro. Mon Arti adoré. »

Sous la table, le ronronnement s'était intensifié avant de se transformer en bruit de mandibules satisfait.

« Il était musicien ?

– Un de plus grands, chérrrie. Avant la guerre. Avant que les nazis l'envoyaient dans le camp.

– Il a été en camp de concentration ?

– À côté du mer Baltique. Beaucoup de juifs de partout l'Europe qu'ils finissaient là-bas. Même les gens de Hambourg qu'on connaissait.

– Votre famille était de Hambourg ?

– Partie en 1938.

– Mais Artem, il s'en est sorti, lui aussi ?

– C'est l'histoire trop longue, Georgine. Trop longue et qu'elle remonte à trop longtemps. »

Je ne pouvais détacher les yeux du regard clair si intense du jeune homme de la photo. J'étais frappée par l'élégance avec laquelle ses doigts serraient la tête du violon. Dans *Le Cœur éclaté* le bien-aimé de l'héroïne aurait des doigts comme ça, me disais-je. Déjà, Miss Tempest se mettait en quête d'une grande histoire d'amour au cœur des tourments de la Seconde Guerre mondiale.

« Racontez-moi, Mrs. Shapiro. J'adore les histoires.

– Eh oui, c'est l'histoire de l'amour, a-t-elle soupiré. Mais je sais pas que si elle finit bien. »

L'histoire qu'elle m'a racontée ce soir-là était en quelque sorte une histoire d'amour, et malgré son drôle d'anglais bancal mon imagination remplissait allégrement les espaces entre les mots, si bien que par la suite j'étais incapable de distinguer ce qu'elle avait dit de ce que j'avais inventé.

Artem Shapiro, son mari, était né en 1904 à Orcha, une petite ville d'un pays qui avait tour à tour appartenu à la Pologne, à la Russie et à la Lituanie, où les gens – les juifs en tout cas – vaquaient paisiblement à leurs affaires en se faisant discrets au cours des années de guerre, de pogroms et de machinations politiques des grandes puissances.

« On est comme ça. On croyait que tant qu'on restait tranquille on survivait. »

Son père était un luthier relativement prospère, qui pensait que son fils apprendrait lui aussi le métier, mais un beau jour Artem s'était mis à jouer du violon, et c'est ainsi que tout avait commencé. Tous les jours, après avoir travaillé aux côtés de son père, il allait dans la cour une heure ou deux interpréter les airs populaires qu'il entendait dans les rues. Puis il avait essayé d'improviser ses propres mélodies. Les voisins interrompaient leurs activités pour venir l'écouter en se penchant par-dessus la palissade. Il promettait de devenir un grand violoniste.

« Tous ceux qui entendaient étaient stupéfiés, chérrrie. Ils ne pouvaient pas croire que le garçon si jeune il jouait comme ça. »

Quand Artem était adolescent, sa famille s'était installée à Minsk, la capitale de la Biélorussie. Ses parents lui avaient payé des leçons de violon et c'est son professeur qui avait suggéré de l'envoyer faire des études au conservatoire de Saint-Pétersbourg, ou Léningrad, comme la ville s'appelait à l'époque, à sept cents kilomètres à l'est.

« Il a jeté dedans comme le canard dans l'eau ! » a-t-elle lancé en gobant l'ignoble poisson jaunâtre avec un enthousiasme apparent.

Après la révolution, Léningrad était un centre politique et culturel important ; musiciens, écrivains, artistes, cinéastes et philosophes étaient pris dans l'effervescence des idées politiques. Beaucoup d'entre eux avaient des penchants révolutionnaires et voulaient mettre leur art au service du peuple. Et parmi eux Sergueï Prokofiev, qui avait rencontré le jeune virtuose d'Orcha quand il dirigeait l'orchestre où jouait Artem.

« Arti aussi voulait amener le grande musique devant les masses. »

Il tenait ses idées socialistes de son père, qui était un juif bundiste, a-t-elle expliqué. Avant même que j'aie eu le temps de lui demander ce qu'était un bundiste, elle a poursuivi : « À l'époque, si on disait pas le mal des bolcheviks, on pouvait jouer quelle musique on voulait. »

À la fin des années trente, Artem était premier violon de l'orchestre du Peuple et commençait à jouer en soliste. Mais à mesure que Staline resserrait son étau, les musiciens avaient eux aussi été forcés de rentrer dans le rang. Mrs. Shapiro a froncé les sourcils et englouti son poisson.

« Comme ce pauvre Prokofiev. Il devait se repentir. Quand j'écoute la septième symphonie, je pense toujours comme il était obligé changer la fin. »

Bercée par le sentiment de sécurité trompeur que lui procurait le pacte germano-soviétique, la Russie n'avait pas anticipé l'invasion allemande de l'été 1941. Et quand, en juin de cette année-là, Artem avait appris que son père était malade, il était allé sans la moindre inquiétude rendre visite à sa famille à Minsk. À cette époque, la Biélorussie occupait la partie est des anciens territoires polonais qui avaient été annexés depuis peu par la Russie, et partout circulaient des rumeurs sur le sort réservé aux juifs des zones de l'Ouest occupées par les Allemands. Artem était monté dans un train de marchandises qui se dirigeait vers l'ouest, au moment précis où tous les juifs qui en avaient la possibilité fuyaient vers l'est, alors que le pacte était rompu sous l'avancée des armées allemandes qui traversaient la Pologne pour envahir l'Union soviétique.

« Mais il a retrouvé sa famille ?

– Oui. Ses parents et ses deux sœurs qu'ils étaient toujours là. Mais les nazis construisaient le mur du barbelé autour des rues de Minsk qu'ils vivaient les juifs pour que personne échappe.

– Un ghetto ?

– Ghetto. Prison. C'est égal. Mais ghetto le pire. Trop les gens qu'il est entassé. Pas à manger. Les pluchures de la pomme de terre et les rats, qu'ils mangeaient. Et tous les jours que les soldats tiraient dans le rue. Les autres qu'ils mouraient de la maladie. Il y avait qui suicidaient avec le désespoir. »

Mrs. Shapiro parlait à présent à voix si basse que j'entendais un robinet qui gouttait dans la cuisine et un félin qui se grattait sous la table.

« Mais qu'est-ce qui est arrivé à la famille d'Artem ? »

Quand Artem était arrivé à Minsk, la ville était déjà submergée par l'afflux des milliers de juifs qui avaient fui vers l'est et des juifs allemands qui avaient échappé aux ghettos et aux camps de concentration bondés d'Allemagne et de Pologne. Malgré la famine et les épidémies récurrentes de typhus et de choléra qui sévissaient dans les ghettos, malgré les exécutions sommaires quotidiennes, par centaines parfois, ils ne mouraient pas assez vite. S'ils les fusillaient tous, ils épuiseraient leurs stocks de munitions. C'est alors qu'un commandant local nazi avait trouvé une idée astucieuse pour tuer les juifs plus efficacement sans gaspiller les précieuses balles.

Un matin, une quarantaine de juifs avaient été arrêtés au hasard dans les rues, emmenés dans un bois aux abords de la ville et forcés de creuser une fosse. Puis ils avaient été grossièrement ligotés les uns aux autres et poussés dans la fosse qu'ils avaient creusée. Des prisonniers russes avaient alors reçu l'ordre de les enterrer vivants.

« Mais les Russes bolcheviques qu'ils refusaient, et finalement qu'ils étaient obligés de l'abattre les juifs et aussi les Russes. Ils gâchaient encore plus les balles, hein ? »

Parmi ces quarante hommes, il y avait le père d'Artem.

Pour économiser des munitions et du temps, des tournées de camions à gaz avaient été organisées dans la région. Mais pourquoi gaspiller tout ce potentiel de main-d'œuvre alors que les usines de munitions avaient du mal à trouver des ouvriers ? On avait alors décidé que les juifs aptes au travail comme Artem devaient contribuer à l'effort de guerre.

« Alors ils le mettaient dans le camp. »

Le camp où il avait été envoyé était un camp de travail et non un camp d'extermination. Tapi dans sa cage de barbelés, balayé par les vents glacés de la Baltique, ce n'était pas non plus un club de vacances. Ce lieu de misère était sous contrat avec un certain nombre d'entreprises allemandes qui profitaient ainsi de cette main-d'œuvre bon marché. Les détenus en mesure de travailler mangeaient, les autres mouraient.

Mais les gardes lituaniens étaient indolents et paresseux, et ils avaient parfois la flemme d'appliquer les procédures de sécurité qu'exigeaient leurs nouveaux patrons. Un jour, en partant travailler au petit matin, Artem était tombé sur un garde qui avait manifestement trop bu la veille en train de pisser contre un mur – il avait choisi un coin discret dans un angle, derrière les baraquements. Artem avait aussitôt compris que c'était une occasion inespérée ; qu'importe le risque, il fallait absolument qu'il la saisisse. Bien qu'affaibli par les mois de privations, il bénéficiait de l'effet de surprise. Il avait attrapé une pierre et l'avait fracassée sur la tête du Lituanien. Puis il lui avait volé son uniforme et ses papiers.

« Et il enfuyait avec toutes les jambes dans le forêt pour rejoindre les partisans. »

Elle s'est interrompue pour prendre une cigarette. Sous la table, des chats se disputaient les restes de mon poisson. On entendait des crachements, des queues qui fouettaient l'air.

« *Raus,* Wonder Boy *! Raus,* Stinker *! Raus,* Violetta *!* » Elle a essayé de les chasser à coups de pied de sous la table, mais elle s'est pris les jambes dans la nappe et s'est radossée avec un soupir de résignation.

« Et après, que s'est-il passé ? » ai-je demandé.

Elle a allumé sa cigarette en se redressant.

« *Ach*, Georgine, c'est l'histoire que je peux pas le raconter pendant qu'on mange le bon plat en pensant ces pauvres gens affamés. Une autre fois, je finira. Mieux maintenant que je mets la musique. Les grands compositeurs russes. Vous voulez ? »

J'ai hoché la tête. Sous la table, les chats avaient suspendu les hostilités en attendant le plat suivant. Wonder Boy avait recommencé à se lécher le derrière. Violetta se frottait contre mes jambes. Mrs. Shapiro a débarrassé les assiettes et disparu dans la cuisine à petits pas chancelants en laissant sa cigarette se consumer dans une soucoupe. Je commençais à me sentir un peu bizarre. À nous deux, nous avions quasiment fini la bouteille de vin. La faible lueur de l'ampoule longue durée projetait des ombres floues sur la table et les murs, donnant à la pièce une atmosphère fanée, irréelle – à moins que ce ne soit les images de son terrible récit qui aient fait travailler mon imagination.

Au bout d'un moment, j'ai distingué un bruit dans la pièce voisine, un bruit lugubre, étouffé, pareil à une voix appelant de l'au-delà. Tout d'abord j'ai cru que c'était un chat, avant de m'apercevoir que c'était de la musique – une musique douce, triste – qui s'échappait par la porte ouverte. Au début il n'y avait qu'un seul violon, puis d'autres se sont joints à lui et une mélodie d'une mélancolie lancinante s'est élevée, se répétant à l'infini, de plus en plus forte, de plus en plus aiguë.

Curieusement, je me suis mise à penser à Rip – à lui et moi, lui et moi quand nous faisions l'amour, nos mains et nos corps qui se cherchaient dans le noir et toujours se trouvaient, jouissant toujours en même temps, chaque fois identique et cependant différente, répétitions et variations.

Le tempo de la musique a changé ; elle est devenue plus forte, plus violente, avec des claquements de cymbales et des martèlements de grosses caisses pareils à une migraine, des violons qui jouaient de plus en plus vite, crescendo, decrescendo, bataillant, se contredisant l'un l'autre dans un tumulte fracassant. J'ai repensé à Rip et j'ai revu la fureur et la confusion terrible de notre dernière dispute. Non, ce n'était pas que la musique. Soudain, j'avais l'impression d'avoir le ventre retourné. Puis Mrs. Shapiro a réapparu sur le seuil avec un autre plateau.

« Et maintenant le dessert.

– Euh… »

Elle a posé le plateau sur la table. C'était une sorte de tarte toute faite, encore dans sa barquette d'aluminium. Là, je devais pouvoir m'en sortir : j'avais été nourrie à ça toute mon enfance. Il y avait un pot de crème à prix réduit dont la date limite de vente était clairement lisible. J'ai fait un rapide calcul. Elle n'était dépassée que de deux jours. J'avais mangé pire.

« … Juste un peu. »

J'ai goûté la tarte avec précaution. Il n'y avait rien à redire. Je n'ai pris qu'une minuscule goutte de crème, qui avait également l'air parfaite.

« Vous aimez ? m'a demandé Mrs. Shapiro.

– Oui, c'est très bon. Délicieux. Qu'est-ce que c'est ?

– Prokofiev. Chanson symphonique. Attendez. C'est meilleur après. »

De nouveau le tempo a changé, pour prendre une fluidité gracieuse, jubilante. La mélodie initiale est revenue, avec des profondeurs et des sommets d'émotion jusqu'alors inexprimée, comme si elle basculait, par-delà les contradictions et les disputes, les battements de tambour et le tumulte déchirant, dans un nouveau monde, un nouveau monde heureux où de nouveau tout irait bien jusqu'à la fin des temps. Mes yeux se sont embués de larmes, de chaudes larmes qui ont roulé sur mes joues.

La musique s'est arrêtée et le silence a envahi la pièce. En face de moi, je voyais que Mrs. Shapiro se tamponnait les yeux avec sa serviette. Puis elle a sorti ses cigarettes et ses allumettes de son sac, elle en a allumé une, tiré une bouffée et poussé un long soupir.

« On vécut ici dans ce maison et on joue la musique ensemble. Je jouais le piano, il jouait le violon. Quelle belle musique on faisait ensemble ! Maintenant je vis ici seule. La vie continue, hein ? »

De nouveau, j'ai senti les larmes me monter aux yeux. Qu'y avait-il de mieux que d'aimer et être aimé ainsi jusqu'à ce que la mort vous sépare, me disais-je, et même après la mort, sentir l'amour se dessécher et mourir tandis qu'autour de vous la vie continue, morne et sans amour ? Et zut, voilà que mon cœur éclaté s'y remettait.

« Pourquoi vous pleurez, Georgine ? Vous perdez quelqu'un, vous aussi ?

– Oui. Non. Ce n'est pas pareil. Mon mari… il m'a quittée, c'est tout.

– Vous êtes encore jeune, vous trouvez quelqu'un d'autre. »

J'ai essuyé mes larmes en souriant. « Si seulement c'était aussi simple !

– Chérrrie, je vous aiderai. »

Ensuite je ne me souviens plus de rien, jusqu'au moment où je me suis retrouvée à vomir devant ma porte. J'avais encore la robe verte, mon jean en dessous, et par-dessus mon duffel-coat. Je me sentais horriblement mal, j'étais prise d'accès violents, effrayants, où j'étais tour à tour brûlante et glacée. Au ciel, les étoiles tournoyaient dans l'obscurité. Je me suis agenouillée sur les marches en pierre et de nouveau j'ai vomi. Puis j'ai senti la chaleur d'un pelage à côté de moi. C'était Violetta. Elle avait dû me suivre jusque chez moi. « Coucou, le chat. » J'ai tendu la main pour la caresser et elle a arrondi le dos en ronronnant et en se frottant contre moi. Puis elle s'est mise à laper le vomi sur les marches.

6

Une substance marron gluante

Dimanche, au lendemain de mon dîner chez Mrs. Shapiro, je me suis réveillée vers dix heures, avec un arrière-goût horrible dans la bouche et un bol plein d'une substance gluante à côté du lit. J'avais dû vomir dans la nuit, mais je ne me souvenais de rien. Une douleur lancinante me vrillait les tempes. Un rayon de soleil impitoyable tapait entre les rideaux mal fermés, comme un burin me découpant le cerveau. Je me suis levée pour essayer de tirer sur les rideaux, mais dès que je me suis mise debout, j'ai été saisie d'un vertige et je suis retombée sur le lit. J'avais l'impression que le plafond avançait et reculait comme s'il y avait un tremblement de terre. J'ai enfoui la tête sous les draps, mais j'ai suffoqué de panique. De quoi avais-je rêvé ? J'avais la vision de gens ligotés les uns aux autres et poussés dans une fosse pour y être enterrés vivants. Était-ce un cauchemar ? Non, c'était pire qu'un cauchemar – c'était réellement arrivé.

Je suis allée dans la salle de bains en titubant et j'ai

avalé de grandes gorgées d'eau froide au robinet, puis je me suis aspergé le visage et je suis retournée dans la chambre. La lumière était trop vive. J'ai cherché dans mon tiroir quelque chose à me mettre sur les yeux et j'ai trouvé un slip noir. Je l'ai enfilé comme une cagoule. L'élastique du haut m'arrivait juste au bout du nez. Je me suis rallongée sur le lit en laissant peu à peu l'obscurité m'envelopper. C'était mieux. Si Rip avait été là, il se serait moqué de moi. Si Rip avait été là, il m'aurait préparé un thé et m'aurait consolée. J'entendais encore cette musique, la mélodie bondissante ponctuée d'envolées, promesse de lendemains heureux, qui m'avait portée dans ses bras la nuit dernière. Était-ce un rêve ? Oui.

À notre mariage, l'organiste avait joué *L'Arrivée de la reine de Saba* et papa avait vaincu les scrupules qu'il nourrissait à l'égard de la religion pour me conduire à l'autel. C'était la première fois que les parents de Rip et les miens se rencontraient et tout le monde était d'une politesse insoutenable. Rip avait discrètement ôté la gravure de la mine de charbon du Staffordshire qui avait appartenu à un de ses ancêtres en 1882 et j'avais persuadé papa de ne pas mettre sa cravate de l'Union nationale des ouvriers miniers.

Mr. Sinclair avait discuté de rugby avec papa, en évoquant ses souvenirs de collégien tout en évitant de mentionner que ce sport tenait son nom de son collège, et papa s'efforçait de tenir la conversation en évitant de faire allusion aux différences sociales qui séparaient le rugby à treize du rugby à quinze. Mrs. Sinclair avait fait des compliments à maman sur son chapeau, et maman lui avait demandé la recette des profiteurs au chocolat. Mrs. Sinclair avait éludé la question sans dévoiler que tout, y compris les profiteroles, venait de chez un traiteur de Leek. Maman n'avait fait aucun commentaire sur les olives qui ornaient les canapés, mais je voyais bien qu'elle les lorgnait d'un œil soupçonneux. C'était en 1985, voyez-vous, et les olives n'étaient pas encore parvenues jusqu'à Kippax. Pour plus de sûreté, elle les avait glissées sous un coussin. Plus tard, j'avais vu Mrs. Sinclair serrer la main du pasteur avec trois olives collées au derrière.

Je me suis préparé un grand verre d'eau, puis je suis retournée me coucher. J'ai fini par m'assoupir, et quand je me suis réveillée au milieu de l'après-midi, je me sentais bien mieux. Je suis descendue au rez-de-chaussée pour aller me chercher quelque chose à manger dans le réfrigérateur, et à la place j'ai fini par me servir un verre de vin. Mon estomac était encore fragilisé par le traumatisme du samedi soir et il aurait sans doute été plus raisonnable de m'en tenir à un simple thé avec des toasts, mais j'avais besoin de me remonter le moral. Mon cauchemar avait laissé des traces sur mon humeur. Et Ben me manquait. Encore trois jours à attendre avant de le retrouver. En remontant là-haut avec mon verre de vin, j'ai vu que la porte de sa chambre était ouverte et je suis entrée sans raison particulière.

J'ai senti l'odeur de Ben, ou plus exactement des chaussettes de Ben, et, bien entendu, elles étaient là, sur un tas de linge à laver à côté de la porte. Également en tas par terre gisaient les vêtements qu'il mettait au lycée, ceux qu'ils ne mettaient pas au lycée, les livres qu'il avait à moitié lus, ceux qu'il ne lirait jamais, des cahiers, des carnets et des feuilles qui avaient peut-être été rangées dans des cahiers, une pile effondrée de DVD, une montagne de CD et de divers éléments de matériel électronique. Un triangle de pizza desséché entamé des deux côtés était appuyé contre une bouteille à moitié pleine d'un liquide vert citron posée sur le tapis de souris. Les murs étaient ornés de posters des Arctic Monkeys et d'Amy Winehouse, et d'une affiche du *Seigneur des anneaux* avec en gros plan la dentition d'Orc. J'ai parcouru des yeux la pièce encombrée et j'ai souri – mon adorable Ben.

Le bureau était un véritable bazar jonché de papiers froissés, de stylos cassés, de capsules de bouteilles, d'emballages, de tracts, le tout éclaboussé d'une sorte de substance marron gluante – on aurait dit du chocolat au lait séché – qui badigeonnait également le clavier de son ordinateur et même son écran, où un logo Windows tournoyait vainement. Une petite photo était collée au Blu-Tack en bas de l'écran. Je me suis penchée pour regarder de plus près et mon cœur s'est serré. C'était Ben et Stella. Ils étaient assis sur un banc de parc au milieu de la verdure, arborant leur plus beau sourire.

J'ai regardé la photo de plus près – le sourire innocent de Ben, toutes dents dehors, et le joli sourire de Stella, plus timide et affecté – et c'est alors que ma manche s'est prise dans le verre de vin, qui a tout éclaboussé en se mélangeant à la substance marron. J'ai sorti un mouchoir de ma poche et j'ai commencé à éponger en prenant garde de ne rien déplacer, car au fond de moi je ne voulais pas que Ben sache que j'avais farfouillé dans sa chambre. Quand j'ai essuyé la souris, l'ordinateur s'est soudain mis à vrombir et l'écran s'est rallumé – un fond noir où brillait en lettres rouges un unique mot animé de flammes dansantes : *Armageddon.* Ça ressemblait à un jeu stupide sur ordinateur.

Après le dîner du poisson, j'ai évité Mrs. Shapiro pendant deux ou trois semaines, puis elle m'est sortie de l'esprit. La vie poursuivait son chemin clopin-clopant : Ben – pas Ben – Ben – pas Ben. J'apprenais à m'adapter à ce rythme boiteux et je dormais mieux avec le slip noir. Parfois, pour me remonter le moral, j'échafaudais des projets de vengeance. Dans *Le Cœur éclaté*, la courageuse Gina, ayant découvert les infidélités de Rick, fomentait également d'ignobles desseins où il était question d'un curry de Madras aux légumes hyper-épicé et/ou d'une approche plus subtile fondée sur une soupe de poisson diluée avec du pipi.

J'étais devant mon portable par un morne après-midi de novembre, m'efforçant d'écrire sur les adhésifs sans pouvoir m'empêcher de jeter un œil toutes les quelques minutes au cahier ouvert sur mon bureau, quand le téléphone a sonné.

« Mrs. Georgina Sinclair ? » Une voix de femme inconnue, aussi grinçante qu'un portail rouillé.

« Oui. Si l'on veut. Qui est à l'appareil ?

– Je suis Margaret Goodknee du Whittington Hospital. »

Mes mains sont devenues glacées et mon cœur s'est mis à battre à tout rompre.

« Qu'est-il arrivé ?

– Nous avons ici une certaine Mrs. Naomi Shapiro aux urgences.

– Zut… »

En fait, je n'éprouvais que du soulagement. Ce n'était ni Ben, ni Stella.

« Sur le formulaire d'admission elle a indiqué que vous étiez sa plus proche parente. »

II

Aventures avec les polymères

7

Panaché

Pourquoi moi ? me demandais-je, partagée entre l'agacement et la curiosité, en parcourant les couloirs interminables d'un service d'hôpital débordé à la recherche de Mrs. Shapiro. Elle n'a personne de plus proche ?

J'ai fini par la trouver sur son lit d'hôpital, toute ratatinée sous les draps qui ne laissaient dépasser que sa petite tête et ses boucles noires étalées sur l'oreiller. Sa raie était bordée d'une bande argentée de plusieurs centimètres de large, mais pour le reste elle avait meilleure mine qu'avant, sans son drôle de maquillage.

« Mrs. Shapiro ? Naomi ? »

Quand elle m'a reconnue, son visage s'est éclairé d'un sourire et elle a sorti la main de sous les draps pour saisir la mienne.

« Georgine ? *Danken Got* vous êtes venue. Il faut me sortir d'ici.

– Je vais faire de mon mieux, Mrs. Shapiro. Quand vous serez rétablie. Que s'est-il passé ?

– Glissé sur le glace. Poignet cassé. »

Elle a agité sous mon nez sa main gauche plâtrée couverte d'un bandage d'où émergeaient ses doigts pareils à de petites brindilles grises toutes tordues aux extrémités parsemées d'éclats de vernis à ongles.

« Il faut me sortir d'ici. Le nourriture est très mauvais. Ils m'obligent manger le saucisse.

– Vous voulez que je leur dise que vous voulez un menu kascher ?

– Kascher panaché. Pas le jambon, pas le saucisse. Mais le bacon j'aime bien. » Elle m'a lancé un clin d'œil espiègle. « Un petit peu quelque chose que ça fait du bien, non ? »

L'infirmière de service était un bout de femme efficace et peu souriante aux cheveux tirés en arrière. Elle a froncé le nez à l'idée du menu panaché, alors je lui ai demandé d'inscrire Mrs. Shapiro en menu kascher. Elle l'a griffonné dans le dossier, puis elle a ajouté : « Elle n'a pas l'air d'avoir de médecin traitant. Nous avons besoin de sa carte d'assurée ou d'une pièce d'identité quelconque pour vérifier ses droits. » Elle a dû remarquer que je serrais la mâchoire. « C'est obligatoire maintenant. Juste une case à cocher. »

Quand je suis retournée à son chevet, Mrs. Shapiro

était redressée contre ses oreillers, toute pétillante, et essayait de lier conversation avec sa voisine qui était couchée sur le dos, avec un masque à oxygène sur la figure.

« Mrs. Shapiro, lui ai-je demandé, avez-vous un médecin traitant ?

– Pourquoi j'ai besoin le docteur ? » Elle était d'humeur belliqueuse. « Ces jeunes garçons, qu'est-ce qu'ils connaissent ? Juste poser les questions *shmutzig*. La dernière fois vous allez à la toilette ? Tirez le langue, s'il vous plaît. Quel docteur qu'il dit ça ? En Allemagne qu'on l'avait docteur Schinkelman – ça, c'était le vrai docteur. » Soudain son regard s'est fait lointain. « Beaucoup les remèdes. Toujours rouges. Le goût de la cerise. Et beaucoup les cachets pour *Mutti*.

– Mais vous avez une carte d'assurée ? Une pièce d'identité ? »

Elle a poussé un soupir théâtral avant de passer sa main valide sur le front.

« Soixante-dix ans je vis dans ce pays, personne ne demande jamais le carte.

– Je sais bien, l'ai-je calmée. C'est comme chez Sainsbury's – la société de Big Brother. Mais il faut une preuve quelconque que vous vivez ici depuis longtemps. Et les factures de la maison ? Les impôts locaux ? Le gaz ?

– Tous les papiers qu'ils sont dans la secrétaire. Peut-être ils trouveront quelque chose. » Elle s'est assise en battant des paupières. « Ils fouillent mon maison ?

– Je suis sûre que c'est juste une formalité. Je vais aller les chercher si vous préférez. »

Elle s'est retournée en agitant sa main bandée.

« La clef du maison qu'elle est dans le manteau. »

Dans le placard se trouvait un manteau en astrakan brun foncé avec un col et des poignets à revers et une taille élégamment cintrée, qui était manifestement mangé aux mites et arborait des plaques entières de cuir à nu tout le long du dos. Elle a remarqué que je l'observais.

« Vous aimez le manteau ? Vous pouvez prendre, Georgine.

– Il est très joli, mais… »

Il sentait le vieux fromage.

« Je vous prie. Prenez. J'ai l'autre. Qu'est-ce qu'il a ? Vous aimez pas ?

– … Il a l'air un peu trop petit pour moi.

– Essayez. Essayez. »

J'ai ôté mon duffel-coat pour mettre le manteau en faisant mine d'avoir du mal à l'enfiler. Il avait une doublure de soie lourde déchirée aux aisselles, des boutons et des poignets lustrés par la graisse, mais il donnait encore une vague impression de luxe. Une cinquantaine d'années plus tôt, c'était un manteau sublime.

« Il vous va bien, chérrrie. Prenez. Il est meilleur que votre manteau. »

Certes, même au sommet de sa gloire, en 1985, mon duffel-coat marron de Batwoman ne lui arrivait pas à la cheville.

« Il est très beau. Merci. Mais regardez, il ne me va pas. » J'ai fait semblant de me débattre avec les boutons.

« Il faut être plus élégante, Georgine. Et regardez vos chaussures. Pourquoi vous portez pas *mit* talons ?

– Vous avez sans doute raison, Mrs. Shapiro. Mais j'aime être à l'aise. » J'ai plongé les mains dans les généreuses poches doublées de satin. « Où est la clef ?

– Toujours dans le poche. Il faut que vous êtes plus élégante si vous voulez trouver l'homme, Georgine. »

J'ai fouillé dans les poches. Il y avait un mouchoir répugnant couvert de morve mêlée de traces de sang séché, une boîte d'allumettes, un mégot de cigarette, un bonbon collant avec des peluches dessus, la moitié d'un biscuit désagrégé qui avait tout couvert de miettes grises et une pièce d'une livre. Mais pas de clef.

« Elle doit être là. Peut-être qu'elle tombait dans la doublage. »

La clef avait glissé par un trou dans la poche et cliquetait dans l'ourlet de la doublure avec un bout de crayon à sourcils noir, deux autres mégots de cigarettes, un trognon de pomme et de la menue monnaie. J'ai tout repêché par le trou et je l'ai mis dans l'autre poche.

« La voilà. Je regarderai dans votre secrétaire pour voir si je trouve un papier officiel quelconque pour les calmer.

– Vous devez regarder seulement dans la secrétaire. Pas partout fouiller, Georgine. » Elle lissait les draps d'un geste nerveux. « Chérrrie, je l'inquiète pour Wonder Boy. Si vous allez dans mon maison, vous voulez bien mettre manger pour lui ? Les autres chats qu'il peut attraper, mais ce pauvre petit qu'il a toujours faim. Et la prochaine fois que vous venez, Georgine, vous apportez les cigarettes *mit sie*, d'accord ?

– Je ne pense pas qu'on ait le droit de fumer à l'hôpital, Mrs. Shapiro.

– Rien qu'il est permis. » Elle a poussé un soupir théâtral. « Juste dormir et manger le saucisse. »

Dans le lit d'à côté, la dame au masque à oxygène s'était mise à produire d'horribles gargouillements. Deux infirmières sont arrivées en courant et ont tiré le rideau autour de son lit. Les gargouillements ont continué. Il y a eu un cliquetis d'instruments et une discussion fiévreuse à voix basse.

« Il faut me sortir d'ici, Georgine. » De nouveau, Mrs. Shapiro m'a agrippé le poignet. « C'est plein les *kranken*, ici. Tout le monde il meurt. »

Je lui ai caressé la main jusqu'à ce qu'elle desserre l'étreinte. « Vous allez bientôt rentrer. Vous voulez que je vous apporte quelque chose ? »

Elle m'a lancé un regard suppliant.

« Si vous pouvez apporter Wonder Boy…

– Je ne crois pas que les animaux soient autorisés ici. » Et encore moins Wonder Boy avec ses mœurs répugnantes, me disais-je. « Et votre photo d'Artem ? Ça ne vous dirait pas de l'avoir auprès de vous ? Je suis sûre que ce serait autorisé. »

– Trop les voleurs ici. Mais Wonder Boy personne qu'il volera. »

Ça, c'est sûr. Comme je préférais éviter de me laisser entraîner dans une quelconque combine pour introduire clandestinement Wonder Boy dans l'hôpital, j'ai changé de sujet en me disant que ça lui ferait du bien d'évoquer ses souvenirs car la plupart des personnes âgées se sentent davantage à leur aise face au passé qu'au présent. Et puis j'étais curieuse de connaître la suite de l'histoire embrouillée par son anglais tarabiscoté qu'elle avait commencé à me raconter le soir du poisson.

« Vous ne m'avez jamais raconté la fin de l'histoire d'Artem. Comment il est arrivé en Angleterre. Comment vous vous êtes rencontrés. »

Elle a lâché mon poignet et s'est renversée sur son oreiller.

« C'est une longue *megillah*, Georgine.

– Vous m'avez dit qu'il s'était enfui pour rejoindre les partisans dans la forêt.

– Oui, à Naliboki. Presque six mois qu'il vivait *mit* les partisans de Pobeda. »

Shlomo Zorin et son groupe de résistants de Pobeda avaient organisé un camp familial similaire au camp de

Bielski dans une clairière de la vaste forêt de Naliboki, en Biélorussie. Ils y donnaient refuge à tous les juifs qui y parvenaient et envoyaient même des éclaireurs dans les ghettos pour organiser des évasions. Artem Shapiro s'était chargé de cette mission à plusieurs reprises en utilisant de faux papiers d'identité ; avec ses cheveux blond clair hérités de son grand-père, il se faisait passer pour un chrétien.

« Un si beau *blondi.* Il passait facilement. » La voix de Mrs. Shapiro a vacillé. « Alors un jour il retournait Minsk. »

Au début de l'automne, avant les premières neiges, quand les forêts regorgeaient encore de nourriture, Artem était parti retrouver sa mère et ses sœurs en pensant les ramener avec lui au camp. Mais à son arrivée le ghetto de Minsk avait des allures de ville fantôme peuplée de squelettes vivants qui erraient par les rues si familières, le regard hanté par la mort. Il avait appris par un voisin que sa mère était décédée – elle était morte de faim ou de chagrin, peut-être, peu après qu'il eut été emmené. Une de ses sœurs avait succombé au typhus. Personne ne savait ce qu'il était advenu de son autre sœur. Quelqu'un lui avait dit qu'elle avait été envoyée à Auschwitz, un autre qu'elle s'était servie des dents en or de sa mère pour soudoyer un bandit du coin et qu'elle s'était échappée. « En Suède. Ou peut-être Angleterre. »

Après cette visite à Minsk, quelque chose s'était brisé au fond de son cœur. La musique s'était tue. Sa tête résonnait nuit et jour d'un effroyable chœur de gémissements qui l'empêchait de dormir, de travailler ou même de réfléchir. Dans des circonstances où il était essentiel de rester confiant, il avait le sentiment d'être un boulet dans le camp Pobeda et de saper le moral de ses compagnons tant il était accablé. Un matin, après une nuit de rêves peuplés de lamentations, il avait fracassé son violon contre un arbre. Alors il avait quitté Zorin et marché vers l'est à travers les forêts enneigées pour retourner dans sa ville natale d'Orcha. Peut-être espérait-il retrouver des membres de sa famille qui auraient survécu, mais quand il était arrivé au printemps 1942, le ghetto d'Orcha avait déjà été éliminé. Des milliers de juifs avaient été fusillés et les autres embarqués dans des trains de marchandises.

« Ils les mettaient dans le train, mais qu'ils étaient transportés nulle part. Ils étaient empoisonnés là, dans le wagon. Les prisonniers russes creusaient la fosse commune et enterraient eux. » Elle s'est interrompue. Elle avait la respiration lente et sifflante. « Vraiment ils voulaient tuer nous tous. »

Artem n'était pas retourné auprès de Zorin. Il était en proie à une telle fureur qu'il ne pouvait plus se contenter de vivre dans la forêt. Le chœur de lamentations se résumait désormais à un long hurlement – le hurlement d'un animal prêt à tuer. Il s'était dirigé vers le nord pour rejoindre un groupe de résistants russes qui harcelaient l'armée allemande encerclant Léningrad. La première fois qu'il avait pris en embuscade une jeep allemande en barrant sa route grâce à un tronc d'arbre, il avait nargué ses passagers avec un plaisir féroce : *« Ich bin der ewige Jude !*

– Arrête ces conneries ! avait braillé Velikov, le commandant de l'unité. Tire ! »

Les résistants essayaient d'ouvrir une route d'approvisionnement vers la ville assiégée. C'était une mission dangereuse, car l'emprise allemande sur Léningrad et le couloir finlandais était quasi totale, mais au début de 1943 Meretskov avait fait progresser le front en direction de l'est et la ville commençait à être ravitaillée. Artem se trouvait avec un groupe de résistants qui conduisaient un traîneau chargé de pommes de terre et de betteraves sur le lac Lagoda gelé quand ils avaient essuyé les tirs d'une patrouille allemande. Ses trois compagnons étaient morts sur le coup, ainsi que leur cheval mongol court sur pattes, mais Artem n'avait été blessé qu'à l'épaule. Il savait que s'il tentait de fuir en courant sur la glace, il irait au-devant d'une mort certaine, aussi il s'était glissé sur le traîneau et s'était caché sous les peaux de loups qui recouvraient les betteraves, attendant d'être rattrapé par le destin. Soit il serait pris par les Allemands, soit il serait sauvé par les Russes, à moins qu'il ne meure de froid. Chacun sait que lorsqu'on est victime d'hypothermie, on sombre peu à peu dans une douce torpeur. Au moins je ne mourrai pas de faim, se disait-il. Il avait patienté, l'oreille tendue, en essayant d'étancher le sang de sa blessure avec un morceau de tissu enroulé autour d'un bout de glace. Il entendait des voix et des tirs qui ne semblaient pas se rapprocher, mais au contraire s'éloigner.

« Alors le neige commençait tomber. »

Sans doute avait-il dû s'évanouir ou s'endormir, car soudain il y avait eu une brusque secousse et il avait repris ses esprits en ayant perdu toute notion du temps. Il avait légèrement soulevé les peaux de loups chargées de neige pour jeter un œil et s'était aperçu que le traîneau avait été attelé à ce qui lui semblait être un autre cheval qui trottait sur la glace dans les rafales tourbillonnantes de blizzard. Il entendait deux hommes discuter, l'un au-dessus de lui, l'autre derrière. Il avait discerné un rire et une odeur de cigarette. Parlaient-ils en allemand ou en russe ? C'était impossible à dire.

« Et pendant ce temps le cheval marchait dans le neige et le glace et le neige qu'il tombait tout le temps et le cheval qu'il marchait dans le neige glacé longtemps longtemps sur le glace longtemps longtemps… »

Elle s'est interrompue. J'ai attendu qu'elle poursuive son récit. Je me suis dit qu'elle essayait de se remémorer, que peut-être ces souvenirs étaient si pénibles qu'elle avait du mal à en parler. Mais au bout d'un moment j'ai entendu un léger ronflement et je me suis rendu compte qu'elle s'était endormie.

« Quand est-ce que Mrs. Shapiro pourra rentrer chez elle, à votre avis ? ai-je demandé en partant à la sœur de l'accueil.

– C'est un peu tôt pour le dire. On va voir comment ça évolue, m'a-t-elle répondu sans lever les yeux.

– Mais elle s'est juste cassé le poignet, non ?

– Je sais, mais il faut qu'on inspecte son logement. Il ne faut pas qu'elle rentre chez elle et qu'elle refasse une chute. À son âge, il vaut peut-être mieux qu'elle soit placée en maison de retraite.

– Pourquoi ? Quel âge a-t-elle ?

– Elle nous a dit qu'elle a quatre-vingt-seize ans. » Elle a levé la tête. Quand nos yeux se sont croisés, mon regard trahissait sans doute ma stupeur.

Se pouvait-il réellement qu'elle ait quatre-vingt-seize ans ? Mais pourquoi aurait-elle menti sur son âge ?

« C'est d'autant plus nécessaire que nous ayons une pièce d'identité. »

8

Biopolymère

En remontant l'allée, j'ai aperçu Wonder Boy tapi sous le porche de Canaan House. Il étripait un oiseau qu'il avait attrapé – on aurait dit un sansonnet. Il était encore en vie et se débattait entre ses pattes. Il y avait des plumes partout. Quand il m'a vue arriver, il a filé dans les buissons en tenant dans ses mâchoires l'oiseau qui battait désespérément des ailes. Ce chat est tout à fait capable de se débrouiller tout seul, me suis-je dit. D'habitude j'aime bien les chats, mais Wonder Boy avait un côté franchement répugnant. Je me suis imaginé l'empoigner, le fourrer dans un sac et prendre le bus pour l'emmener à l'hôpital. Hors de question.

La clef que m'avait donnée Mrs. Shapiro était une simple clef plate. En fait, n'importe quel cambrioleur un tant soit peu entreprenant aurait pu se contenter de fracasser la vitre dépolie et passer la main à l'intérieur pour tourner le verrou. En s'ouvrant, la porte a balayé un tas de courrier qui s'était accumulé à l'intérieur. Dès que je suis entrée dans le hall, j'ai été assaillie par la puanteur, un concentré aigre de pipi de chat, d'humidité et de pourriture. Je me suis mis un mouchoir sur le nez. Violetta a surgi de nulle part pour se frotter à mes chevilles en miaulant désespérément. La pauvre – ça devait faire trois jours qu'elle était enfermée dans la maison. J'ai ramassé le courrier et rapidement jeté un œil pour m'assurer qu'il n'y avait rien d'urgent, mais apparemment ce n'était que des publicités. Il y avait même une offre pour une carte de fidélité de Sainsbury's.

J'ai suivi Violetta jusqu'à la cuisine. Les surfaces poisseuses étaient jonchées d'un fatras d'assiettes sales, de tasses où traînaient des fonds d'ignobles liquides marron, de boîtes vides et de barquettes graisseuses de plats tout préparés. Sous la fenêtre, le vieil évier fissuré débordait d'un monceau de vaisselle et de restes de nourriture figés qui trempaient dans une eau immonde sous le robinet coulant goutte à goutte. La cuisinière à gaz incrustée d'une crasse noirâtre était si ancienne qu'elle avait des manettes à la place des boutons. Il y avait un four à bois, mais il avait l'air de servir uniquement à y entreposer de vieux journaux. La cuisine était envahie par l'humidité et le moisi. J'ai frissonné. Malgré mon duffel-coat bien chaud, j'étais frigorifiée.

En fouillant, j'ai fini par trouver une douzaine de boîtes pour chats dans un placard. J'en ai mis dans un bol pour Violetta, qui a tout englouti en manquant de s'étrangler tant elle était désespérée. Puis j'ai ouvert la porte de derrière – la clef était à l'intérieur –, rempli le bol, et je l'ai posé sur la marche. Wonder Boy est apparu et s'est mis à cracher sur Violetta avant de la chasser d'un coup de patte pour tout engouffrer. Quelques autres mistigris efflanqués me tournaient également autour – à tous j'ai donné à manger –, il devait bien y en avoir une demi-douzaine qui miaulaient en se frottant contre moi. Deux d'entre eux se sont précipités à l'intérieur en se faufilant entre mes jambes. J'ai refermé la porte de la cuisine et je suis rentrée dans la maison.

Le secrétaire dont m'avait parlé Mrs. Shapiro se trouvait dans une pièce du rez-de-chaussée qui ressemblait à un bureau. Derrière les rideaux tirés la fenêtre était condamnée et la seule lumière provenait de la dernière ampoule flamme rescapée du grand lustre doré qui projetait une faible lueur sur le papier peint à fleurs suranné, les bibliothèques qui allaient du sol au plafond, les tapis persans et la cheminée carrelée surmontée d'un miroir à patine dorée qui devait autrefois refléter la vue sur le jardin. Malgré la pénombre dans laquelle elle était plongée, on voyait bien que c'était une pièce magnifique. Il y flottait une odeur différente, poussiéreuse, musquée, où l'on décelait à peine le pipi de chat. Il y avait un fauteuil victorien et deux bureaux – un bureau à caissons en acajou à côté de la fenêtre et un grand secrétaire-bibliothèque en chêne à côté de la cheminée. J'ai décidé de commencer par là. J'avoue qu'à cet instant déjà Miss Tempest regardait par-dessus mon épaule en me chuchotant à l'oreille qu'il y avait sans doute là matière à histoire – et qui sait, peut-être une histoire plus passionnante que *Le Cœur éclaté*.

Le secrétaire était plein de papiers, pour la plupart des factures au nom de Naomi Shapiro, et d'autres, plus anciennes, adressées à Artem Shapiro, ainsi que des relevés de compte conjoint. À ma grande surprise, le dernier en date présentait un crédit d'un peu plus de 3 000 livres. Le plus vieux que j'ai trouvé datait de 1948. Apparemment, tous les mois une petite rentrée provenant d'une rente et la pension de veuve de Mrs. Shapiro étaient versées à la banque. J'ai pris au hasard une série de relevés. L'hôpital y trouverait-il les renseignements nécessaires ? Dans le même tiroir se trouvait un tas de reçus tenus par un élastique, l'un de 25 livres, daté du 26 octobre, d'un dépôt-vente de vêtements et un autre de 23 livres, du 16 octobre, de P. Cochrane, antiquités et occasions. Voilà qui expliquait le landau.

Il devait bien y avoir autre chose, un quelconque document où figurait sa date ou son lieu de naissance, un acte de baptême ou de mariage, un diplôme, un certificat de travail. On ne peut tout de même pas passer une vie entière sans laisser d'autres traces que des factures ou des reçus. Le bureau à caissons débordait de fournitures, de papier à lettres froissé, de stylos secs, de bouts de crayons, de reçus, de vieux tickets, d'horaires de train périmés, d'une carte de bibliothèque périmée et de brochures tout aussi périmées sur les pensions et les allocations : toutes ces bribes administratives inutiles que nous trimbalons au cours de notre vie. Dans un tiroir, il y avait une correspondance échangée avec la municipalité au sujet de l'araucaria, que Mrs. Shapiro voulait apparemment abattre malgré la mesure de protection dont il faisait l'objet.

Dans le dernier tiroir se trouvait une grosse enveloppe kraft bourrée de documents apparemment officiels. C'est ce que je cherchais. Un curieux passeport bleu pâle avec une bande noire sur le côté. Artem Shapiro ; date de naissance : 13 mars 1904 ; lieu de naissance : Orcha ; date de délivrance : 4 mars 1950, Londres. Livret de rationnement : Artem Shapiro, 1947. Permis de conduire : Artem Shapiro, 1948. Contrat d'assurance-vie National Bank : Artem Shapiro, 1958. Acte de décès : Artem Shapiro, 1960 ; cause du décès : cancer du poumon. Connaissant son histoire, j'ai été bouleversée par une sorte de sentiment d'intimité et j'ai retourné la mince feuille dactylographiée. C'est donc ainsi que son périple s'était achevé : le ghetto, le camp de barbelés, le lac pris dans les glaces. J'ai replié l'acte de décès et je l'ai rangé en espérant qu'il était mort dans son sommeil, bercé par la morphine.

Et elle ? Le seul document qui portait son nom était un livret de compte épargne : Mrs. N. Shapiro, 13 juillet 1972. Il y avait forcément autre chose. Je me suis alors rappelé ce qu'elle m'avait dit : « Vous devez regarder seulement dans le secrétaire. » Si quelque chose avait été délibérément dissimulé, ce n'est donc pas là que je le trouverais.

Je me suis mise à fouiller dans les autres pièces avec une curiosité frénétique. Dans le buffet de la salle à manger où m'avait été servi le menu à défier la mort, je n'ai récolté que des assiettes et des couverts. Le salon était sombre, les fenêtres condamnées et l'interrupteur ne fonctionnait pas. J'avais besoin d'une lampe torche pour pouvoir chercher là. Derrière le landau, sous l'escalier, une petite porte débouchait sur des marches en pierre conduisant au sous-sol. Une bouffée de renfermé s'en est échappée. J'ai cherché l'interrupteur à tâtons sur le mur et un néon tremblotant s'est allumé ; il s'est mis à clignoter furieusement, baignant tour à tour la salle au plafond bas dans la lumière puis dans l'obscurité totale.

On aurait dit une sorte d'atelier. Un placard vitré fixé au mur abritait des outils soigneusement alignés, dont les lames étaient ternies par la rouille. Dessous se trouvait un établi couvert de toutes sortes d'étaux. Des bouts de bois étrangement sculptés étaient suspendus à des crochets. Au bout d'un moment, je me suis aperçue que c'étaient des tables et des têtes de violon inachevées. Il y avait un pot de colle desséchée avec un petit pinceau sec planté dedans. La colle translucide, ambrée, dégageait encore une vague odeur écœurante. C'était de la colle animale. Du biopolymère. Employée pour le travail du bois, les placages et la marqueterie, jusqu'à l'arrivée des colles synthétiques modernes plus performantes.

Un jour, Nathan, mon patron, m'avait dit que les nazis fabriquaient de la colle avec des ossements humains, des abat-jour en peau humaine, des matelas garnis de cheveux. Rien ne se perdait. Brusquement, j'ai eu le tournis. Peut-être était-ce l'effet stroboscopique du tube néon défectueux ou les souvenirs piégés dans l'air peuplé de fantômes.

J'ai remonté l'escalier. En cherchant l'interrupteur du bout des doigts, je me suis retournée vers l'atelier et c'est là que j'ai vu un éclat de couleur sur le haut du placard – quelques millimètres de bleu à peine visible au-dessus de l'encadrement. Intriguée, je suis redescendue et j'ai pris une chaise pour regarder. C'était une boîte oblongue, un peu rouillée, ornée d'une image du château de Harlech entouré d'un ciel gallois d'un bleu improbable. Je l'ai attrapée, puis je l'ai entrouverte. Le genre de boîte qui devait servir à conserver des caramels ou des sablés, mais elle ne contenait plus que quelques photos. Je l'ai glissée sous mon bras avant de remonter à la lumière.

Dans le hall, un grand escalier garni d'une rampe incurvée menait au premier étage. J'ai grimpé les marches, la boîte bien serrée contre moi, en soulevant un nuage de poussière du tapis fixé par des tiges en cuivre. La rampe en acajou se prolongeait sur le palier qui desservait neuf portes. L'une d'entre elles était légèrement entrebâillée. Je l'ai poussée. Il y a eu une débandade. Deux chats de gouttière efflanqués ont filé entre mes jambes. C'était une grande pièce claire avec une fenêtre à deux vantaux donnant sur le jardin de devant, où trônait un énorme lit en noyer Art déco sur lequel dormait en boule un matou à l'oreille déchirée, tout aussi mangé aux mites que le manteau d'astrakan de Mrs. Shapiro. Quand je suis entrée, il a levé sa tête hirsute et m'a suivie du regard. La puanteur était épouvantable. Pouah ! J'ai ouvert la fenêtre. « Allez, allez, fiche le camp ! » J'ai eu beau essayer de le chasser, il s'est contenté de me toiser avec mépris. Au bout d'un moment il a fini par se déplier, avant de sauter du lit en fouettant l'air de sa queue, la mine grincheuse, pour se diriger d'un pas nonchalant vers la porte.

Ce devait être la chambre de Mrs. Shapiro, à en juger d'après les vêtements éparpillés dans tous les coins – la grosse casquette à carreaux, les escarpins à bouts ouverts, et par terre, au pied du lit, une combinaison-culotte pêche bordée de dentelle ivoire, dont la soie était légèrement jaunie par endroits. L'armoire en noyer sculptée de motifs de soleils Art déco était pleine de vêtements empestant la naphtaline, alignés sur des cintres capitonnés de satin, qui évoquaient l'élégance luxueuse de costumes tirés d'un film de Humphrey Bogart. Dans un coin, face à la fenêtre, une commode assortie avec un miroir à trois pans reflétait le jardin. J'ai épluché des strates de vieux maquillage en décomposition et de sous-vêtements défraîchis qui ne sentaient pas très bon. Il n'y avait rien d'intéressant. Du coup, je me suis assise sur le lit, j'ai ouvert la boîte ornée du château de Harlech et j'ai étalé les six photos.

Elles étaient en noir et blanc, excepté celle du dessus, un vieux cliché sépia chiffonné et déchiré sur les bords. C'était un portrait de famille pris au tournant du siècle : la mère en robe à col de dentelle berçant un bébé, le père avec une barbe et un haut-de-forme, et deux enfants, une fillette vêtue d'une robe à volants et un bambin incroyablement blond en culotte blanche et chemise brodée. Il y avait quelque chose d'écrit au dos, qui semblait n'avoir aucun sens. Puis je me suis aperçue que c'était en alphabet cyrillique. Je pouvais juste déchiffrer « 1905 ». Il avait dû la garder sur lui pendant tout son périple, cachée dans une poche ou une doublure.

Puis une photo de mariage a attiré mon attention : un bel homme, grand, blond, qui tenait la main d'une jolie femme au regard de braise avec d'épaisses boucles noires remontées en chignon sous une couronne de fleurs blanches. Ils fixaient l'objectif les yeux écarquillés, un léger sourire aux lèvres, comme s'ils étaient surpris en plein bonheur. J'ai reconnu Artem Shapiro. Mais qui était la femme ? Un visage séduisant en forme de cœur avec des yeux noirs écartés et une belle bouche charnue. Je l'ai examinée de près, car les gens changent de tête avec l'âge, mais il n'y avait aucun doute. La femme qui figurait sur cette photo n'était pas Naomi Shapiro.

Je contemplais la photo quand, soudain, j'ai entendu du bruit dans le jardin – des voix et le portail qui claquait. Mon cœur s'est mis à battre à tout rompre. Je me suis empressée de glisser la photo dans mon sac, j'ai refermé la boîte et l'ai rangée en haut de l'armoire, hors de vue. Dans un des pans du miroir je voyais le reflet de la fenêtre avec le jardin en arrière-plan. Un monsieur et une dame étaient plantés dans l'allée. Ils observaient la maison. La dame était une rousse corpulente vêtue d'une veste vert vif. Le monsieur était râblé, le teint rougeaud, il portait une parka bleue et fumait une cigarette. Il a écrasé sa cigarette dans l'allée et s'est adressé à la dame. Je n'entendais pas ce qu'il disait, mais j'ai vu qu'elle riait de toutes ses dents. Le temps que je descende au rez-de-chaussée, ils étaient partis.

9

Capote

Quand je suis retournée à l'hôpital, l'infirmière de service n'était pas la même. Elle a examiné les documents que je lui montrais sans le moindre commentaire et coché une case du dossier de Mrs. Shapiro avant de me les rendre.

« Comment va-t-elle ? ai-je demandé.

– Bien. Elle sera en mesure de sortir dès que nous aurons pu faire une inspection de son logement. » Elle a feuilleté le dossier. « Apparemment, vous avez la clef de chez elle. Je dirai à Mrs. Goodknee de vous appeler pour prendre rendez-vous. »

Revoilà Mrs. Goodknee. La Beaugenou. J'imaginais une dame en minijupe aux genoux potelés pleins de bourrelets.

Mrs. Shapiro était redressée sur son lit, les cheveux bien peignés en arrière, sa blouse d'hôpital d'un vert antiseptique boutonnée jusqu'au cou. Elle avait l'air en forme. Son séjour à l'hôpital l'avait un peu remplumée. Elle avait les joues roses et ses yeux paraissaient plus bleus – oui, aucun doute, elle avait les yeux bleus.

« Bonjour, vous avez l'air en forme, Mrs. Shapiro. C'est bon, ce qu'on vous donne à manger ? On vous sert toujours des saucisses ?

– Pas le saucisse. Maintenant c'est mieux. Maintenant que c'est le poulet et la pomme de terre sautée. Vous apportez le Wonder Boy ?

– J'ai essayé, mais il s'est enfui », ai-je menti.

J'avais envie de l'interroger sur les photos, pourtant je me suis retenue car je ne voulais pas admettre que j'avais fouillé sa maison et déniché la boîte cachée. Il fallait que je trouve un autre moyen de lui tirer les vers du nez.

Nous avons bu le thé fort et amer qu'il y avait sur le chariot et englouti consciencieusement la boîte de chocolats que j'avais apportée en digne proche parente.

« Mrs. Shapiro, j'ai peur que votre maison soit… Comment dire ?… Vous ne croyez pas qu'elle est un peu grande pour vous ? Vous ne préféreriez pas un appartement plus confortable ? Ou une résidence où vous auriez quelqu'un pour veiller sur vous ? »

Elle m'a fixée, les yeux agrandis par l'horreur, comme si je lui avais lancé une malédiction.

« Pourquoi que vous me dites ça, Georgine ? »

Ne pouvant exprimer poliment l'inquiétude que m'inspiraient l'odeur, la crasse et la structure délabrée de la maison, je me suis contentée de lui répondre : « Mrs. Shapiro, l'infirmière pense que vous êtes peut-être trop âgée pour vivre toute seule. » J'ai scruté son visage. « Elle m'a dit que vous aviez quatre-vingt-seize ans. »

Ses lèvres ont tremblé. Elle a cligné des yeux. « Je vais nulle part.

– Mrs. Shapiro, quel âge avez-vous vraiment ? »

Elle a ignoré ma question.

« Qu'est-ce qui arriverait à mes chats adorés ? » Elle avait pris l'air obstiné. « Comment va le Wonder Boy ? La prochaine fois vous devez l'apporter. »

Je lui ai parlé du sansonnet de Wonder Boy – « Le vilain ! » –, des miaulements plaintifs de Violetta – « *Ach !* Toujours elle chante *La Traviata* ! » – et du chat qui s'était glissé dans sa chambre pour dormir sur son lit. « Ça, c'est Moussorgski. Peut-être que c'est ma faute, je permets. Je suis tellement seule la nuit quelquefois, chérrrie. »

Elle m'a jeté un regard et sans doute l'expression de mon visage m'a trahie car elle a ajouté : « Vous aussi, vous êtes seule, Georgine, hein ? Je le vois dans vos yeux. »

J'ai hoché la tête avec réticence. C'est moi qui étais censée poser les questions. Mais elle m'a serré la main. « Alors parlez-moi de votre mari – qu'il enfuit.

– Oh, c'est une longue histoire.

– Mais pas longue comme la mienne, hein ? » Sourire espiègle. « C'était une histoire du coup de foudre ?

– En fait, oui. Nos regards se sont croisés dans une salle bondée. »

C'était une salle du tribunal de Leeds, où deux mineurs de Castleford comparaissaient pour une bagarre lors d'un piquet de grève. Rip les défendait ; à cette époque, il écrivait encore ses articles et travaillait bénévolement à la maison du droit de Chapeltown. Je débutais comme journaliste à l'*Evening Post.* Après l'annonce du verdict – ils avaient été acquittés – nous étions allés prendre un pot pour fêter la victoire. Puis Rip m'avait raccompagnée chez mes parents, à Kippax, et nous avions fait l'amour au coin du feu. Je me rappelle que je l'avais taquiné sur son prénom.

Moi (enroulant ses boucles autour de mes doigts) : Toc, toc ?

Lui (aux prises avec mon soutien-gorge, sa bouche humide collée à mon oreille) : Qui est là ?

Moi (l'attirant) : Euripide.

Lui (les mains sous ma jupe) : Euripide qui ?

Moi (pouffant de rire entre deux baisers) : Médée doigts dans la prise !

C'était étrange, on se connaissait à peine, et pourtant c'était comme si on se connaissait depuis toujours.

« Et vos parents, ils disaient quoi ? Ils étaient un petit peu étonnés, non ?

– Heureusement, quand ils sont rentrés, on s'était rhabillés. Maman a tout de suite craqué pour lui. Il avait un charme fou quand il voulait. Pour papa, c'était un ennemi de classe. Rip venait d'une famille fortunée, voyez-vous, et j'avais peur qu'il soit condescendant avec mes parents. Mais il s'est montré gentil… respectueux. »

Elle a secoué impatiemment la tête. « Parlez-moi plus de l'amour.

– Oh… » Les souvenirs me serraient la gorge. « On peut dire que c'est une histoire tumultueuse d'amour interdit entre un quasi-aristocrate et une jeune fille modeste issue d'un village de mineurs. »

Elle a hoché la tête. « C'est le bon début. »

Ils s'étaient rendus à l'association des mineurs de Castleford – une fête en l'honneur d'un contremaître qui prenait sa retraite. Il y avait eu des chants et des discours, puis on avait bu encore de la bière. Papa avait le regard vitreux et se montrait plus loquace que d'habitude. Maman, qui n'était pas censée boire car elle devait raccompagner tout le monde, n'était pas non plus un modèle de sobriété.

Papa (marmonnant à maman) : T'as vu un peu ce qu'elle nous a ramené, Georgie ?

Maman (me chuchotant) : C'est un beau poisson que t'as pêché là.

Moi (embarrassée, à Rip) : Je te présente mes parents, Jean et Dennis Shutworth.

Rip (tout en sourire et boucles dorées) : Rip Sinclair. Enchanté.

Papa portait son plus beau costume trois pièces, le gilet soigneusement boutonné. Le seul laisser-aller auquel il s'autorisait parfois était de desserrer légèrement sa cravate. Quant à maman, elle avait depuis longtemps cédé aux tailles élastiquées, mais elle avait fait un effort pour l'occasion et s'était dessiné une bouche en cœur couleur cerise et mis une touche de Je Reviens derrière l'oreille.

Maman (prenant soin de bien articuler ses voyelles) : Rip. Ce n'est pas courant comme prénom.

Rip (le sourire faussement dépité, tout en fossettes) : C'est l'abréviation d'Euripide. Mes parents nourrissaient de grands espoirs pour moi. (Son seul sourire me fait bondir le cœur. Je suis amoureuse.)

Papa (chuchotant à mon oreille) : Ce n'est pas ton genre, Georgie.

Moi (lui chuchotant à mon tour) : Tu te trompes. Il n'est pas comme ça. Il est de notre côté.

Papa (la mâchoire serrée) : (Silence.)

Maman (s'empressant d'intervenir) : Voulez-vous venir prendre le thé chez nous ?

« Et alors il buvait le thé ? » Mrs. Shapiro a étouffé un bâillement. « *Mit* les parents ? C'est tout à fait normal dans l'Allemagne.

– Non, dans le Yorkshire, quand on dit le thé, c'est aussi le dîner. »

Maman avait sorti du congélateur le paquet géant de frites à cuire au four, vidé le contenu dans un plat en pyrex, mis sous le grill une douzaine de pilons de poulet sauce barbecue précuits, réchauffé au micro-ondes une boîte de velouté aux champignons du Jackson's local et l'avait versé sur les pilons. J'étais effondrée. « Poulet chausseur », avait-elle annoncé en les saupoudrant généreusement de sel, des fois que Mr. Jackson en ait été avare. Rip avait fait mine d'être enchanté et dévoré le tout à belles dents avant de s'essuyer la bouche avec un bout d'essuie-tout. Maman était totalement sous le charme.

On s'était tous serrés sur le banc autour de la table de la cuisine. Rip était coincé dans l'angle, juste à côté de papa. J'étais assise en face, côté maman.

Papa (toujours soupçonneux) : Et que faites-vous dans la vie ?

Rip (l'air étrangement paniqué) : Je suis étudiant en… (Il attire mon attention.) … capote…

Moi : (Mais que se passe-t-il ? Pourquoi est-il si bizarre soudain ?)

Maman (devant la cuisinière, impressionnée) : Ça a l'air passionnant.

Rip : … En droit. (Papa croque un pilon. Rip me fait un geste derrière la table, agitant la main comme s'il se masturbait.)

Moi (fièrement) : Aujourd'hui il a défendu les mineurs au tribunal, papa.

Papa (bien décidé à ne pas se laisser impressionner) : Tu veux dire Jack Fairboys et Robbie Middon ?

Rip (me donnant un coup de pied sous la table) : Oui, Jack et Rob, ils risquaient la… condomation.

Papa (le regardant d'un drôle d'œil) : Ils s'en sont tirés, non ?

Rip (l'air fuyant) : Absolument, ils ont été totalement acquittés.

Papa (concentré sur la bouteille de ketchup) : C'est juste une histoire de mecs. Ça n'aurait jamais dû se finir au tribunal.

Rip (continuant à se masturber en douce sous la

table) : Aucune charge n'a été retenue. Par terre. Près du feu. Justice est faite.

Moi (la lumière se fait dans mon esprit) : Excuse-moi, maman…

Je suis passée devant elle pour aller dans le salon. Il était bien là près du feu, lisse et luisant. Je l'ai ramassé et je l'ai jeté dans les braises. Il y a eu un bref crépitement, puis une odeur de caoutchouc brûlé. Dans la cuisine, j'ai entendu maman dire : « J'aime bien les hommes qui ont un bon coup de fourchette. Euridope ! Eh ben, dites donc ! »

J'ai jeté un œil pour voir si Mrs. Shapiro avait saisi la plaisanterie, mais elle avait les yeux fermés. Elle devait être assoupie depuis un bon moment.

Quand je suis rentrée à la maison, vers trois heures, il y avait un message de Mrs. Goodknee sur le répondeur. Aurais-je l'amabilité de la rappeler – une voix grêle, plus toute jeune. J'ai téléphoné et je suis tombée à mon tour sur un répondeur. Puis je me suis fait un thé que j'ai monté dans ma chambre. J'ai sorti les six photos de mon sac et je les ai étalées par terre devant la fenêtre comme un jeu de cartes. Je me suis accroupie devant, le front plissé, essayant de reconstituer l'histoire qu'elles devaient certainement receler.

D'abord, la famille Shapiro prise en 1905, sur laquelle Artem n'était encore qu'un bambin. Puis la photo de mariage – une autre femme. Artem Shapiro avait dû être marié une première fois avant Naomi. Le même couple, Artem et la femme mystérieuse, figurait sur une autre photo, devant une fontaine. Le sol était enneigé. Il avait une casquette baissée sur les yeux et fumait une cigarette en fixant l'objectif avec un grand sourire. Vêtue d'un manteau cintré à la taille assorti d'un béret incliné avec désinvolture, elle levait la tête vers lui. Une inscription était griffonnée derrière : *Stockholm Drott*… Je n'arrivais pas à déchiffrer le reste.

Il y avait une photo de groupe, un homme et quatre femmes en tenues de cérémonie assis en cercle autour d'un piano. *Famille Wechsler, Londres 1940*, était-il écrit au verso. J'ai eu beau l'examiner de près, les visages étaient trop petits pour qu'on les distingue. Sur une autre photo, j'ai reconnu Canaan House avec l'araucaria dans le fond, bien plus petit que maintenant. Deux femmes se tenaient devant le porche. La plus grande des deux ressemblait à la femme aux yeux bruns de la photo. Quant à la seconde, les cheveux bouclés, aussi menue qu'un elfe, je ne l'ai pas reconnue. J'ai retourné la photo. À l'arrière était écrit *Highbury, 1948*. J'ai regardé de plus près – bien qu'on ne pût distinguer les traits, la pose de la plus petite des deux, les pieds écartés d'un air de défi, me rappelait vaguement quelqu'un. J'ai pensé à la mince silhouette juvénile en train d'extirper des affaires de la benne à la lueur du réverbère. Naomi. Elles étaient donc ensemble à Canaan House. Elles se connaissaient.

J'ai reconnu la plus grande sur une autre photo ; cette fois, elle se tenait seule sous la voûte d'un porche, en robe à fleurs, souriant en plissant ses yeux sombres au soleil. Derrière était écrit *Lydda, 1950*. C'est un joli nom, me suis-je dit. Mais qui était-elle ?

En bas, la porte d'entrée a claqué. La maison a tremblé. C'était Ben qui rentrait du lycée à quatre heures et demie. J'ai entendu son sac tomber dans le hall, sa parka jetée par terre et son pas lourd dans l'escalier. Quelques minutes plus tard, j'ai entendu la musique d'accueil de Windows. Il ne m'avait même pas dit bonjour. Quelque chose s'est effondré en moi et m'a frappée en plein cœur. J'ai remis les photos en pile, puis je suis descendue à la cuisine préparer deux thés et je les ai montés. J'ai toqué à sa porte, mais il ne m'a pas répondu. Je l'ai poussée du pied. Ben était à son bureau, le regard rivé sur l'écran de son ordinateur. J'ai eu le temps d'entrevoir celui-ci – un éclat de lettres rouges sur un fond noir. Un seul mot souligné de flammes blanches vacillantes m'a sauté aux yeux : *Armageddon*. Puis, d'un clic de souris, l'écran s'est mué en ciel de Microsoft.

« Ben…

– Quoi ?

– Qu'est-ce qui se passe, mon ange ?

– Rien. »

Je lui ai ébouriffé les cheveux. Il a eu un mouvement de recul et j'ai aussitôt retiré ma main.

« C'est normal d'être perturbé, Ben. C'est dur pour nous tous en ce moment.

– Je ne suis pas perturbé. »

Il continuait à fixer l'écran en silence, les poings serrés posés devant le clavier, comme s'il attendait que je m'en aille. La lueur bleue de l'écran découpait la courbe de sa joue et de sa lèvre supérieure ombrée d'un léger duvet brun.

« C'est le lycée ? Comment est ta nouvelle classe ?

– Ça va. Super. Cool. »

Ç'avait été dur pour Ben de quitter Leeds et de s'installer à Londres. Il avait mal accepté d'être arraché à sa bande de copains qu'il connaissait pour certains depuis la maternelle et d'essayer de s'intégrer dans les cercles relativement fermés de son lycée du nord de Londres. Il n'amenait jamais aucun ami à la maison, mais il était parfois rentré de ses cours plus tard que d'habitude en marmonnant qu'il était avec un certain Spike. Spike – drôle de nom. Je brûlais de curiosité, mais je savais bien qu'il était préférable de ne pas insister pour en savoir plus.

« Qu'est-ce que tu veux pour le dîner, mon ange ?

– N'importe. Des spaghettis.

– D'accord. D'ici une demi-heure ?

– Je descendrai, m'man. OK ? » a-t-il répondu sans même lever les yeux, l'air de dire : « Fiche-moi la paix ! »

Je suis allée dans la cuisine et je me suis servi un verre de rioja, envahie par un profond sentiment d'échec. Épouse ratée. Mère ratée. Sans amis – car mes anciens amis de Leeds étaient aussi ceux de Rip. J'ai essayé d'appeler Stella à Durham, mais elle était sortie et le groupe de rock à demeure était en pleine répétition. Maman avait suffisamment de soucis de son côté – je lui téléphonerais quand j'irais mieux. J'ai vidé le rioja quasiment d'un trait et je me suis resservie. Je devrais peut-être prendre un chat – ou sept ou huit.

Non, il fallait juste que je me ressaisisse et que je me fasse de nouveaux amis à Londres. Je m'en étais déjà fait une. (La chaleur réconfortante du rioja m'envahissait peu à peu.) Certes, son hygiène alimentaire laissait à désirer, mais nous étions copines. Et j'avais aussi mes collègues travaillant comme moi en ligne, que je connaissais depuis des années sans les avoir jamais rencontrés. Je passerais les voir un jour au bureau d'*Adhésifs* à Southwark. J'étais particulièrement curieuse de rencontrer Nathan, le patron. Au téléphone, il s'exprimait d'une voix douce sur le ton de la confidence, comme si nous partagions un secret au lieu de simplement échanger des informations techniques. Je ne savais pas du tout à quoi il ressemblait, mais j'imaginais un beau mec intelligent avec des lunettes à monture d'écaille et une blouse de labo sexy. Penny m'avait dit qu'il était célibataire, donc j'avais toutes mes chances, et qu'il vivait chez son père âgé, ce qui lui donnait un côté gentil et attentionné.

Penny était la secrétaire ; je ne l'avais jamais rencontrée non plus, mais elle aimait me tenir au courant de sa voix tonitruante de tous les derniers potins sur les collègues que je ne connaissais pas : Sheila, l'assistante, Paul et Vic, qui s'occupaient des questions techniques et au passage de Sheila, Mardy Mari, le pire agent d'entretien qui soit, Lucy, au département design, qui était Témoin de Jéhovah et tapait sur les nerfs de Mari. Sans compter les autres free-lances comme moi, dont elle étalait la vie privée sans la moindre retenue.

Les nouveaux collègues de Rip qui travaillaient avec lui au Programme de développement étaient effrayants d'ambition. J'en avais rencontré quelques-uns à la soirée de Noël l'an dernier. Il m'avait présentée à un couple du nom de Tarquin et Jacquetta (avec des noms pareils, ma mère aurait pensé qu'il s'agissait de bactéries alimentaires) et à Pete les Pectos et sa femme Ottoline. Son torse bombé était sanglé dans une veste à carreaux tape-à-l'œil. Sa femme ressemblait à une poupée de porcelaine – délicate, inexpressive, la voix cristalline, la bouche en cœur écarlate parfaitement dessinée. Rip avait passé les trois quarts de la soirée à tapoter sur son BlackBerry.

Je me suis resservi du rioja. Une agréable chaleur commençait à se répandre sur mes joues. Je suis allée chercher mon cahier.

Le Cœur éclaté
Chapitre 3

« Chérie, j'ai un travail très important à finir sur mon BlackBerry, ~~dit~~ remarqua Rick un soir.

– Bien sûr, mon amour, ~~dit~~ murmura Gina. ("Variez votre vocabulaire", me répétait Mrs. Featherstone). *Ton travail est très important et doit toujours prendre le pas sur tout le reste.*

– Comme j'ai de la chance d'avoir une femme aussi compréhensive ! » ~~dit~~ déclara-t-il, et il l'embrassa sur la joue avant de disparaître. (Je sais que ce n'est guère plausible, mais c'est de la fiction.)

Une heure plus tard, Gina fut surprise d'entendre une sonnerie qui ressemblait étonnamment à celle du

BlackBerry de Rick retentir dans son bureau. Mais il n'y avait pas la moindre trace de Rick.

Soudain, j'ai senti la chaleur d'une main sur mon épaule.

« Le dîner est bientôt prêt ? »

Je me suis empressée de fermer mon cahier et de pousser la bouteille.

« Désolée. J'avais du retard à rattraper. »

Il a froncé les sourcils. « Vas-y mollo là-dessus.

– Quoi ? Ça ? » J'ai gloussé. « C'est juste un petit rioja. » Craignait-il que je devienne une mère indigne ? J'ai surpris l'inquiétude dans son regard et je me suis ressaisie. Il avait peut-être raison.

Nous avons préparé le dîner ensemble. Des pâtes aux anchois, aux brocolis et au parmesan – une recette que m'avait apprise Mrs. Sinclair. Papa s'était vanté un jour de ne jamais avoir mangé de brocolis de sa vie et de n'en avoir pas l'intention. Maman disait que les anchois lui donnaient mauvaise haleine. En revanche, ils mangeaient du parmesan – ils en saupoudraient d'une boîte en carton directement sur des spaghettis en conserve. Maman disait que ça leur donnait un côté distingué.

Ben a englouti bruyamment ses spaghettis en prenant un air de benêt pour me faire rire, comme quand il était petit et qu'il faisait semblant de manger des vers. Dans la pièce d'à côté la télévision braillait, c'était l'heure des informations. Je n'y prêtais pas vraiment attention. Je pensais encore à Rip – son obsession du BlackBerry, mon obsession du porte-brosses à dents. Comment avions-nous pu laisser des choses aussi insignifiantes détruire notre bonheur ?

« Pourquoi ils font ça ? » a soudain demandé Ben. Il s'était rembruni et recroquevillé devant son assiette.

« Quoi ?

– Les terroristes kamikazes… Pourquoi ils se font exploser ? »

Il suivait attentivement toutes les informations.

« C'est… quand les gens sont désespérés… c'est une manière d'attirer l'attention… »

La chaleur du rioja s'était estompée et une douleur lancinante me vrillait le crâne. « C'est quand on veut tellement faire souffrir quelqu'un qu'on se fiche de souffrir également. » Le désespoir. Je revoyais l'écume de lait éclaboussée dans la cuisine.

« Mais pourquoi faire ça ? C'est ignoble. » Ben fixait toujours le regard sur son assiette en enroulant les derniers spaghettis autour de sa fourchette. Puis, sans lever les yeux, il a ajouté : « C'est comme… Il y a un élève au lycée qui s'est tailladé les bras avec un rasoir.

– Oh, Ben ! Pourquoi ?… » Soudain, j'ai été submergée par l'inquiétude – je savais à quel point les enfants pouvaient se montrer cruels les uns envers les autres.

« Je sais pas. Comme tu dis. Pour attirer l'attention. »

Mon cœur a fait un bond. Une image enfouie datant de mes années de lycée m'était subitement revenue en mémoire. Kippax. Ce devait être vers 1974. Une fille s'était tranché les veines dans les toilettes.

« Ben, si tu te sens…

– Ça va, m'man. Je vais bien. Ne t'inquiète pas. »

Il a eu un sourire fugace, puis il a mis son assiette dans le lave-vaisselle avant de remonter mollement dans sa chambre.

10

Polymérisation

Le lendemain matin, je me suis retrouvée à soigner la migraine que m'avait donnée le rioja de la veille et à m'inquiéter pour Ben tout en bataillant avec une chaîne de polymères. La polymérisation est la clef de la chimie de l'adhésion – c'est lorsqu'une molécule unique s'accroche soudain de part et d'autre de deux autres molécules similaires pour former une longue chaîne. Un peu comme une farandole. Au saut du lit, il y a mieux. Puis le téléphone a sonné. C'était Mrs. Goodknee qui voulait me convaincre de sa voix grinçante de lui confier la clef pour qu'elle puisse procéder à sa visite d'inspection. J'ai insisté pour qu'on se retrouve à Canaan House afin de faire le tour des lieux ensemble. Nous nous sommes donné rendez-vous à midi.

Comme je voulais laisser toutes ses chances à Mrs. Shapiro, j'y suis allée une heure en avance pour préparer la visite. J'ai empilé dans un seau des produits ménagers, un spray désodorisant et des gants en caoutchouc et je suis partie d'un bon pas. Au lieu de mettre ma tenue de vieille folle, j'ai enfilé une élégante veste grise dans l'espoir de faire bonne impression. L'air hivernal était si vif qu'à chaque respiration mes poumons habitués au chauffage central suffoquaient sous l'effet du froid et le soleil éclatant brûlait mes yeux frappés par la gueule de bois, mais je me forçais à regarder le ciel. Les nuages avaient disparu et le soleil rasant couvrait de reflets d'or les fenêtres d'étage des rangées de maisons que je longeais. Je retrouvais le moral. Le soleil d'hiver – c'était comme un cadeau, la promesse d'un temps plus doux. Je me suis mise à fredonner : « *Here comes the sun*… na na na na… »

Un nouvel amas de plumes d'oiseau gisait au milieu de l'allée de Canaan House – un pigeon cette fois. Je les ai écartées d'un coup de pied. Les chats devaient m'attendre, car dès que j'ai approché de la maison, ils ont tous surgi autour de moi, réclamant, miaulant à qui mieux mieux en ouvrant leurs gueules roses affamées. Je leur ai donné à manger dehors en prenant soin de ne pas les laisser se faufiler à l'intérieur.

Puis je me suis attaquée à la cuisine. J'ai ôté ma jolie veste, enfilé les gants en caoutchouc et évacué les détritus putrides qui encombraient l'évier. J'ai rempli deux sacs-poubelles d'emballages (la plupart ornés d'étiquettes marquées RÉDUCTION) et du contenu suintant du réfrigérateur répugnant. Et dire que j'avais mangé des aliments stockés dans ce réfrigérateur, préparés sur cette table, cuisinés dans ces casseroles… J'avais de la chance d'être encore en vie. Peut-être n'était-ce pas le poisson qui avait failli me tuer ce soir-là, mais une bactérie endémique à cette cuisine, contre laquelle Mrs. Shapiro était immunisée depuis des lustres. En bas du réfrigérateur, j'ai trouvé trois doigts noirs ratatinés. J'ai mis un moment à comprendre que c'étaient des carottes.

J'ai versé de l'eau de Javel dans l'évier et balayé le sol de la cuisine et du hall, en enlevant au passage un tas de crottes de chat qui moisissait à côté du meuble du téléphone. Il me restait encore un quart d'heure avant midi. Je suis montée dans la chambre de Mrs. Shapiro, j'ai ouvert la fenêtre, aspergé du désodorisant un peu partout, ramassé les vêtements qui traînaient par terre et secoué les draps et les couvertures par la fenêtre. Puis j'ai pensé à repousser la boîte en métal en haut de l'armoire afin de la faire disparaître totalement. Tous ces efforts m'avaient fait un peu transpirer et la satisfaction de la tâche accomplie me rosissait les joues.

J'admirais mon travail quand j'ai entendu une voix de femme dans le jardin. Je me suis figée sur place et j'ai tendu l'oreille. Elle devait se trouver juste sous la fenêtre ouverte. Une horrible voix métallique aussi grinçante qu'un portail rouillé et braillant comme souvent les gens dans leurs portables.

« Je vais juste faire un petit tour. (Silence, elle écoutait son interlocuteur à l'autre bout du fil.) Je te dirai. (Silence.) Elle est occupée par une vieille bique. Elle va être placée en maison de retraite. (Silence.) Je ne sais pas encore. Je vais obtenir une bonne estimation. (Silence.) Hendrix. (Silence.) Cash. 5 000. (Silence.) Damian. (Silence.) Je vais me renseigner. Et je demanderai pour l'arbre. Il faut que j'y aille. (Silence.) Salut ! »

Quelques instants plus tard, je l'ai vue remonter l'allée en fumant une cigarette. J'ai reconnu aussitôt la rousse qui était l'autre jour dans le jardin – avec sa veste d'un vert toxique. Son aspect matelassé me faisait penser à de la peau de lézard. Elle s'est arrêtée au portail – elle m'attendait, croyant que j'arriverais de la rue. Je ne voulais pas qu'elle me voie émerger de la maison, alors j'ai attrapé ma veste, je suis passée par la porte de la cuisine, j'ai refermé derrière moi et j'ai cherché une autre sortie. À l'arrière de la maison, un chemin couvert de mousse traversait le jardin tout en longueur et aboutissait à une rangée de dépendances délabrées. Juste à côté il y avait un portail. Il était verrouillé, mais j'ai réussi à l'ouvrir et je suis tombée sur une autre ruelle pavée envahie par les ronces qui devait autrefois desservir les dépendances et qui débouchait sur Totley Place. En arrivant dans la rue, j'ai vu Mrs. Goodknee qui m'attendait devant le portail en feuilletant un dossier.

« Bonjour, je suis Georgie Sinclair. Désolée d'être en retard. »

Elle devait avoir une quarantaine d'années, à peu près mon âge, peut-être même un peu plus jeune. Je ne voyais pas ses genoux, mais je doutais qu'ils soient potelés. Elle m'a tendu une carte de visite. Ah ! Ce n'était pas Goodknee.

« Margaret Goodney. Je suis assistante sociale à l'hôpital. Merci d'être venue. Avez-vous la clef ? »

Ses voyelles traînantes typiques de l'Essex se glissaient dans un parler professionnel aseptisé.

Elle m'a suivie dans l'allée. Heureusement, les chats étaient partis faire leurs bêtises de chats ailleurs. Seule la jolie Violetta si sociable est venue se frotter contre nos jambes.

« Coucou, minou, minou, a couiné Mrs. Goodney. C'est qui le joli minou ? »

Elle a sorti un carnet à spirale de son sac en bandoulière et l'a ouvert à une nouvelle page. *Canaan House, Totley Place*, a-t-elle écrit en haut. Puis elle a souligné deux fois.

« C'est un peu la jungle. Il faut abattre cet arbre.

– Il est protégé par un arrêté. »

Elle a noté. En voyant la maison de Mrs. Shapiro à travers le regard d'assistante sociale de Mrs. Goodney, je me rendais compte à quel point mes efforts de nettoyage étaient dérisoires. Elle a plissé le nez dès que nous avons franchi le seuil.

« Pouah ! On se croirait dans la prison de Calcutta ici ! »

Le désodorisant s'était déjà évaporé. Ses talons cliquetaient sur les dalles disjointes du hall. Ses yeux allaient et venaient. Elle prenait des notes sur toutes les pièces que nous visitions. Sur la salle à manger, elle avait écrit : *Belles proportions. Cheminée d'origine.* Sur la cuisine : *Rénovation complète.* Quand elle s'est aperçue que je tendais le cou pour voir ce qu'elle écrivait, elle a tourné la page.

« Une maison de cette taille est une lourde charge, m'a-t-elle lancé, non sans bienveillance. Elle serait bien mieux dans une bonne maison de retraite. » Elle a noté autre chose. « Hmm. Le réfrigérateur est vide. C'est un signe de négligence incontestable.

– C'est moi qui l'ai vidé.

– Et pourquoi ça ?

– Ça moisissait.

– C'est bien ce que je dis. Nous devons faire ce qu'il y a de mieux pour elle, n'est-ce pas Mrs. ?…

– Sinclair. Appelez-moi Georgie. Mais n'a-t-elle pas son mot à dire ?

– Si, il va de soi que nous devrons obtenir son consentement. C'est là que vous pourriez nous être très utile, Mrs. Sinclair. »

Je me suis sentie rougir de colère. Allait-elle m'offrir 5 000 livres ? Mais elle s'est contentée de sourire de ses dents chevalines.

En entrant dans la chambre, elle a frémi et s'est mis la main sur le nez. Moussorgski avait réussi à s'y glisser en douce avant nous et repris position sur le lit. Nous voyant arriver, il a levé la tête en miaulant. Violetta, qui s'était faufilée avec nous, était tapie sur le seuil, fusillant Moussorgski du regard.

« Ces chats… il faudra qu'ils s'en aillent.

– Ce sont ses amis. Elle se sent seule.

– Oui, de la compagnie… C'est un des autres avantages des maisons de retraite. »

Elle a noté autre chose dans son carnet.

Par terre, au pied du lit, traînait la jolie combinaison-culotte qui ne sentait pas très bon et qui avait échappé à l'opération tornade blanche. Elle s'est penchée pour la ramasser et l'a tenue un moment entre le pouce et l'index, avant de la laisser tomber.

« Elle ne se refuse rien… »

Je l'ai vue s'essuyer les doigts discrètement sur un mouchoir. Je ne sais pas pourquoi, mais c'est cette façon de s'essuyer les doigts avec mépris qui m'a définitivement poussée à la haïr.

Nous avons été toutes les deux choquées en ouvrant la salle de bains. Il y régnait une odeur de pisse, non pas de chat cette fois, mais bien d'humain. La cuvette des toilettes qui était à l'origine en porcelaine blanche ornée d'iris bleus était tachée de marron, fissurée et incrustée de calcaire. La tache s'était propagée, formant une auréole humide rongeant les lames du parquet en partie affaissées sous la cuvette qui penchait dangereusement. Le lavabo orné du même motif d'iris était à moitié détaché du mur et couvert de traces d'un jaune verdâtre sous le robinet. Sous la fenêtre il y avait une grande baignoire pattes de lion avec un pommeau de douche à l'ancienne. À l'intérieur les couches de crasse accumulées ressemblaient aux anneaux d'un vieil arbre.

« Tout va devoir partir, a-t-elle murmuré en notant quelque chose dans son carnet. Quel dommage ! »

Dans le hall, au rez-de-chaussée, elle m'a tendu la main.

« Merci beaucoup, Mrs.… Georgie. Je vais faire mon rapport.

– Vous allez l'envoyer en maison de retraite, c'est ça, ai-je lâché.

– Naturellement, ce que je recommande est totalement confidentiel. » Elle a plissé les lèvres. « Mais je crois qu'il est préférable de la placer en maison de retraite. Nous devons faire ce qui est le mieux pour elle, et non pas ce qui nous arrange, n'est-ce pas, Georgie ?

– Comment ça, ce qui nous arrange ?

– Les aidants ont parfois du mal à lâcher prise, l'heure venue. Ils ont tendance à penser qu'ils font tout pour l'autre, alors que ce ne sont que des égoïstes qui s'accrochent à leur rôle d'auxiliaires même quand on n'a plus besoin d'eux parce qu'ils veulent se sentir valorisés. »

Elle m'a regardée en arborant son impassible sourire professionnel. J'avais envie de l'étrangler avec son ignoble tenue de reptile et de lui enfoncer ses talons carrés dans sa gueule de crécelle.

« Alors vous pensez que je ne suis qu'une sale égoïste qui fantasme sur les crottes de chat ? »

Elle m'a jeté un regard perçant, puis, se disant que je devais plaisanter, elle a pincé les lèvres en esquissant un petit sourire nerveux.

« Nous ne voudrions pas être responsables d'un nouvel accident, n'est-ce pas ? »

Sur ce, elle est repartie en cliquetant des talons dans l'allée.

Dès que je suis rentrée à la maison, j'ai sorti la carte que m'avait donnée Mrs. Goodney et composé le numéro de téléphone. J'ai demandé à parler à Damian Hendrix. Il y a eu un long silence.

« C'est le service d'assistance sociale de l'hôpital, m'a répondu une voix de femme. Vous êtes sûre que vous ne voulez pas les services sociaux de la ville ? »

J'ai cherché le numéro des services municipaux et j'ai réessayé.

« Pourrais-je parler à Mr. Damian Hendrix ?

– Je suis désolée, il n'y a personne de ce nom ici. C'est à quel sujet ?

– C'est au sujet d'une vieille dame qui doit être placée en maison de retraite.

– Ne quittez pas, je vous passe le troisième âge. »

Il y a eu un grésillement sur la ligne.

« Troisième âge ! a carillonné à mon oreille une voix enjouée.

– Je cherche Mr. Damian Hendrix.

– Mmm. Il n'y a pas de Hendrix ici. Vous êtes sûre que vous ne vous êtes pas trompée de nom ?

– Je suis sûre du Damian. Vous avez des Damian ?

– Mmm… » J'ai entendu la voix lancer derrière elle : « Eileen, on a des Damian ?

– On a que celui-là en magasin, a répondu Eileen.

– Il n'y en a qu'un qui travaille à la documentation, m'a dit la voix enjouée.

– Non, ça doit être quelqu'un d'autre. Merci. »

J'ai raccroché.

Eileen – cet accent – elle devait venir du Yorkshire. Soudain, j'ai éprouvé une pointe de nostalgie en repensant à ce que j'avais ressenti à l'époque où nous avions quitté Leeds pour venir nous installer à Londres, quand Rip s'était vu offrir un poste au Programme de développement. Nous avions erré comme des âmes en peine pendant des semaines dans les limbes des agences immobilières à la recherche d'un endroit où nous pourrions un jour nous sentir chez nous. Nous étions effarés par les prix à Londres et l'exiguïté des maisons – du moins celles qui étaient dans nos moyens. La petite maison mitoyenne de l'époque édouardienne que nous avions fini par acheter n'avait pas le côté déprimant de la plupart. Elle avait été entièrement rénovée pour être vendue rapidement par un entrepreneur qui l'avait peinte en tons neutres afin, *dixit*, de rehausser les magnifiques détails d'époque, garnie de parquet stratifié (style chêne authentique), d'un plan de travail en granit (du Brésil) et d'appareils électroménagers de grandes marques. Elle sentait le neuf et le plâtre frais. Elle n'avait strictement aucun cachet. À l'époque elle m'avait plu – c'était comme une toile vierge, sur laquelle peindre notre nouvelle vie. Mais ça ne s'était pas passé comme ça. Peut-être que ça s'était détérioré depuis longtemps et que je n'avais pas repéré les signaux d'alerte, comme lorsque l'humidité s'infiltre dans un sous-sol.

Plus tard dans l'après-midi, en parcourant la dizaine de commerces en enfilade, je me suis rappelé ce qui nous avait également poussés à choisir cette maison. Ce petit quartier nous avait paru un îlot de convivialité au milieu de l'immense agitation anonyme de Londres. Il y avait la boulangerie turque, curieusement réputée pour ses pâtisseries scandinaves, le Song Bee, notre traiteur préféré, qu'avaient récemment ouvert deux jeunes femmes spécialisées en cuisine chinoise et malaisienne, Peppe's, le traiteur italien, Al, le vendeur de journaux à côté de l'arrêt de bus, que Ben surnommait le Boutonneux, et deux agences immobilières, une succursale de Wolfe & Diabello juste à l'angle de la rue où je me trouvais et, en face, Hendricks & Wilson.

Soudain, j'ai une illumination. Hendricks ! Que faire ? Débouler dans l'agence pour provoquer un esclandre ! Sur un coup de tête, j'ai poussé la porte de Wolfe & Diabello. Puisque Mrs. Goodney avait demandé à son petit Damian d'établir une estimation de Canaan House, je pouvais toujours en faire établir une de mon côté, juste à titre de comparaison.

Une jeune blonde à la poitrine généreuse avec des cheveux lisses et un regard circonspect était installée derrière un bureau, à côté de la devanture.

« Ma tante a l'intention de vendre sa maison. Pourriez-vous nous donner une première estimation ?

– Bien sûr. » Elle a laissé entrevoir un éclat de petites dents nacrées. « Je vais vous fixer un rendez-vous avec un des associés. Vendredi prochain, ça vous irait ? Nous sommes assez occupés. Quelle est l'adresse ? »

Quand je la lui ai donnée, elle a haussé imperceptiblement les sourcils.

11

Mélasse noire

Le vendredi, il pleuvait de nouveau, un triste crachin de décembre qui couvrait les rues et les toits d'un gris mélancolique. Je commençais à regretter mon rendez-vous avec l'agent immobilier et j'avais envie de téléphoner pour annuler, mais cette maison avait quelque chose qui excitait mon imagination. Comme dirait Miss Tempest, j'étais inéluctablement attirée.

Je suis partie précipitamment de chez moi sans prendre de parapluie et la capuche de mon duffel-coat n'arrêtait pas de glisser quand je courais, si bien qu'en arrivant j'étais hors d'haleine et passablement débraillée. Au coin de Totley Place j'ai aperçu un coupé sport noir, une espèce d'engin surbaissé à l'air vicieux, qui rôdait furtivement devant Canaan House comme un prédateur à l'affût. Comme un loup. Mr. Wolfe portait bien son nom. Mais en fait de loup, je me suis vite aperçue que c'était une Jaguar. Quand je me suis approchée, la portière du conducteur s'est ouverte et une longue silhouette mince s'est dépliée sur le trottoir. Grand, brun, beau garçon. Je me suis arrêtée net en retenant mon souffle. Sa tête me disait curieusement quelque chose.

« Mrs. Sinclair ? »

J'ai hoché la tête. Il a haussé un sourire interrogateur et tendu une main chaude et ferme. Mon cœur battait comme un poisson pris à l'hameçon. J'ai éprouvé soudain une agréable sensation dans la région pelvienne.

« Vous devez être Mr. Wolfe, lui ai-je dit en m'ébrouant pour ôter la pluie accrochée à ma toison de mouton trempé.

– Non, je suis Mark Diabello. » Son sourire dessinait des rides irrégulières dans ses belles joues burinées. Une séduisante fossette creusait son menton carré si viril. Ses yeux de braise semblaient plonger au fond de mon âme – ou de ma culotte, peut-être. J'ai de nouveau remarqué l'agréable chaleur qui envahissait mon pelvis. « Ça veut dire "belle journée", paraît-il. »

Il avait une voix de mélasse noire – douce, mais avec une pointe de dureté minérale.

« Pas comme aujourd'hui. » J'ai joué de mes cils mouillés. Qu'est-ce qu'il m'arrivait ? Cet homme était un agent immobilier, pas du tout mon genre. « Euh… ce n'est pas courant comme nom. Italien ? »

Je regrettais d'avoir mis ma tenue de vieille folle.

« Espagnol. Mon père était un joueur de mandoline ambulant.

– Ah oui ? » Il continuait à sourire et j'étais incapable de dire s'il plaisantait ou pas, mais l'idée était… mmm… séduisante. « J'ai la clef, ai-je balbutié. Vous voulez visiter ? »

Un sourire est venu creuser ses joues. Son regard de braise a lancé des étincelles. J'ai plongé mes yeux dans les siens. Mon pauvre cœur de poisson tirait faiblement sur la ligne, mais j'étais prise.

Wonder Boy, Violetta et leurs copains s'étaient rassemblés devant la porte. Je les ai fait rentrer et leur ai donné à manger dans la cuisine car c'était trop mouillé dehors. À l'intérieur, nous avons été assaillis par une humidité glaciale accompagnée de relents de vieille pâtée pour chats, auxquels se mêlaient d'autres odeurs bien pires. Puis j'ai remarqué une autre odeur, plus agréable celle-là, une odeur discrète et épicée de savon de luxe. C'était lui. Je l'ai suivi dans la maison, inéluctablement attirée, tandis qu'il parcourait les pièces en murmurant entre ses dents. Il avait un petit instrument semblable à une torche électrique, muni d'un faisceau laser qui rebondissait de manière ensorcelante d'un mur à l'autre en lui donnant les dimensions des pièces. Je regardais, fascinée. Un clic. Un flash. Si je lui demandais gentiment, me laisserait-il essayer ? Il notait les mesures au dos de ce qui ressemblait à un ticket de caisse froissé.

Il avait l'air parfaitement indifférent à l'odeur. Et même quand il a mis le pied sur une crotte de chat toute fraîche dans le hall (comment avait-elle pu atterrir là ?), il s'est contenté de se pencher pour la ramasser avec une pochette en coton blanc immaculé tirée de son veston. Je l'ai regardé, impressionnée, la déposer dans la poubelle de la cuisine.

« Je me vois bien vivre dans un endroit comme ça », a-t-il murmuré d'un ton rauque, sa voix virile au timbre minéral touchant directement mes hormones sans même transiter par mon cerveau. Je savais où je l'avais déjà croisé – dans les pages du *Cœur éclaté*. Il était tel que j'imaginais mon héros. Si ce n'est que dans mon livre le héros était poète et non agent immobilier.

« Le cachet. C'est devenu si rare sur le marché. »

Nous nous tenions sous le porche de l'entrée à la fin de sa visite. Il avait cessé de pleuvoir et le pâle soleil hivernal avait réussi une brève percée, si bien qu'il faisait plus doux dehors que dedans et que ça sentait nettement moins mauvais.

« Moulures, voûtes d'époque, corniches décoratives. Cela étant, comprenez-moi bien, Mrs. Sinclair, il y a beaucoup à faire. Évidemment, il faut y aller en douceur. Conserver tous ces magnifiques détails d'époque. Faire venir un ou deux architectes d'intérieur pour vous donner des idées. Vous pourriez ouvrir le grenier, par exemple. Créer un fabuleux appartement de grand standing sous les toits. » Une flamme étincelait au fond de ses yeux.

« Visiblement, tout le monde tombe amoureux de cette maison.

– C'est le potentiel. On voit tout de suite le potentiel. Il faut commencer par abattre cet arbre.

– Il est protégé par un arrêté.

– Ça ne fait rien. Il faut juste payer l'amende. L'arbre est abattu, la municipalité empoche sa part et tout le monde est content. »

Jusque-là, je n'aimais pas particulièrement cet arbre, mais soudain il me faisait l'effet d'un vieil ami.

« Vous ne pouvez pas faire ça !

– Alors, quand est-ce que votre tante a l'intention de la mettre sur le marché ?

– Elle voulait juste se faire une idée de sa valeur, au cas où elle se déciderait à vendre. Qu'en dites-vous ? »

Il a regardé les notes qu'il avait griffonnées sur le reçu en plissant les yeux et en fronçant les sourcils avec de vagues airs d'Aristote. Bon, très vagues, je l'admets.

« Un demi-million peut-être ? »

Je ne sais pas au juste à quoi je m'attendais, mais notre maison mitoyenne avec ses trois chambres exiguës et son petit jardin tout en longueur nous avait quasiment coûté ce prix-là. Il a vu ma tête.

« Le quartier fait baisser le prix. Et puis, ce que nous voulons, c'est un acheteur qui paie comptant, pas à crédit. Je vais vous mettre tout ça par écrit. »

Je lui ai donné mon adresse. Nous nous sommes serré la main. Il est remonté dans son engin à l'allure vorace et en deux bouffées d'air chaud de son double pot d'échappement joufflu il a disparu.

Je suis rentrée à pas lents, encore étourdie par cette rencontre. En arrivant près de la maison, je me suis aperçue que Ben était déjà revenu en voyant par la fenêtre le carré bleu de son écran qui clignotait tandis qu'il parcourait les océans solitaires du cyberespace infestés de Dieu sait quels pirates, quels requins. Mon cœur de mère s'est serré avec un pincement de tristesse : ce n'était pas bon pour lui de passer ses soirées là-haut tout seul.

« Hello, Ben ! Tu veux qu'on aille au cinéma ce soir ? On pourrait voir Daniel Craig dans le *James Bond.* »

Sean Connery, Roger Moore, Pierce Brosnan. Si mon cœur de mère souffrait pour Ben, mes hormones de femme, elles, étaient encore tout émoustillées par Mark Diabello.

« Ça a l'air nul.

– C'est sûrement nul, mais ça doit être marrant.

– Moi, les trucs nuls, je ne trouve pas ça marrant. Mais on peut y aller si tu veux ? » Il y avait quelque chose de changé dans sa voix – une intonation montante à la fin de ses phrases, en manière d'interrogation ou d'excuse. Je me demandais s'il était comme ça quand il était chez Rip. En fait, j'imaginais que la vie à Islington n'était qu'une suite ininterrompue d'activités stimulantes et de discussions de haut vol, et qu'il n'y avait qu'avec moi qu'il passait des heures enfermé avec son ordinateur. Si nous avions été en bons termes, j'aurais bien appelé Rip pour en savoir plus, mais ce n'était pas le cas, aussi je me suis abstenue.

Au lieu de sortir, nous nous sommes fait livrer par Song Bee et nous avons dîné près du poêle à gaz en regardant la télé. C'était une fiction policière, je ne sais plus laquelle. Je me disais que le héros ressemblait un peu à Mr. Diabello quand soudain Ben s'est tourné vers moi.

« Dis, m'man, tu crois en Jésus ? »

Sa question m'a saisie à l'improviste. J'ai pris mon souffle.

« Je ne sais pas. Je ne sais pas trop ce en quoi je crois. » Où voulait-il en venir ? « Je crois que Jésus a vraiment existé, si c'est ce que tu veux savoir.

– Non, je veux dire : est-ce que tu crois que Jésus te sauvera à la fin du monde ?

– Mais Ben, mon ange, il n'y aura pas de fin du monde. »

Soudain, je me suis revue à son âge – je croyais que la guerre nucléaire anéantirait l'espèce humaine avant même que j'aie pu perdre ma virginité. Avec mes copains, à Leeds, on passait nos samedis au café Kardomah à imaginer ce qu'on ferait les quatre dernières minutes suivant l'ultime avertissement.

« C'est juste que... Je t'aime vraiment, m'man. Et papa aussi. Je ne veux pas... » Il marmonnait comme s'il avait du sable plein la bouche. « Le tout, c'est d'accepter Jésus dans ta vie ? » Quand il m'a regardée, ses yeux étaient écarquillés, ses pupilles dilatées, comme fixées sur un cauchemar intime.

« Les signes sont là, m'man ? Tous les signes sont établis ? » C'était si étrange, ce ton interrogatif – on aurait dit qu'un autre, un alien, s'était introduit en lui et parlait par sa bouche en me fixant à travers ses yeux.

« Il y a longtemps que le monde existe, Ben. Ne t'en fais pas. »

Je l'ai pris dans mes bras et serré contre moi. Il a commencé par se raidir, mais je l'ai tenu ainsi jusqu'à ce que je le sente se relâcher, la tête posée sur mon épaule. Je ne savais pas ce qui lui arrivait, mais ça lui passerait en grandissant, me disais-je.

Le lendemain, j'ai surmonté mon orgueil et téléphoné à Rip.

« Je suis inquiète pour Ben. On peut en parler ?

– Je suis en train de finir un truc. Je peux te rappeler dans une demi-heure ? »

Mais il n'a pas rappelé.

Le samedi, Ben n'est parti chez Rip qu'en fin d'après-midi. Il a passé sa journée là-haut sur son ordinateur, et moi à travailler sur *Le Cœur éclaté*. Dans le jardin il pleuvait des cordes et le vent produisait un sifflement lugubre à travers les doubles vitrages mal ajustés, mais à l'intérieur le chauffage central était allumé et les accords profonds de Snow Patrol vibraient dans toute la maison. À chaque fois que j'entrais dans sa chambre, Ben réduisait la taille de ce qu'il regardait sur son ordinateur. On s'est préparé du thé tour à tour et on a mangé des gâteaux danois achetés à la boulangerie turque et des *dim sum* de chez Song Bee. J'avais besoin de prendre des forces ; on arrivait aux choses sérieuses : *Le Cœur éclaté*, chapitre 4.

J'avais du mal à décider si Rick devait être un véritable obsédé du sexe ou un cas d'impotence relevant du Viagra, de plus, chichement doté par la nature. Après avoir barré toute une page, je me suis mise à penser à Rip. Nos problèmes n'étaient pas directement liés au sexe, mais, quels qu'ils soient, ils avaient fini par en ôter l'éclat. « Veillez à préserver l'amour dans votre couple », répétaient les magazines de ma mère, conseillant, entre autres stratégies, de mettre des dessous sexy et d'accueillir son mari en négligé quand il rentrait du travail. J'avais essayé une fois, mais il n'avait même pas remarqué.

Il a appelé vers six heures pour passer chercher Ben au volant de sa Saab décapotable et ils sont allés tout droit au cinéma – voir Daniel Craig dans le *James Bond*. Après leur départ, la maison a replongé dans son horrible silence, comme si le couvercle d'un cercueil s'était refermé.

12

Adhésifs biologiques marins

Ce n'est que le lundi matin que je me suis rappelé que je n'avais pas donné à manger aux chats de Mrs. Shapiro. J'ai entendu un miaulement familier dans le jardin et quand j'ai jeté un œil par la fenêtre d'en haut, j'ai aperçu Wonder Boy tapi dans le buisson de laurier. Il regardait la fenêtre d'un air réprobateur. Autour de lui, le sol était jonché d'un tapis de plumes grises et marron trempées par la pluie. J'étais furieuse de le voir là, dans mon jardin – je ne voulais pas qu'il tue mes oiseaux ; en fait, je ne voulais pas de lui, point final. J'ai enfilé mon duffel-coat et mes bottes et, d'un bon pas, j'ai pris le chemin de Totley Place. Il m'a suivie furtivement à distance, en filant se cacher derrière un pilier ou dans un jardin dès que je m'arrêtais pour me retourner. Puis j'ai remarqué que Stinker me suivait, lui aussi, et un autre chat tigré efflanqué. Je me transformais en Reine des chats. En arrivant, j'ai été reçue par le comité d'accueil des autres félins qui m'attendaient sous le porche dans un concert de ronronnements enthousiastes. Aucun d'eux n'avait l'air particulièrement mouillé.

Ce jour-là, j'ai été frappée par trois détails bizarres. D'abord, une crotte toute fraîche posée quasiment au même endroit que celle dans laquelle Mr. Diabello avait marché. Elle était soigneusement enroulée sur elle-même comme un rocher à la noix de coco, contrairement à tous les autres dépôts en forme de vieilles saucisses ratatinées que je trouvais de temps en temps dans la maison. J'étais certaine d'avoir fait sortir tous les chats quand j'étais partie. Qui était le coupable – et comment était-il entré ? Je l'ai ramassée et j'ai compté les chats qui grouillaient entre mes jambes – un, deux, trois, quatre, cinq, six, sept. En repartant, je veillerais à ce qu'ils soient tous sortis.

Quand je me suis relevée, mon regard est tombé sur une photo accrochée au mur, juste au-dessus de l'endroit où la crotte avait été déposée. C'était une vieille photo passée, avec du grain, qui représentait un porche en pierre voûté surmonté d'une croix, flanqué de colonnes corinthiennes et orné, au-dessus de la porte, d'un cavalier à cheval armé d'une épée. Il me disait vaguement quelque chose. J'avais bien dû regarder cette photo une dizaine de fois sans réellement la voir. Et soudain je me rendais compte que c'était le même porche voûté que celui qui figurait sur un des clichés de la boîte en métal décorée du château de Harlech. Les colonnes et la lumière vive me faisaient penser à la Grèce.

La troisième chose que j'ai remarquée, en allant à la cuisine pour nourrir les chats, c'est qu'il manquait la clef de la porte de derrière qui aurait dû se trouver dans la serrure. Quelqu'un l'avait prise. J'ai aussitôt compris que ça ne pouvait être que Mr. Diabello avec ses airs de loup malfaisant.

J'ai rapidement donné à manger aux chats et je suis rentrée chez moi, furieuse, mais au moment même où je décrochais le combiné pour décharger ma colère sur Wolfe & Diabello, le téléphone a sonné dans ma main. C'était Penny, la directrice administrative d'*Adhésifs*, qui voulait savoir si j'avais reçu le communiqué de presse sur les nouvelles recherches en adhésifs biologiques marins. En fait, il était arrivé depuis deux jours et je n'y avais pas même jeté un coup d'œil. J'ai marmonné une vague excuse, mais elle n'a pas été dupe.

« Qu'est-ce qui se passe, Georgie ? a-t-elle tonné. Il n'y a quelque chose qui ne va pas. Je le sens. C'est encore ton mari ?

– Non, c'est un autre pervers cette fois. »

Je lui ai parlé de la clef manquante et de l'agent immobilier louche.

« Hmm. » J'entendais Penny respirer à l'autre bout du fil. Rien n'était discret chez elle. « Pas de précipitation, ma belle. Tu t'es peut-être trompée pour la clef, auquel cas tu n'as plus aucune chance avec ce type sexy. »

Comment savait-elle qu'il était sexy ? C'était si évident que ça ?

« Tu devrais demander un deuxième avis. Et sur le prix de la maison, et sur l'assistante sociale. »

Elle m'a expliqué qu'il était arrivé la même chose à sa tante Floss, qui avait été placée en maison de retraite par la mairie et qui était morte six mois plus tard de complications indéterminées.

« Dieu ait son âme ! Je suis sûre qu'elle est là-haut à siffler du sherry en injuriant les espèces de salopards qui lui ont piqué sa maison.

– On a le droit de picoler et d'injurier au paradis ? ai-je gloussé.

– Si c'est interdit, je t'assure que je n'y vais pas, ma belle. »

L'idée de cette débauche d'alcool et de jurons m'a remonté le moral et j'ai promis à Penny de m'attaquer aux adhésifs biologiques marins – tout de suite, oui –, mais avant j'allais suivre ses conseils et essayer d'obtenir un autre avis des services sociaux.

Je savais que Mrs. Goodney travaillait à l'hôpital et non à la municipalité, aussi le lendemain j'ai retéléphoné aux services sociaux de la ville. J'ai expliqué à la voix enjouée du « Troisième âge ! » qu'une vieille voisine était hospitalisée et avait besoin d'une inspection de son logement afin de pouvoir rentrer chez elle.

« Mmm. Ne quittez pas une minute… »

(« Eileen, c'est qui déjà qui fait les inspections de logements ? »)

J'ai entendu dans le fond la voix étouffée d'Eileen répondre quelque chose qui ressemblait à « Bad Eel ».

« C'est l'heure de sa pause, l'ai-je entendue ajouter.

– Il faut s'adresser à Mrs. Bad Eel. Elle est en réunion. Voulez-vous que je prenne votre numéro et que je lui demande de vous rappeler ? »

Eel ? Comme « Anguille » ? L'Anguille maléfique… J'imaginais une femme mince et fourbe, avec du rouge à lèvres écarlate et un petit revolver en argent glissé sous sa jarretière à volants.

J'ai passé toute la matinée devant mon bureau à regarder par la fenêtre le vent balayer les feuilles mortes sur la pelouse détrempée en attendant que l'Anguille me rappelle. J'étais censée travailler sur le communiqué de presse concernant les adhésifs biologiques marins que Penny m'avait envoyé. Une entreprise était en train de mettre au point une version synthétique de la colle dont les bivalves comme les moules et les huîtres se servent pour s'accrocher aux rochers. Un des adhésifs les plus puissants de la nature, apparemment. Ils utilisent des tentacules extrêmement fins appelés byssus, riches en hydroxyles phénoliques. Hydroxyles phénoliques : ces mots suffisaient à métamorphoser mon cerveau en colle.

J'ai songé aux bivalves qui vivaient dans les reflets changeants de lumière, filtrant les algues, se refermant pour résister à la mer. Ce devait être fabuleux d'être un bivalve, de pouvoir se calfeutrer dans son petit univers de nacre en s'accrochant aux rochers dans l'agitation des vagues et des courants. Miss Tempest est venue à ma rescousse. Cloîtrés dans les profondeurs des eaux miroitantes, les fidèles bivalves s'agrippent fiévreusement les uns aux autres. Décidément, les bivalves avaient beaucoup à nous apprendre. Leurs applications commerciales ne m'intéressaient guère, et à midi, voyant que l'autre créature aquatique insaisissable n'avait toujours pas appelé, je me suis emmitouflée pour affronter le vent et je suis allée à l'hôpital.

En arrivant, j'ai trouvé Mrs. Shapiro assise dans la salle de détente, avec une espèce de robe de chambre d'hôpital fermée derrière qui ressemblait vaguement à une robe-tablier et des chaussettes en laine aux pieds. Je me suis soudain sentie coupable. En tant que proche parente, c'était à moi de lui apporter des vêtements convenables pour l'hôpital. J'essaierais d'y penser la prochaine fois.

Elle avait un vieux magazine déchiré ouvert sur les genoux, mais elle ne lisait pas. Elle était manifestement occupée à échanger des propos aussi agressifs qu'incohérents avec la vieille dame à côté d'elle.

« Mais y était dans l'service lors qu'el' d'vait pas, protestait avec véhémence la vieille dame, et la nouvelle sœur a dit que de toute façon ça y regardait pas.

– S'il est plus là, c'est quelqu'un le prend.

– Non, parce qu'el' d'vait pas. C'que j'arrêt' pas d'vous dire. »

Elle a levé la tête et m'a vue sur le seuil.

« C't'elle là-bas. Demandez-y. »

Mrs. Shapiro s'est retournée et m'a tendu les deux mains.

« Georgine, il faut que vous me sortez d'ici. Tout ce gens qu'il est fou.

– Elle radote », a lancé la vieille dame. Puis elle s'est soulevée péniblement de sa chaise et s'est éloignée à petits pas en marmonnant à voix haute.

« Que se passe-t-il ? ai-je demandé.

– Elle est frappée, a dit Mrs. Shapiro. Le cerveau qu'il est amputé. »

La vieille dame s'est arrêtée, elle s'est retournée, nous a fait un doigt d'honneur, puis a repris son chemin.

« Comment allez-vous ? » J'ai tiré une chaise à côté d'elle. « Je croyais que vous deviez rentrer chez vous.

– Je vais nulle part, a répondu Mrs. Shapiro. Ils disent que je dois aller dans la maison de vieux. Je leur dis je vais nulle part. » Elle a croisé les bras sur la robe de chambre verte avec détermination. Sa dispute avec la vieille dame n'était manifestement qu'une petite mise en train avant l'affrontement bien plus sérieux qui se préparait.

Il y avait une nouvelle infirmière de service, une jeune fille qui avait l'air à peine plus âgée que Ben.

« Qu'a donné la visite d'inspection ? ai-je demandé.

– Le rapport vient juste d'arriver. Il recommande le placement en maison de retraite. Je crois que ça ne lui plaît pas du tout.

– Je ne vois vraiment pas pourquoi elle a besoin d'être placée en maison de retraite. Elle se débrouillait très bien.

– Oui, mais quand ils commencent à tomber, ils perdent facilement confiance en eux. Surtout à son âge. »

Elle a dégagé une mèche de son visage et jeté un œil par-dessus son épaule en direction du poste des infirmières. Je voyais bien qu'elle avait dix fois plus urgent à faire que me parler.

« Et si elle refuse d'y aller ?

– Nous ne pouvons pas l'autoriser à rentrer chez elle si elle n'y est pas en sécurité.

– Alors elle reste ici ?

– Elle ne peut pas rester ici. Elle bloque un lit aux urgences alors que quelqu'un peut en avoir besoin.

– Quelles sont les autres possibilités ?

– Écoutez, il vaut mieux que vous parliez à Mrs. Goodney. Le bureau des services sociaux est du côté de la kiné. »

Je suis revenue m'asseoir à côté de Mrs. Shapiro. « Ça ira, lui ai-je dit. Je vais demander une autre inspection.

– Merci, chérrrie, m'a-t-elle répondu en m'agrippant les mains. Merci beaucoup. Et mes chats adorés, comment ils vont ?

– Ils vont bien. Mais Wonder Boy passe son temps à tuer des oiseaux.

– *Ach*, pauvre petit, il est perturbé. Il faut l'apporter ici. Prochaine fois. Vous promettez, Georgine ? »

J'ai vaguement marmonné quelque chose et, sur ce, la préposée au thé est arrivée avec le chariot.

« Vous n'avez pas le *kräutertee* ? a ronchonné Mrs. Shapiro. D'accord, je prends ce pisse de cheval. Pas le lait. Trois sucres. »

Elle a pris la tasse au creux des mains et s'est radossée contre les oreillers.

« Et maintenant le mari qu'il enfuit. Vous avez pas fini me raconter.

– Je vous ai tout raconté. C'était tellement ennuyeux que vous vous êtes endormie. »

Elle a croisé mon regard et pouffé de rire.

« Vous parlez vos parents. Ça, c'était très ennuyeux. Mais le mari ? Il était gentil ? Vous étiez heureuse dans l'amour ?

– Au début, on était heureux. Ensuite… je ne sais pas… Il était très occupé par son travail. J'ai eu des enfants. Deux : une fille et un garçon. »

Et une fausse couche entre les deux. Puis je me suis mise à écrire un livre.

Après la fausse couche, j'avais démissionné de mon travail pour me mettre à mon compte. Rip avait effectué son stage, mais il trouvait le travail d'avocat monotone et avait postulé au bureau nord d'une association caritative nationale. Il était passionné, totalement investi et voyageait en permanence, et il fallait bien qu'un de nous soit à la maison. Ce n'était pas évident de travailler à son compte avec les enfants dans les jambes et j'ai décidé de m'essayer à la littérature sentimentale, inspirée en cela par les lectures auxquelles ma mère m'avait initiée quand j'étais jeune. J'ai réussi à faire publier deux nouvelles dans un magazine féminin, et après ce début prometteur je me suis attelée à un roman d'amour – l'histoire d'une jeune héroïne courageuse inéluctablement attirée par une noble demeure sinistre où vit un richissime poète taciturne (je sais, mais c'est un roman) qui tombe amoureux d'elle avant de succomber, hélas, à un mal mystérieux à la veille de leur mariage, ce qui est absolument tragique, mais peu après elle tombe amoureuse de l'instituteur du village, qui vit dans un joli cottage couvert de roses et n'a pas d'argent, il a en revanche un grand sens de l'humour et un incontestable talent au lit.

Je croyais avoir maîtrisé toutes les ficelles du genre et j'ai été chagrinée de voir que personne ne voulait le publier. J'ai essayé de changer de typographie, de couleur d'encre, j'ai également changé de pseudonyme, mais les lettres de rejet continuaient à arriver.

« *Cœur éclaté.* C'est le bon titre pour le livre, Georgine. Très fort.

– Merci. Rip le trouvait trop mélo.

– *Ach !* C'est l'homme. Quoi il sait ?

– D'après lui, j'aurais dû l'intituler *Le Cœur anéanti* ou *Le Cœur brisé*, mais je trouvais ça trop cliché.

– Exactement. Et il était publié ?

– Non. Pas encore.

– Mais il faut pas renoncer.

– Je suis en train de le réécrire de A à Z. Une nouvelle version. Mais c'est difficile de trouver le temps. J'ai une autre activité maintenant, j'écris pour des magazines on-line.

– *Ohne lein ?* C'est quoi ?

– C'est un groupe – *Adhésifs dans le monde moderne*, *Céramiques dans le monde moderne*, *Préfabrication dans le monde moderne*, des titres de ce genre. Je travaille pour tous les titres, mais surtout pour les *Adhésifs*. Je fais ça depuis neuf ans.

– Mais c'est fascinant !

– Oh, c'est seulement destiné au secteur de la construction. Ce n'est pas ça qui va bouleverser le monde.

– Il y a trop le bouleversement aujourd'hui, Georgine. Le construction est beaucoup mieux. »

Nathan m'avait fait passer un entretien sommaire au téléphone, au cours duquel il m'avait entre autres demandé quelle était ma tarte préférée (framboise-amande), si j'étais déjà allée à Prague (non), et de quelle équipe de foot j'étais supporter (les Kippax Killers, évidemment), et m'avait annoncé au bout de cinq minutes que j'étais la personne qu'il lui fallait.

« La colle, avait-il dit. Ne vous inquiétez pas, on finit par s'y intéresser. »

Certes, ce n'était pas très romantique, mais ça payait les factures et ça me permettait d'être à la maison pour les enfants. Et, curieusement, j'avais fini par m'y intéresser.

« Voilà mon histoire. Elle n'est pas bien passionnante.

– Bon, il faut voir si on peut faire le *happy end.* » Elle a levé sa tasse. « Aux *happy ends* ! »

En rentrant de l'hôpital, je suis passée à Canaan House nourrir les chats et faire un peu de ménage au cas où l'Anguille daignerait venir. Le vent continuait à faire rage, balayant des tourbillons de feuilles mortes et d'ordures sur le trottoir. Je me suis emmitouflée dans mon manteau. Dès que je suis arrivée à Totley Place, j'ai remarqué quelque chose de bizarre – une tache de couleur vive à l'entrée de la ruelle pavée qui menait à Canaan House. Je me suis approchée, en proie à une fureur et une appréhension telles que mon cœur battait à tout rompre. C'est bien ce que je soupçonnais, à demi dissimulé dans la végétation : un grand panneau vert et orange À VENDRE, avec, en dessous, le nom de l'agence en gros caractères noirs : Wolfe & Diabello.

Il était planté à côté du mur. J'ai saisi le piquet et j'ai tiré. Il était solidement enfoncé. Je l'ai poussé d'avant en arrière pour le dégager, puis je suis passée par-derrière en me frayant un chemin à travers l'églantier qui grimpait au mur. Ce n'était tout de même pas Mr. Diabello qui avait fait ça, avec toutes ces épines qui risquaient de déchirer son beau costume italien ? Ça devait être l'œuvre d'un gros bras quelconque qui avait enfoncé le piquet à la masse. J'avais beau tirer avec frénésie, il ne bougeait pas. Si on me voyait, on me prendrait pour une folle. J'ai attrapé le piquet à deux mains, courbé le dos et plié les genoux pour soulever une dernière fois. Il s'est enlevé aussi facilement qu'un couteau ôté d'une motte de beurre. J'ai glissé, titubé, perdu l'équilibre, et je suis partie à la renverse au milieu de l'églantier. Une épine m'a égratigné la joue. Sur ce, Wonder Boy a surgi des broussailles en miaulant. Il s'est mis à pleuvoir.

J'étais suffisamment remontée pour débouler chez Wolfe & Diabello afin d'exiger une explication, mais je suis d'abord passée chez moi prendre un imperméable, et quand j'ai ouvert la porte, le téléphone sonnait. C'était Rip.

« Salut, Georgie, je veux juste qu'on parle un peu de Noël. »

Je me suis armée de courage. « Vas-y, je t'écoute.

– Je me demandais si tu avais des projets.

– Pas vraiment. Pourquoi ? Toi oui ? » J'ai frémi – Noël, le jour où les familles sont censées être réunies. Pourrais-je survivre à un Noël toute seule ?

« J'avais l'intention d'emmener Ben et Stella à Holtham…

– Très bien. » En fait, j'avais l'impression de me noyer dans une cuve de pisse tiède, mais j'ai réussi vaillamment à afficher une fausse nonchalance. « C'est bon. Ça ne me dérange pas.

– Et toi ?

– Je n'y ai pas vraiment réfléchi. »

Après avoir raccroché, je suis montée dans ma chambre, je me suis jetée sur le lit et j'ai fondu en larmes. J'ai pleuré à n'en plus finir, au point d'en avoir une douleur au creux de la poitrine, les épaules secouées de sanglots, le nez dégoulinant de morve – pleuré sur mon mariage brisé et ma famille anéantie, pleuré sur toutes les blessures et les humiliations que j'avais pu subir dans ma vie, mes parents souffrants, mon frère absent, ma fille qui vivait si loin, tous les malheurs de l'humanité, les bébés africains qui mouraient de faim, les enfants qui se mutilaient, les terroristes qui se faisaient exploser et leurs victimes, tout s'est déversé en flots salés, charrié par l'immense, l'implacable océan un et indivisible de la misère humaine. J'ai pensé aux bivalves, aux parois courbes et nacrées qui tapissaient l'intérieur de leurs coquilles, la lumière glauque que laissait filtrer l'eau de mer ; je ne sais pas au juste quelle colle prodigieuse leur permettait de tenir bon dans le tourbillon des tempêtes, mais c'était précisément ce dont j'avais besoin.

13

Tous travaux

Le lendemain, j'avais perdu un peu de mon humeur belliqueuse, mais j'ai tout de même décidé d'aller chez Wolfe & Diabello. J'avais besoin de me vider l'esprit et encore quelques comptes à régler avec eux. C'était un de ces jours de décembre glacials et venteux, avec de gros nuages gris qui filaient dans le ciel. J'ai remonté ma capuche et baissé la tête pour me protéger du vent. C'est peut-être pour ça que je ne l'ai vu qu'en manquant de trébucher dessus – un piquet couché sur le trottoir. Et accroché au piquet, un panneau À VENDRE. Non pas de Wolfe & Diabello, mais de Hendricks & Wilson. C'était curieux – il y avait eu du vent dans la nuit, mais pas tant que ça. Encore plus curieux : en tournant au coin de la rue, j'en ai vu un autre, planté dans une haie à quelques centaines de mètres de là. Et, plus loin, j'en ai aperçu un autre dans une benne.

Quand je suis entrée chez Wolfe & Diabello, j'ai trouvé les bureaux vides. J'ai ouvert et refermé la porte pour la faire tinter, mais toujours personne. Au bout de trois fois, Suzi Brentwood est apparue à une porte du fond. L'espace d'un instant, j'ai cru entrevoir un regard insidieux avant qu'elle affiche son sourire professionnel.

« Bonjour, Mrs… Puis-je vous aider ?

– Ma tante a l'intention de vendre sa maison avant Noël », ai-je lancé d'une voix retentissante.

Comme par magie, la porte du fond s'est ouverte et Mr. Diabello est apparu.

Il avait le même costume sombre élégant orné d'une pochette immaculée fraîchement pliée.

« Bonjour, Mrs. Sinclair. Que puis-je pour vous ?

– Le panneau À VENDRE dans le jardin de Canaan House, c'est vous qui l'avez mis ? »

Il a souri de cet irrésistible sourire qui lui plissait les joues.

« Nous devons prendre de l'avance sur la concurrence.

– Comment ça ?

– Nous avons entendu dire que Hendricks a envoyé un expert sur place. »

À tous les coups, c'était Damian, me suis-je dit. Mais comment avait-il fait pour entrer ?

« Il n'y a pas de mal à ça, Mrs. Sinclair. Le marché est libre. Faites le tour. Jugez qui vous fait la meilleure offre. Mais, voyez-vous, après notre petite discussion de l'autre jour, il me semble que vous méritez – comment dirais-je ? – de pouvoir vous faire une idée plus précise du service que nous proposons chez Wolfe & Diabello. » Des flammes énigmatiques étincelaient dans son regard. Ses sourcils interrogateurs m'interrogeaient.

Miss Tempest est venue jeter un bref coup d'œil et elle a été fort impressionnée. « Méritez. Précise. Service. » Elle a lentement répété les mots dans sa tête. Ils étaient extrêmement sexy. Mais ils n'avaient aucun sens.

« Vous voulez dire que vous êtes entrés comme ça et que vous avez collé un panneau À VENDRE dans un jardin sans même demander la permission de son propriétaire ?

– La concurrence est acharnée par ici, a-t-il murmuré d'un air contrit. Hendricks & Wilson… je n'aime pas dire ça d'une autre agence immobilière, mais ce ne sont pas les plus recommandables dans le milieu. Ils magouillent. Ils volent notre clientèle. Vous ne me croirez jamais, mais ils vont même jusqu'à arracher nos panneaux. Quelle estimation vous ont-ils donnée, au fait ? »

Je l'ai regardé droit dans les yeux.

« D'après eux, elle devrait pouvoir en tirer un million. Au moins. Peut-être plus. »

Il n'a pas cillé.

« Nous devrions pouvoir faire une offre équivalente, j'en suis sûr. Et nous pourrions vous accorder un tarif spécial sur la commission. » Ses belles narines se dilataient d'une manière alléchante. L'ombre d'un sourire jouait au coin de sa bouche sensuelle. « Si votre tante décide de vendre avant Noël. »

J'étais prête à me pâmer entre ses bras rudes et virils quand je me suis souvenue de l'autre raison qui m'amenait là.

« La clef. Vous avez volé la clef.

– Pardon ?

– La clef de derrière. De la cuisine. Elle était dans la serrure. »

Il a écarquillé imperceptiblement les yeux.

« Vous devez faire erreur.

– Non. Vous l'avez prise. Ça ne peut être que vous. »

Son front maussade s'est plissé.

« Mrs. Sinclair, ce n'est pas moi, je vous l'assure. Avez-vous pensé à l'autre possibilité ?

– Quelle autre possibilité ? »

Ses lèvres se sont pincées. Il a eu un mouvement de tête.

« Eux. » Il a eu un autre mouvement de tête, une sorte de tic vers la gauche. « Hendricks.

– Ça ne peut pas être eux. »

J'ai repensé à la scène. J'étais dans la cuisine en train de nourrir les chats. Mr. Diabello déambulait en griffonnant des notes au dos de son reçu. Je donnais à manger aux chats parce qu'il pleuvait. Je n'avais pas ouvert la porte de derrière. Était-elle fermée ? La clef était-elle dans la serrure ? Je ne me rappelais pas. Quand avais-je vu cette clef pour la dernière fois ? Était-ce quand je faisais visiter la maison à Mrs. Goodney ? En fait, je n'en avais pas la moindre idée.

« Je vais voir. » Peut-être l'avais-je mal jugé, après tout. « Si je me suis trompée, je m'en excuse », ai-je dit d'un ton guindé.

De toute façon, il suffit que je change la serrure, me suis-je dit. Ça se trouve où, les serrures ? Soudain, j'avais un trou de mémoire. Puis je me suis souvenue d'une publicité que j'avais vue à la télévision. B&Q. Je ne sais pas trop pourquoi, mais ça m'évoquait des choses agréables. Le magasin le plus proche était à Tottenham.

Ce n'est que le lendemain, après avoir franchi les portes coulissantes vitrées, qu'en passant devant les babioles de Noël et les fins de série d'éléments de cuisine j'ai compris ce qui m'attirait dans les magasins de bricolage : c'était les hommes. Car Rip était peut-être à la fois beau et intelligent, rayon bricolage il était totalement incompétent. Il y a quelque chose de profondément séduisant chez un homme avec un tournevis à la main, pensais-je. Du point de vue freudien, on pourrait dire que c'était une fixation au père, car papa passait son temps à fixer des choses au mur, tandis que maman lui apportait du thé et que Keir et moi, on traînait dans ses pattes. Les clients qui fréquentaient B&Q me faisaient penser aux hommes de Kippax – pas des façonneurs de destin, pas même de beaux bruns aux traits burinés avec une tête à vous briser le cœur, mais de braves types tout ce qu'il y a de plus normal, en jean et pull, avec de grosses chaussures, des poches pleines de mètres à ruban, des plans griffonnés à la main sur des bouts de papier, parfois avec un peu de bedaine et même un tatouage de temps à autre. Quelle importance, tant qu'ils ne passaient pas leur temps à se précipiter quelque part pour changer le monde ? Peut-être que si je traînais dans les parages, il y en aurait un qui viendrait me mesurer, me complimenter sur l'élégance de mon décor, s'émerveiller de mes détails d'époque.

Je devrais venir là plus souvent, me disais-je en parcourant les mystérieuses allées. Sur ma gauche, il y avait tout un rayon de chenilles. J'y ai jeté un coup d'œil – elles avaient l'air étranges, effrayantes, avec leurs minuscules coques en plastique, leurs couleurs et leurs chiffres compliqués, elles avaient un côté si brut. Mais le pire, c'est qu'il faut faire un trou dans le mur avec une perceuse électrique, puis enfoncer la bonne chenille dans un trou aux bonnes dimensions, et on ne peut pas mettre n'importe quelle vis – il faut connaître la bonne taille et le bon type de vis.

J'ai fini par trouver le rayon des serrures – il y en avait des dizaines. J'en ai pris une ou deux au hasard en essayant de me souvenir à quoi ressemblait celle qui se trouvait sur la porte de Mrs. Shapiro. Ce n'était pas une serrure de sûreté, j'en étais certaine. C'était l'autre type de serrure – celle avec une grosse clef. C'est ça, à mortaise. Le problème, c'est qu'il y avait tellement de tailles et de modèles différents.

Au bout de l'allée, il y avait un monsieur occupé à fouiller parmi les gonds et les poignées de porte – un petit Oriental rondouillard. Dès que j'ai croisé son regard, j'ai esquissé mon plus beau sourire de demoiselle en détresse. Il est aussitôt venu.

« Vous avez besoin l'aide ? »

Une lueur mystérieuse pétillait dans son regard. Avec sa moustache et sa barbe bien taillées, il ressemblait à un hamster tout fringant.

« Je cherche une serrure. À mortaise. Avec une grosse clef. Seulement j'ai perdu la clef.

– Vous connaissez le type ? Union ? Chupp ? »

J'ai fait non de la tête.

« Vous savez pas ça ? Vous devez savoir. Autrement pas possible de remplacer.

– C'est pour une porte de service.

– Il est comment ? Vous pouvez décrire ?

– Je ne me rappelle plus trop. Je crois qu'elle est un peu comme celle-ci. Ou celle-là. »

J'ai tendu le doigt au hasard.

« Dans mon pays on a un proverbe : le savoir est la clef. Mais vous avez pas le savoir et pas la clef. » Il a poussé un soupir, fouillé dans la poche de son pantalon et m'a donné une petite carte de visite écornée – le genre de cartes qu'on peut se faire imprimer dans les gares.

Artisan
Mr. Al Ali
Téléfone 07711 733106
Tous travaux

14

Viande de renne et poisson séché

Quand je suis rentrée, le téléphone sonnait. Je l'entendais de l'autre côté de la porte en essayant d'introduire la clef, mais le temps que je décroche, on avait raccroché. Il y avait un message sur le répondeur :

« Bonjour, Mrs. Sinclair. Je suis Cindy Bad Eel, des services sociaux. Je vous rappelais comme convenu. »

J'ai aussitôt fait le numéro, mais je suis tombée à mon tour sur un répondeur. J'ai laissé un message lui demandant de me téléphoner dès son retour.

Le lendemain elle n'avait toujours pas appelé, et j'ai donc réessayé les services sociaux.

« Troisième âge !

– Pourrais-je parler à Mrs. Bad Eel ?

– C'est Miss, pas Mrs..

– Puis-je tout de même lui parler ?

– Ne quittez pas. »

(« Eileen, elle est où, Miss Bad Eel ? – Elle est juste là. Attends. C'est qui ? »)

« C'est de la part de qui, je vous prie ?

– Georgie Sinclair. J'ai appelé au sujet de la vieille dame qui doit être placée en maison de retraite. »

(« C'est la dame à propos de la vieille dame. – Elle dit qu'elle la rappelle dans une minute. »)

« Elle est en réunion. Elle vous rappelle dès qu'elle a fini.

– Non, s'il vous plaît, dites-lui que c'est urgent. Il faut absolument que je lui parle. »

Il y a eu beaucoup de chuchotis et de grésillements dans le fond, puis j'ai entendu une nouvelle voix au bout du fil – une voix basse, douce, sensuelle, aux voyelles légèrement traînantes.

« Bonjoouur. Cindy Bad Eel.

– Oh, bonjour, Mrs. Bad Eel. Miss. J'ai vraiment besoin de votre aide – enfin, une de mes amies a besoin de votre aide. » Je parlais à toute vitesse, craignant qu'elle ne raccroche. « Mrs. Naomi Shapiro. Elle est à l'hôpital. Elle s'est cassé le poignet. Et maintenant ils ne veulent pas la laisser rentrer chez elle. Ils veulent la placer en maison de retraite.

– Pluuus lentement, je vous prie. Qui êtes-vous ?

– Je m'appelle Georgie Sinclair. Je vous ai laissé un message.

– En effet, Mrs. Sinclair. Parlez plus lentement. Inspirez à fond. Maintenant comptez un, deux, trois, quatre. Soufflez. Un, deux, trois, quatre. Détendez-vous ! C'est mieux. Bien. Diriez-vous que vous êtes son aidant – un aidant officieux ?

– Oui, c'est ça, un aidant. Officieux. C'est exactement ça. »

Une vague de paix m'a submergée. Je me sentais soudain d'une extrême bienveillance.

« Quel âge a cette dame ? »

J'ai hésité. « Je ne sais pas exactement. Elle est relativement âgée, mais jusque-là elle se débrouillait très bien.

– Mais vous dites qu'elle a eu un accident ?

– C'est arrivé dans la rue, pas chez elle. Elle a glissé sur une plaque de glace. Ça aurait pu arriver à n'importe qui.

– Et vous dites qu'elle a eu une visite d'inspection de son domicile ?

– C'était quelqu'un de l'hôpital, Mrs. Goodney. La maison n'était peut-être pas très bien rangée, mais ce n'était pas si dramatique que ça. »

Il y a eu un long silence. Je pressentais déjà ce qu'elle

allait me répondre, le flot d'excuses pour ne rien faire dont elle allait m'abreuver. Ce n'était pas exactement évident de la joindre au téléphone. Puis elle a parlé en s'exprimant lentement :

« Chacun est libre de choisir son mode de vie, ce n'est pas à nous de juger. Je vais visiter la maison, mais j'ai besoin de son autorisation. Dans quel hôpital se trouve-t-elle ? »

Dès que j'ai raccroché, j'ai couru dans ma chambre et fourré quelques affaires dans un sac – l'ancienne robe de chambre de Stella, des pantoufles, une brosse, une chemise de nuit – et je suis partie pour l'hôpital. Je voulais prévenir Mrs. Shapiro et m'assurer qu'elle dise ce qu'il fallait. Je ne voulais pas qu'elle rate cette occasion par pur esprit de contradiction.

Il avait cessé de pleuvoir, mais quand j'ai couru pour attraper le bus, il y avait encore des flaques dans la rue et de gros nuages humides surplombaient les toits comme du linge grisâtre flottant sur une corde. Je me suis retrouvée seule sur l'impériale du bus numéro 4 qui bringuebalait dans les rues devenues si familières en passant au ras des arbres ruisselants, si près des maisons que je voyais à l'intérieur des chambres. Je repensais aux après-midi que j'avais passées à errer dans les rues en solitaire, épiant jalousement la vie des autres. Qu'est-ce qui m'avait pris ? Il y avait si longtemps, me semblait-il. J'étais tellement occupée par Mrs. Shapiro et Canaan House qu'à présent c'est à peine si j'avais le temps de penser à quoi que ce soit d'autre.

Sous l'abri de bus qui se trouvait devant l'entrée de l'hôpital, il y avait le petit attroupement habituel de fumeurs recroquevillés sur leurs cigarettes. J'étais déjà passée devant eux sans jamais leur prêter réellement attention, mais cette fois quelqu'un m'a hélée :

« Hé ! Georgine ! »

J'ai mis un moment à reconnaître Mrs. Shapiro. Elle était enveloppée dans une robe de chambre en chenille trois fois trop grande pour elle et si longue qu'elle traînait par terre. En dessous, pointant à peine, on apercevait d'énormes pantoufles – comme celles que portent les enfants, avec des têtes d'animaux devant. C'étaient des Roi Lion, je crois. Ben avait eu les mêmes quand il était petit. Elle était en compagnie de la dame un peu cinglée avec laquelle elle s'était disputée la dernière fois. Là, elles avaient l'air de s'entendre comme larrons en foire. Elles partageaient une cigarette qu'elles se passaient à tour de rôle après avoir tiré dessus comme des malades.

« Mrs. Shapiro – je ne vous avais pas reconnue. Vous avez une jolie robe de chambre.

– C'est vient la dame à côté. Qu'elle est morte, hein ? » Elle a arraché la cigarette des doigts de la frappée qui avait copieusement tiré dessus. « Les cigarettes qu'elle était dans le poche.

– Les pantoufles aussi sont jolies.

– L'infirmière qu'elle me donnait.

– Moi, elle m'a donné ça », a dit la frappée en soulevant le bas de sa robe de chambre pour exhiber des mules à pompons bleu pâle à talons compensés. Ses orteils dépassaient au bout, dévoilant d'ignobles ongles jaunes et racornis comme je n'en avais jamais vu.

« Que normalement c'était moi qui l'avais », a ronchonné Mrs. Shapiro.

Nous avons laissé la frappée finir la cigarette pour retourner dans le service, où je lui ai donné le sac d'affaires que j'avais apportées. Elle n'a pris que la brosse à cheveux et m'a rendu le reste.

« J'ai les chemises de nuit mieux que ça dans mon maison. Vraie soie. Pas comme ce *shmata.* Vous apportez un prochaine fois, promis, Georgine ? Et Wonder Boy. Pourquoi que vous l'avez pas apporté, le Wonder Boy ?

– Je ne pense pas qu'on le laisserait entrer. Il n'est pas très…

– Ils ont trop les préjugés idiots. Mais vous avez pas les préjugés, ma Georgine ? a-t-elle ajouté d'un ton enjôleur. Vous êtes tellement intelligent *mit* tout. Je suis sûre que vous trouvez le solution.

– Je ferai de mon mieux, évidemment », ai-je menti.

Comme il y avait une foule de visiteurs dans le service, j'ai installé deux fauteuils près de la fenêtre dans la salle de détente. C'était une pièce carrée anonyme à l'entrée du service, garnie de chaises vertes matelassées dispersées au hasard et d'un poste de télévision fixé trop haut, avec une fenêtre qui donnait sur un jardin. Elle sentait le malheur et le désinfectant.

« Mrs. Shapiro, j'ai demandé une autre inspection des services sociaux. Une dame va venir vous voir. Elle s'appelle Miss Bad Eel.

– C'est bien. Bed Eel que c'est le bon nom juif. »

Ça m'a étonnée, mais qu'est-ce que j'en savais, après tout ? Il n'y avait pas de juifs à Kippax.

« Dites-lui que j'ai la clef et que je la retrouverai sur place pour lui faire visiter la maison. Elle a mon téléphone, mais je vais vous le redonner. » J'ai noté mon numéro sur un bout de papier, qu'elle a fourré dans une poche de sa robe de chambre en chenille. « Si on vous annonce que vous devez aller en maison de retraite, dites seulement qu'on doit faire une nouvelle inspection. Ça devrait les calmer. »

Elle s'est penchée et m'a saisi la main.

« Georgine, chérrrie. Comment je peux remercier ?

– Il y a un problème. Elle va certainement vous demander votre âge. »

Elle m'a fixée du regard – un regard limpide, futé. Elle savait que je savais qu'elle n'avait pas quatre-vingt-seize ans.

« Quoi je dois dire ?

– Si je le peux, je vous aiderai. Mais vous devez me dire la vérité. »

Elle a hésité, puis elle s'est penchée et m'a glissé à l'oreille : « J'ai seulement quatre-vingt-un ans. »

Je me suis tue. J'ai attendu. Au bout d'un moment, elle a ajouté : « Je dis que je suis le plus vieille.

– Pourquoi ça ?

– Pourquoi ? Je sais pas pourquoi. » Elle a eu un

petit mouvement de tête obstiné. « Jamais je rencontre quelqu'un qui pose autant les questions, Georgine.

– Je suis désolée. C'est parce que je viens du Yorkshire. Les gens sont très curieux là-bas. »

J'ai essayé de me remémorer la photo des deux femmes devant la maison. *Highbury, 1948.* J'ai fait un rapide calcul. Elle devait avoir vingt-trois ans quand elle avait été prise.

« Vous connaissez votre date de naissance ? ai-je insisté. Elle va sûrement vous la demander.

– 8 octobre 1925. » Une réponse rapide et précise. Mais était-ce la vérité ?

J'avais envie de l'interroger davantage, mais je ne voulais pas lui avouer que je ne m'étais pas contentée de chercher dans le secrétaire et que j'avais déjà trouvé les photos de la boîte ornée du château de Harlech cachée dans l'atelier. J'avais des questions à lui poser sur Lydda. Qui était-elle ? Quand Artem l'avait-il épousée ? Qu'était-elle devenue ? Et je mourais d'envie de savoir qui avait caché la boîte et pourquoi.

Nous étions seules dans la salle de détente, mais la télévision braillait dans le coin. J'ai cherché la télécommande pour baisser le son, mais, ne l'ayant pas trouvée, je l'ai éteinte, puis me suis rassise dans le fauteuil pour l'écouter.

« Vous n'avez pas fini l'histoire d'Artem.

– Vous parlez pas de votre mari qu'il enfuit. Pourquoi il partait ?

– C'est votre tour, Mrs. Shapiro. Je vous raconterai mon histoire la prochaine fois.

– *Ach so.* » Elle a ri. « Je l'étais où ?

– Le cheval…

– Oui, le cheval qu'il trottait sur le glace. Mais vous voyez, c'était pas le cheval, c'était le renne. Le peuple du renne il emmenait avec eux. »

Les Saami qui avaient attelé le traîneau d'Artem venaient de Laponie. Moitié négociants, moitié bandits, ils traversaient les étendues gelées pour troquer du poisson fumé, de la viande de renne et des fourrures contre du blé, du tabac, de la vodka ou ce qu'ils trouvaient. Quand ils l'avaient découvert sous les peaux de loups, ils avaient hésité à le tuer. Mais, en ouvrant les yeux, il avait souri parce qu'il était toujours en vie et s'était mis à chanter une chanson folklorique russe.

« *Ochi tchornye, ochi strastnye…*, a fredonné Mrs. Shapiro d'une voix tremblotante. C'est la belle chanson sur l'amour pour la femme *mit* les yeux noirs passionnés. Il la chantait souvent. »

Cette chanson lui avait sauvé la vie. La petite voix enrouée du soldat les avait fait rire et ils l'avaient emmené jusqu'à leur village situé au milieu d'une immense étendue neigeuse, au-delà du cercle arctique, où l'horizon blanc se fondait dans le long ciel pâle. Il avait d'abord été traité en prisonnier, puis en objet de curiosité, avant de devenir pour les villageois une grande source de distraction.

Il avait passé avec eux plusieurs mois, dormant sur un lit en peaux dans un coin d'une hutte enfumée couverte de neige qui sentait le poisson, mangeant de la viande de renne et buvant une horrible concoction d'herbes dont ils enduisaient également ses plaies. Quand il en avait bu plusieurs tasses, il se mettait à chanter – des chansons juives de son enfance à Orcha, des chants de partisans du temps où il se cachait dans la forêt, des chansons traditionnelles russes et même quelques arias. Les hommes riaient à gorge déployée en se tapant sur les cuisses. Les femmes gloussaient, recroquevillées dans leurs fourrures, en l'observant de leurs étranges yeux de chat. La nuit, il scrutait les lumières aux couleurs mystérieuses qui jouaient dans le ciel en s'efforçant de déterminer sa position à partir des étoiles. Lorsqu'il avait été rétabli et qu'au sud une trouée de lumière voilée éclairait l'horizon quelques heures par jour, les Saami lui avaient proposé de le ramener en Russie. Il leur avait expliqué par des gestes qu'il voulait aller dans l'autre direction, vers la Suède. Ils l'avaient donc accompagné non loin d'un village saami situé de l'autre côté de la frontière suédoise, lui avaient donné un petit traîneau et un sac de poisson séché, et lui avaient fait leurs adieux.

« Il cherchait sa sœur. Mais qu'elle était déjà partie. Peut-être qu'elle était jamais là. À cette époque la Suède était plein de juifs qu'ils fuyaient les nazis. Tout le monde qu'il cherchait quelqu'un ou donnait les nouvelles de quelqu'un.

– Quand l'avez-vous rencontré ? Vous êtes allée en Suède, Mrs. Shapiro ? »

Elle a commencé à dire quelque chose, mais elle s'est interrompue. Une dame à l'air triste attachée à une perfusion venait d'entrer dans la salle de détente en traînant sa poche de liquide derrière elle. Nous l'avons observée un moment en silence, puis Mrs. Shapiro a murmuré : « Ça suffit pour aujourd'hui. Maintenant c'est votre tour, Georgine. Ce mari – pourquoi il enfuit ? Il y avait l'autre femme ? »

La dame à la perfusion cherchait la télécommande de la télévision. J'ai hésité. Je n'avais pas envie de lui expliquer en détail l'histoire des chenilles et du porte-brosses à dents, mais je me suis entendue lui répondre : « Je ne pense pas. Il m'a dit qu'il n'y avait personne d'autre. Il était trop obsédé par son travail. »

Mrs. Shapiro me fixait d'un air interrogateur. Elle préférait manifestement l'hypothèse de « l'autre femme ».

« Pourquoi vous pensez ça ?

– Il avait toujours de grandes idées. Il voulait changer le monde. La routine domestique l'ennuyait, je crois. »

Voilà, c'était dit. Le seul fait de formuler ces mots me soulageait. Mrs. Shapiro a froncé le nez.

« *Ach so.* C'est l'histoire typique. Il veut changer le monde, mais il veut pas changer la couche, c'est ça ?

– Un peu, oui. Si ce n'est que les enfants avaient passé l'âge des couches. » Je voulais lui dire que c'est ce même côté aventurier, curieux d'esprit, qui l'avait amené jusqu'à moi. « Quand on s'est rencontrés, j'étais différente de tous les gens qu'il connaissait. Il m'appelait sa "vagabonde du Yorshire".

– Ne l'inquiétez pas, Georgine. » Elle souriait gaiement. « Quand je suis réparée, on recommence vagabonder. »

La dame à la perfusion s'était affalée dans un fauteuil et contemplait d'un œil lugubre le liquide de sa poche qui ressemblait à du thé léger. Mrs. Shapiro lui a jeté un regard de mépris.

« Trop les *kranken* ici. » Elle a reniflé avec dédain. « Alors ce mari – quand il finit le vagabondage, vous croyez il revient ?

– Non, je ne crois pas. J'ai jeté toutes ses affaires à la benne.

– Bravo ! » Elle a applaudi. « Qu'est-ce qu'il disait alors ?

– Il a dit... (J'ai pris un ton snob.) "Tu es si puérile, Georgie." »

Elle s'est renversée dans son fauteuil en hurlant de rire.

« Ce mari qu'il enfuit, il est le vrai ordure, hein ? »

C'était un rire si jovial, si tonitruant que je me suis surprise à rire également. On devait nous entendre rire jusqu'au fond du service, car quelques minutes plus tard la frappée a débarqué pour voir ce qui se passait, virevoltant et soulevant sa robe de chambre afin qu'on admire ses nouvelles mules. Elle m'a glissé un clin d'œil en sortant une cigarette de sa poche, qu'elle a brandie sous le nez de Mrs. Shapiro.

« Z'avez vu c'qu'un gardien y m'a donné ? Mais bon, j'ai dû laisser tomber la culott' dans l'ascenseur. J'y ai dit si vous m'donnez tout l'paquet, vous pouvez me prendre toute. Merci, m'dame, qu'y m'a dit, j'ai vu mieux sur le chariot d'la morgue. »

Mrs. Shapiro a poussé un autre glapissement et la frappée s'est remise aussitôt à ricaner et virevolter en dévoilant ses horribles orteils, ce qui a eu pour effet d'accroître mon hilarité et d'arracher à la dame triste un petit gloussement baveux. Nous étions toutes pliées en deux, braillant et glapissant à qui mieux mieux comme une bande d'oies devenues folles, quand la sœur de garde est venue nous gronder. Dans le bus, en rentrant, j'ai ressenti une douleur étrangement agréable dans la poitrine. Je me suis aperçue que je n'avais pas autant ri depuis… depuis que Rip était parti.

15

L'Anguille maléfique

L'Anguille maléfique m'a rappelée quelques jours plus tard. Nous nous sommes fixé rendez-vous devant la maison. Comme les fois précédentes, j'y suis allée en avance avec des produits ménagers. Le Crotteur fantôme avait de nouveau fait des siennes : il y avait deux nouveaux dépôts en forme de rochers à la noix de coco dans le couloir. Je les ai enlevés et j'ai rapidement fait le tour de la maison avec un chiffon et une brosse, en prêtant une attention particulière à la chambre et la salle de bains, bien que celle-ci fût franchement une cause perdue. J'ai fait ce que j'ai pu et aspergé copieusement les pièces de désodorisant.

Comme je n'avais plus la clef de la porte de derrière, j'ai été obligée de nourrir les chats dans la cuisine malgré le temps sec et je les ai recomptés. Ils n'étaient que cinq. Wonder Boy était là, juste devant, occupé à chasser Stinker à coups de patte. Borodine est arrivé en rasant le sol, a attrapé sa part et aussitôt disparu. J'ai remarqué qu'un des petits du landau avait l'œil chassieux. Moussorgski et Violetta manquaient à l'appel. Violetta est apparue à la porte quelques instants plus tard en balançant sa jolie queue, suivie d'une personne qui ne pouvait être que l'Anguille maléfique.

Première déception, elle ne ressemblait aucunement à une anguille. Elle affichait sans complexes d'exubérantes rondeurs qui débordaient en bourrelets moelleux sous une tenue rose entremets révélant la moindre marque d'élastique de ses dessous singulièrement étriqués. Elle m'a tendu la main. Ses doigts ressemblaient à des petites chipolatas bien charnues.

« Bonjour, Mrs. Sinclair. Je suis Cindy Baddiel. »

Elle mettait l'accent sur la seconde syllabe. Voilà pour la deuxième déception. Ce n'était en rien une anguille, et encore moins maléfique. Ses cheveux miel attachés au-dessus des oreilles par deux grosses pinces papillons retombaient en boucles souples de part et d'autre de son visage. Ses yeux avaient la couleur de l'angélique, elle avait une peau de pêche et sentait la vanille. J'avais beau être déçue, j'avoue qu'elle était à croquer.

Je devais la fixer avec grossièreté. Violetta a rompu le silence en poussant un miaulement amical. Nous nous sommes penchées pour la caresser au même moment et nos têtes se sont frôlées. Nous avons éclaté de rire, et à partir de là l'atmosphère s'est détendue. Elle s'est promenée dans toute la maison. (« Chaaarmant. Paaarfait. ») Elle a salué le Stinker comme un vieil amoureux : « Mais bonjour, toi. » Elle a eu un léger mouvement de recul en voyant la salle de bains, mais s'est contentée de dire : « Simple différence de culture. »

« Ce qui me surprend, a-t-elle observé en redescendant

l'escalier, c'est qu'elle n'a pas l'air d'être soutenue par la communauté juive. D'habitude, ils s'occupent bien de leurs aînés. »

Je m'étais fait la même remarque, mais je me rendais compte désormais que Mrs. Shapiro vivait en retrait, tout comme moi.

« Ça doit être un choix. » Elle avait sorti un calepin de son sac – il était orné d'une photo de chiot labrador aux oreilles pendantes assis sur un coussin – et un Bic à l'extrémité mâchouillée, et notait quelque chose.

À la fin de la visite, dans le hall, je lui ai posé la question qui me taraudait depuis ma rencontre avec Mrs. Goodney :

« Qu'adviendrait-il de sa maison si elle devait être placée en maison de retraite ?

– Oh, je ne pense pas qu'on en arrive là.

– Mais si jamais ça arrivait, est-ce que la municipalité la lui prendrait ?

– Mais non ! On ne fait pas ça ! Qu'est-ce qui vous a mis ça en tête ? » Elle a secoué ses boucles dorées. « Si quelqu'un est placé en maison de retraite, nous évaluons sa situation financière. Si ses avoirs se montent à plus de 21 000 livres, les frais de séjour sont entièrement à sa charge. » Elle continuait à griffonner dans son calepin. Elle avait une voix si apaisante que j'avais du mal à me concentrer sur ce qu'elle disait. « En dessous de cette somme, c'est la municipalité qui règle les frais. Ils peuvent être assez élevés – 400 à 500 livres par semaine – et, du coup, nous nous efforçons de les maintenir à domicile en préservant leur indépendance. Généralement, c'est également ce qu'ils préfèrent, rester dans l'environnement qui leur est familier, choisir leur mode de vie. » Elle m'a lancé un sourire radieux.

« 21 000 livres ? Ce n'est pas beaucoup. Est-ce que leur maison… cette maison-ci par exemple serait considérée comme un avoir ?

– Si personne d'autre n'y habite et que le ou la propriétaire est en maison de retraite, elle pourrait être vendue pour couvrir les frais. » Elle continuait à prendre des notes, s'arrêtant de temps à autre pour réfléchir et regardant autour d'elle en mâchonnant le bout de son stylo.

« Et si cette personne ne veut pas vendre ?

– Ne vous inquiétez pas. » Elle m'a pris la main et l'a serrée entre ses petites chipolatas. « Je ne vois aucune raison qu'elle soit placée en maison de retraite à ce stade. Je vais préconiser un programme d'aide à domicile sous conditions de ressources qui lui permette de continuer à vivre chez elle. »

J'ai failli lui répondre qu'elle n'avait pas besoin d'aide à domicile, pourtant je me suis retenue. Elle avait quelque chose qui donnait envie de la croquer à pleines dents, mais je l'ai juste prise dans mes bras. C'était si irrésistible, ce polochon moelleux de chair rose. Elle devait avoir l'habitude, car elle s'est contentée de rester là en souriant.

« Vous êtes très démonstrative, Mrs. Sinclair », a-t-elle simplement dit.

De son côté, Mrs. Shapiro était déçue par Miss Baddiel.

« Pas juive. Trop grasse. »

Elle a secoué la tête d'un air bougon.

Je m'étais précipitée à l'hôpital pour lui annoncer la bonne nouvelle et nous étions retournées dans la salle de détente, devant la fenêtre. La frappée n'arrêtait pas d'entrer et de sortir en mimant le geste de fumer pour attirer mon attention, mais je l'ignorais.

« Elle a dit que vous pouviez avoir un programme d'aide à domicile.

– C'est quoi cette programme ? C'est quoi il y a dedans ? »

Elle a froncé le nez comme si elle le sentait déjà.

« Peut-être une aide à domicile, pour vous aider à faire le ménage. Quelqu'un qui vous aide à faire les courses et la cuisine.

– Je veux pas. Ces gens-là que c'est tous les voleurs. »

J'ai essayé de la persuader, craignant qu'elle ne perde ses chances de rentrer chez elle par simple obstination, mais elle m'a regardé avec un petit sourire.

« Vous êtes le malin petite *knödel*, Georgine. Mais moi que j'ai l'autre nouvelle pour vous. J'avais une visiteur. »

Elle a sorti une carte de visite de la poche de la robe de chambre en chenille, une carte orange et vert criarde barrée en haut d'une inscription noire en faux caractères gothiques : *Wolfe & Diabello.* En plus petit, dessous, il y avait écrit *Mr. Nick Wolfe.*

« Le monsieur tout à fait charmante, au fait. Qu'il me fait l'offre pour acheter mon maison. »

J'ai suffoqué. J'avais vraiment le souffle coupé. Ces gens-là sont capables de tout.

« Mr. Wolfe ! Combien vous a-t-il offert ? »

Elle a retourné la carte. À l'arrière, au Bic bleu, figurait la somme : *2 millions £.*

« Très bel homme, au fait. Il ferait le bon mari pour vous, Georgine. »

J'étais totalement perdue. Les assistantes sociales, les infirmières, je pouvais les gérer. Mais les hommes qui étalaient des sommes aussi astronomiques me terrifiaient.

« C'est une très grosse somme. Que lui avez-vous dit ?

– J'ai dit je vais réfléchir. »

Elle a surpris mon regard et souri d'un air espiègle.

« Pourquoi j'ai besoin de deux millions ? Je suis trop vieille. J'ai déjà tout que j'ai besoin. »

L'infirmière – c'était la jeune femme efficace que j'avais rencontrée lors de ma première visite – était satisfaite du programme d'aide à domicile et une date a été fixée pour le retour de Mrs. Shapiro. J'ai promis que je serais là pour l'accueillir et que je passerais régulièrement la voir jusqu'à ce qu'elle soit bien installée. J'avais un dernier détail à régler avant qu'elle ne rentre chez elle. Je ne voulais pas que Damian ou Mr. Diabello – celui des deux qui avait la clef – s'introduise chez elle alors qu'elle était seule. Il fallait que je demande à l'artisan oriental de changer la serrure de la porte de derrière. J'ai appelé le numéro qui figurait sur la carte et pris rendez-vous avec lui pour le lendemain.

16

L'artisan

Mr. Ali est arrivé à bicyclette. Je m'attendais à le voir au volant d'une camionnette, et lorsque j'ai aperçu la silhouette qui remontait la ruelle en se dandinant sur le vélo, je n'y ai pas réellement prêté attention. Il était plus petit et plus replet que dans mon souvenir et portait un bonnet de laine à rayures roses et mauves tiré sur les oreilles, ce qui était une sage précaution par ce froid. C'était difficile de lui donner un âge ; il avait le visage jeune, mais sa barbe et sa moustache étaient grisonnantes. Il n'avait pas du tout l'allure d'un artisan – pour commencer, il n'avait pas l'air d'avoir d'outils.

Il a sauté de sa bicyclette, ôté ses pinces à vélo, tiré sur le bas de son pantalon de flanelle grise aux plis soigneusement marqués et m'a saluée poliment d'un signe de tête. J'ai remarqué alors qu'il portait en travers de la poitrine une petite sacoche en cuir – on aurait presque dit un sac de femme – d'où émergeait la tête d'un marteau.

« J'ai venu rébarer le serrure », a-t-il annoncé.

Il a poussé sa bicyclette jusqu'à la maison et l'a appuyée contre le mur du porche.

« Il habite les juifs ici ? »

J'ai été déconcertée par son ton sec.

« Oui. Comment le savez-vous ?

– *Mezuzah.* » Il a montré une espèce de petit rouleau en métal accroché sur l'encadrement de la porte. Il était couvert de peinture et je ne l'avais pas remarqué auparavant.

« C'est bizarre pour moi, a-t-il marmonné. Ça fait rien. Ici, à Londres, pas le broblème. »

Il a ôté son bonnet rose et mauve – je me suis aperçue que ses cheveux noirs étaient également striés de gris – et l'a fourré dans sa poche avec ses pinces à vélo.

« Vous juive ? »

J'ai fait non de la tête. « Yorkshire. C'est presque une religion. »

Il m'a regardée d'un drôle d'air – il n'avait pas dû comprendre que c'était une plaisanterie. Ses yeux allaient et venaient, notant le moindre détail.

« Chaque maison raconte son histoire pour celui qui sait écouter. »

Décidément, c'était un artisan peu banal.

« Où est le serrure avec le broblème ? »

Il avait un côté hamster plutôt mignon, avec cette façon de confondre parfois les *p* et les *b* – quoique rien ne prouve que les hamsters le font aussi.

Je l'ai conduit dans la cuisine. La lourde porte de pin massif peinte en imitation noyer était ornée de deux panneaux de vitres bleues gravées.

« C'est pour celui-là vous avez perdu le clef ?

– C'est ça.

– Hmm. » Il a caressé sa barbe. « Fermée.

– Oui, c'est pour ça que je vous ai appelé.

– Hmm. Seule façon d'ouvrir, c'est avec la force. Vous voulez que je fais ça ?

– Euh… je ne sais pas. Je me disais que vous pouviez peut-être dévisser quelque chose.

– Cette type de serrure, il est dedans l'encadrement de porte, pas vissé dehors.

– Ah, je vois. » Maintenant qu'il le disait, c'était évident.

« Mais d'habitude, a-t-il ajouté en se caressant de nouveau la barbe, d'habitude il existe plus qu'un clef pour chaque porte. » Il a fait bouger la poignée. « Vous avez pas un autre clef ? Vous l'avez perdu aussi ? » Il avait le ton réprobateur, comme si j'avais fait preuve d'une négligence incroyable.

« Ce n'est pas chez moi. Je nourris juste les chats parce que la propriétaire est à l'hôpital.

– Le clef qui prouve la propriété de la maison. »

Il commençait à m'agacer. J'avais besoin d'un artisan, pas d'un philosophe.

« Elle a dû être volée. Franchement, si vous ne pouvez pas m'aider, Mr. Ali, je ne veux pas gaspiller davantage votre temps.

– Certainement je peux aider. Mais c'est mieux de pas casser la porte si on peut ouvrir autrement. Vous avez cherché un autre clef ?

– Où voulez-vous que je cherche ? »

Je me disais que ç'aurait été plus simple d'avoir affaire à un type en camionnette. Il m'a regardée comme si j'étais totalement idiote.

« Comment je peux savoir ? Je suis artisan, pas détective. »

Il a scruté la pièce de ses yeux de hamster, puis il s'est mis à ouvrir les portes de placard et les tiroirs, fouillant parmi les torchons moisis et les couverts encrassés.

Le placard en pin encastré à côté de la cheminée était plein de vaisselle, de casseroles, de boîtes en métal, de pots, de bols, de vases, de bougeoirs entassés au hasard et de divers objets que l'on pourrait plus ou moins qualifier de bric-à-brac. Mr. Ali est monté sur une chaise et a tout inspecté méthodiquement de haut en bas, enlevant un par un tous les objets de l'étagère et les secouant avant de les remettre en place. Au fond d'une cafetière en argent posée sur l'étagère du milieu, il a trouvé une liasse de vieux billets de 10 shillings périmés et un trousseau de clefs.

« Essayez. » Il me l'a passé. Une des clefs entrait dans la serrure de la porte de derrière.

« Votre broblème, il est rébaré, a-t-il lancé d'un air réjoui.

– Oui, merci beaucoup, Mr. Ali. » J'ai refréné une soudaine envie de caresser sa petite tête de hamster. « Mais j'aimerais tout de même que vous changiez la serrure, si possible, pour que celui qui a pris l'autre clef ne puisse pas s'en servir. »

Il s'est frotté le menton. « Je comprends. Alors je dois acheter nouveau serrure. »

Il a remis ses pinces à vélo et il a filé en se dandinant sur sa bicyclette.

Dès qu'il est parti, j'en ai profité pour continuer à fouiller la maison. Je ne savais pas vraiment ce que je cherchais, mais j'étais convaincue qu'il devait y avoir quelque part une liasse de documents ou de lettres susceptibles d'éclaircir l'histoire de Mrs. Shapiro et l'identité de la mystérieuse inconnue aux beaux yeux. Néanmoins, à part la chambre de Mrs. Shapiro, les pièces du haut n'étaient guère meublées et n'offraient que peu de possibilités de cachette, si bien que je commençais à être découragée.

Par une fenêtre à l'étage, je contemplais les ombres glacées qui se glissaient dans le jardin. Il y avait encore quelques chats qui rôdaient dans les parages. J'ai aperçu Wonder Boy dans les buissons qui bordaient les dépendances et Violetta perchée sur le toit d'un vieil appentis délabré. Comparée à la chambre de Mrs. Shapiro et son air vicié de décadence, la pièce où je me trouvais dégageait une atmosphère d'hospice sinistre. Les vieux rideaux bordeaux de Mrs. Sinclair que j'avais jetés à la benne avaient été étalés en guise de couvre-lit sur les deux lits jumeaux. J'ai vérifié les tiroirs, mais ils étaient vides, et il n'y avait rien sous les matelas. Je séchais. Quand j'ai de nouveau regardé par la fenêtre quelques minutes plus tard, Wonder Boy avait rejoint Violetta sur le toit de l'appentis ; visiblement, il était en train de la violer. J'ai tapé sur la fenêtre et il s'est sauvé.

Ça faisait un bon moment que Mr. Ali était parti, une heure peut-être, et j'en avais assez de traîner dans la puanteur humide de la maison vide. La prochaine fois que j'aurais besoin d'un artisan, j'en trouverais un dans *Les Pages jaunes*, me disais-je. Je suis retournée dans la chambre de Mrs. Shapiro et je me suis assise au bord du lit en contemplant le reflet de l'allée du jardin dans le miroir, espérant qu'il se dépêche. C'est à ce moment-là que mes yeux sont tombés sur un autre tiroir de la coiffeuse, un petit tiroir courbe sans poignée dissimulé sous le miroir. Je ne l'avais pas remarqué jusque-là et, manifestement, il avait été conçu pour ne pas l'être. Je l'ai ouvert avec précaution. Il était plein de bijoux entassés en vrac – colliers, boucles d'oreilles, broches. La plupart n'étaient que de la verroterie en piteux état, mais il y avait une ou deux pièces qui pouvaient être de valeur. Était-ce vraiment raisonnable de garder ça chez elle ? En soulevant un collier de perles bleues, j'ai repéré une photo glissée sous les bijoux qui se trouvaient au fond du tiroir. Je l'ai prise pour l'ajouter à ma collection, mais ce n'était qu'un cliché en noir et blanc d'une colline aride et rocailleuse plantée d'arbustes en terrasses. Au bas de la colline, la vallée était parsemée de toits plats éparpillés. Ça ressemblait à la Grèce. Je l'ai retournée. À l'arrière, il y avait une inscription : *Kefar Daniyyel*, suivie de deux vers de poème :

Par-delà la mer je t'envoie mon amour
Et prie pour que tu me rejoignes

Naomi

Encore un nom : Daniyyel. Quel était son rôle dans l'histoire ? Naomi avait-elle un amant en secret ? À l'arrière-plan, on discernait l'ombre allongée d'une silhouette – ce devait être celle du photographe qui tournait le dos au soleil. Qui avait pris cette photo ?

Puis j'ai entendu le tintement d'une sonnette de vélo dehors et quelques instants plus tard Mr. Ali a réapparu.

« Très désolé pour retard. Je cherchais partout pour le bonne taille du serrure. Ancien serrure pas facile de trouver. »

Il a mis moins de dix minutes à extraire l'ancienne serrure et poser la sienne. J'ai pris une des nouvelles clefs pour l'accrocher au trousseau, que j'ai remis dans la cafetière. Quant à l'autre, je l'ai glissée dans ma poche avec un sourire. J'imaginais Mrs. Goodney et Damian se glisser sur la pointe des pieds derrière la maison à la tombée de la nuit et trifouiller avec la vieille clef en s'efforçant de l'introduire dans la serrure. Au bout d'un moment, ils renonçaient et repartaient d'un pas lourd, trébuchant dans les ronces et finissant couverts de crottes de chat. Bien fait pour eux.

J'ai réglé Mr. Ali – il a demandé 10 livres, plus le montant de la serrure, mais je l'ai persuadé d'en accepter 20 – et l'ai abondamment remercié.

« Toujours mieux, a-t-il dit en rangeant ses outils dans sa sacoche, d'abord essayer le solution non violent. »

17

Le programme d'aide à domicile

Il était assez tard le lendemain soir – dix heures passées – quand le téléphone a sonné.

« Mrs. Sinclair ? »

Une voix grinçante, qui me disait vaguement quelque chose.

– Elle-même.

– Je suis Margaret Goodney, des services sociaux de l'hôpital. »

Elle n'était tout de même pas à son bureau à une heure pareille !

« Ah oui, bonsoir, Mrs. Goodney. Est-ce que tout va bien ? »

J'ai souri intérieurement. Peut-être elle et Damian avaient déjà essayé la clef et n'avaient pas réussi à entrer.

« Vous savez très bien pourquoi je vous appelle.

– Non, je l'ignore. Mais dites-le-moi. »

Je l'imaginais à l'autre bout du fil, cigarette à la main, dans sa veste matelassée vert lézard couverte de crottes de chat.

« Je sais parfaitement ce que vous manigancez.

– Pardon ?

– Ce programme d'aide ridicule que vous avez combiné avec l'autre, là. Vous ne devriez pas venir fourrer votre nez là-dedans. Laissez faire les professionnels.

– Miss Baddiel est une professionnelle.

– Ce n'est pas une professionnelle, a-t-elle rétorqué avec un horrible ricanement nasillard. Tout ce qu'elle sait faire, c'est cocher des cases. Ces assistantes municipales ignorent ce qu'est le vrai travail social. »

Avant que j'aie eu le temps de trouver une réponse, elle a réattaqué :

« Vous ne vous en tirerez pas comme ça, vous savez. S'il le faut, j'appellerai la police. »

Je n'y comprenais rien.

« Excusez-moi, mais je ne sais pas de quoi vous parlez.

– Vous l'avez persuadée de vous désigner comme sa plus proche parente, hein ? On a l'habitude, vous savez : quelqu'un s'arrange pour devenir ami d'un vieux monsieur ou d'une vieille dame vulnérable, et puis soudain le testament est modifié et c'est le nouvel ami qui récupère tout. »

J'ai eu une décharge d'adrénaline. J'avais le cœur qui commençait à battre à tout rompre.

« Personne n'a modifié de testament.

– Mais c'est ce que vous cherchez, hein ? La maison », a-t-elle craché.

J'aurais sans doute dû raccrocher, mais j'étais trop choquée.

« Je ne cherche rien.

– Avec cette façon que vous avez d'être toute gentille, d'aller faire le ménage, de nourrir les chats.

– Ça s'appelle du bon voisinage. Veiller sur les gens les plus vulnérables de notre société. Vous feriez pareil, non ?

– Personne ne fait tout ça sans attendre quelque chose en retour. »

Le grincement de portail rouillé de sa voix malveillante me faisait frémir. « Vous n'êtes pas de sa famille. Visiblement, vous la connaissez à peine. Et là, soudain, comme ça, vous vous immiscez dans sa vie, vous prenez ses affaires en main.

– Vous m'accusez de…

– Je ne vous accuse de rien, Mrs. Sinclair. Je dis seulement que si jamais il s'avérait que vous exercez une quelconque pression ou que vous bénéficiez abusivement de cette relation, ça relèverait de la police. »

J'ai mis un moment à saisir l'audace de sa remarque.

« C'est plutôt moi qui devrais vous dénoncer. Vous et Damian. Je suis au courant de votre petit stratagème. Et vous avez le culot de m'appeler au milieu de la nuit en m'accusant, moi, de…

– Je ne vous accuse pas, Mrs. Sinclair. Comprenez-moi bien. Je vous préviens juste des conséquences que pourraient avoir certaines décisions. »

Elle a raccroché. Dans le silence qui a suivi, j'ai entendu le tic-tac de la pendule et le léger tchac-tchac-tchac qui provenait de la chambre de Ben. Je me suis aperçue que j'avais les mains tremblantes.

En dépit de la menace voilée qui perçait dans le coup de fil de Mrs. Goodney, Mrs. Shapiro a pu sortir avant la fin de la semaine et rentrer en taxi chez elle, où elle a été accueillie par une Violetta en extase, un Moussorgski alangui et un pigeon mort, offrande de Wonder Boy. Les quatre autres étaient également là, se frottant contre ses jambes, se roulant sur le dos et ronronnant comme des motos tout-terrain.

J'avais nettoyé les cochonneries du hall, installé un radiateur soufflant pour réchauffer un tant soit peu les lieux, fait les courses et placé un vase de fleurs sur la table du hall. J'avais également remis la clef dans la serrure pour qu'elle puisse se servir de la porte de la cuisine. Elle avait l'air en forme et tout excitée d'être de retour. Elle a enlevé son manteau d'astrakan et vidé son cabas, qui contenait la robe de chambre en chenille rose et une chaussure à haut talon. L'autre avait disparu. Elle avait encore les pantoufles du *Roi Lion*.

J'ai préparé du café et des sardines sur des toasts – ce qui n'était pas franchement une bonne idée, ai-je vite compris – et nous nous sommes attablées dans la cuisine. Attirés par l'odeur des sardines, les chats nous tournaient autour et je leur ai posé par terre des bouts de pain trempés dans l'huile. Ils ont tout englouti en un clin d'œil et sont restés là à tourner en rond. Wonder Boy a sauté sur les genoux de Mrs. Shapiro et entrepris de lui pétrir vigoureusement les cuisses de ses pattes de gros matou. De temps à autre, il attrapait dans son assiette un bout de sardine sur le toast. Violetta était installée sur mes genoux et ronronnait doucement sous mes caresses.

« Vous êtes la très bonne amie pour moi, Georgine. Sans vous, je suis sûre qu'ils me mettaient dans le maison de vieux. »

Nous avons trinqué avec nos tasses.

« À l'amitié ! »

Mais quelque chose continuait à me tracasser. À chaque fois que je la regardais, je m'interrogeais sur l'autre femme qui figurait sur la photo, Lydda.

« Vous n'avez pas de famille, Mrs. Shapiro ? Des sœurs ? Ou des frères ? Quelqu'un qui puisse s'occuper de vous ?

– Pourquoi que j'ai besoin quelqu'un pour s'occuper de moi ? Tout était bien avant l'accident.

– De grands enfants ? Ou même des cousins ? ai-je insisté.

– J'ai besoin personne. J'ai allé bien. » Elle a mordu férocement dans son toast.

« Mais même si vous allez bien pour l'instant, vous n'être plus toute jeune et…

– Je crois je attaquera le mairie.

– Je vous aide bien volontiers, mais…

– Ils devaient s'occuper mieux les trottoirs. Ils croient qu'il est élu juste pour donner notre argent aux immigrants ? Je paie les impôts sur ce maison depuis soixante ans. Je crois qu'ils devaient payer l'indemnisation.

– Mais avant de s'occuper de ça…

– Oui, je réclamera l'indemnisation. J'allais au bureau d'aide de citoyen l'après-midi.

– Pour l'instant, ce n'est pas une bonne idée d'aller où que ce soit, Mrs. Shapiro. Attendez de vous être un peu remise. Et la dame de la mairie vient cet après-midi. Vous vous souvenez ? Le programme d'aide à domicile ?

– Programme de *shmock.*

– Mais je crois que vous devriez…

– Je veux pas le programme. Sûrement pas le programme. »

Le programme d'aide de Mrs. Shapiro consistait en une revêche Estonienne maigrichonne du nom d'Elvina, avec des points noirs et un diplôme en économie. Sa présence a eu un certain impact sur la cuisine et d'une manière générale la maison avait l'air plus propre, mais, comme en réaction, le Crotteur fantôme a redoublé d'efforts et la plupart du temps, désormais, ce n'était pas un mais deux rochers à la noix de coco qui étaient déposés, l'un dans le hall et l'autre dans la cuisine, juste derrière la porte. Elvina criait sur les chats en estonien et les pourchassait avec un balai. Mrs. Shapiro la traitait de collabo nazie, et peu avant Noël elle l'a renvoyée en l'accusant d'avoir volé une cafetière en argent et des croquettes pour chat.

18

Sherry

Quelques jours avant Noël, je me suis rendue à Canaan House déposer mon cadeau de Noël – un petit panier garni d'un savon parfumé et d'une lotion pour le corps qui devait plaire à Mrs. Shapiro. Un vent cinglant me plaquait les cheveux contre les joues et faisait claquer les pans de mon manteau de vieille folle contre mes jambes. Les arbres étaient dépouillés de leurs feuilles, mais des lambeaux de plastique flottaient aux branches comme des fanions et des ordures balayées par le vent voltigeaient devant moi dans les rues.

Au détour de la place, j'ai aperçu, garé au pied de l'allée, un énorme 4 × 4 noir aux vitres fumées avec des pneus dignes d'un tracteur et sans nul doute un moteur digne, quant à lui, du réchauffement climatique. J'avais le vague sentiment de l'avoir vu quelque part, mais je ne savais plus où. J'ai accéléré le pas. Violetta m'attendait sous le porche en gonflant le poil pour se protéger du froid. J'ai sonné.

Il y a eu un long silence, puis un bruit de pas, et Mrs. Shapiro est apparue sur le seuil. Elle était toute maquillée et vêtue d'un élégant pull rayé assorti d'un pantalon marron et d'escarpins à talons hauts que je ne lui connaissais pas – en peau de serpent cette fois, avec le bout ouvert et une bride à l'arrière, deux fois trop grands pour elle. Elle avait encore le poignet gauche bandé et tenait une cigarette à la main.

« Georgine ! Chérrrie ! » Elle m'a prise dans ses bras en agitant dangereusement sa cigarette près de mes cheveux. « Entrez ! Entrez ! J'ai le visiteur ! »

Je l'ai suivie dans le hall glacé – le petit dépôt rituel était bien à sa place – jusqu'à la cuisine, où le radiateur était à fond et la bouilloire fumait allégrement sur la cuisinière. Par-dessus l'odeur habituelle de pipi de chat et de pourriture flottait une nouvelle odeur, forte et musquée, d'after-shave. Un homme était assis à la table de la cuisine. Malgré son dos tourné, je voyais bien qu'il était costaud, les épaules larges, les cheveux blonds coupés ras et des muscles saillants sous les coutures de son costume. Quand je suis entrée, il s'est levé et retourné pour me saluer. Il s'est levé interminablement – il devait faire un bon mètre quatre-vingt-dix et il était bâti comme une armoire à glace, avec des airs de rugbyman sur le retour –, puis nos regards se sont croisés. Nous nous sommes reconnus au premier coup d'œil et, tacitement, nous avons décidé d'un commun accord d'oublier que nous nous étions déjà rencontrés.

« Nicky, a dit Mrs. Shapiro en battant de ses cils décatis, voici ma chère amie Georgine. » Elle s'est tournée vers moi. « Voici mon nouveau ami, Mr. Nicky Wolfe. » De toute évidence, elle ne se souvenait plus du tout de lui.

« Enchanté de faire votre connaissance. »

Il s'est emparé de ma main – sa paume charnue était humide – et l'a secouée d'une poigne vigoureuse.

« Bonjour, Mr. Wolfe. »

Il n'est pas dans mes habitudes de penser automatiquement au sexe quand je croise un homme, mais là si. J'ai imaginé que ce serait rapide, douloureux, humiliant. Je serais Violetta face à son Wonder Boy. Ça se lisait dans son regard.

« Appelez-moi donc Nick.

– Vous devez être un des agents immobiliers.

– Bravo ! Comment avez-vous deviné ?

– Mrs… » Généralement je m'adressais à elle de façon formelle, mais il fallait lui donner l'impression que nous étions proches. « Naomi m'a montré votre carte. Elle m'a dit que vous lui aviez fait une offre pour sa maison.

– Une offre qu'elle ne pourra pas refuser, je l'espère. » Il la lorgna avec convoitise.

« Georgine, chérrrie, voulez-vous un verre ? » Sous les deux petits cercles de rouge, les joues de Mrs. Shapiro étaient empourprées.

« Un thé, volontiers. »

La bouilloire continuait à siffler, emplissant la cuisine de vapeur. Sur ce, au milieu du fouillis, j'ai aperçu sur la table une bouteille de sherry et deux verres, celui de Nicky plein et celui de Mrs. Shapiro vide.

« J'ai seulement le *kräutertee.* Avec le plante.

– C'est parfait.

– Pourquoi vous prenez pas le petite apéritif ?

– C'est un peu tôt pour moi, Naomi. » J'avais le ton réprobateur. « Il n'est pas encore dix heures du matin.

– Si tôt que ça ? » Elle a écarquillé les yeux et regardé autour d'elle d'un air scandalisé, puis elle s'est mise à pouffer de rire. « Vous êtes très vilain, Mister Nick.

Il a ricané – un ricanement de violeur. « Il n'est jamais trop tôt pour s'amuser un peu. »

J'ai éteint le gaz et versé l'eau bouillante sur un vieux sachet de tisane dans une tasse de porcelaine fêlée et tachée. Ça avait un goût d'eau stagnante. En fait, j'aurais bien descendu un verre de sherry.

« Joyeux Noël ! Enfin, joyeuses fêtes, Naomi ! » Je lui ai donné mon petit paquet.

« Merci, chérrrie. » Elle l'a collé sous son nez en humant, les yeux fermés de plaisir. « Mais je devais trouver quelque chose pour vous ! »

Ses yeux ont parcouru la cuisine, s'attardant un instant sur le paquet de biscuits marqué RÉDUCTION, une boîte de Maltesers écrasée et un gâteau industriel à moitié entamé.

« Oh, non ! Je vous en prie. C'est trop gentil. Que faites-vous pour… pour les fêtes, Naomi ? Ça ira, toute seule ?

– Je serai pas seule, chérrrie. D'abord Noël on célèbre et puis Hanouka. Blancs de dinde et *latkes*. Fêtes panachées, hein, le Wonder Boy ? »

Mais Wonder Boy avait disparu.

« Il vaut mieux que j'y aille. Je vous laisse vous amuser, mesdames. » Nick Wolfe s'est dressé devant nous. « J'ai encore trois estimations à faire avant de pouvoir boucler ma journée. Les agents immobiliers n'arrêtent jamais.

– Je vous prie, Nicky, vous avez pas fini le verre. » Mrs. Shapiro s'était remise à battre des paupières.

Il a pris le verre plein et l'a vidé cul sec. Avec une telle masse corporelle, ça n'aurait aucun impact.

« Mais il faut remporter la bouteille, a-t-elle ajouté en la poussant vers lui.

– Hors de question, Naomi. Gardez-la en modeste témoignage de ma considération. »

Il l'a contournée avec une agilité de rugbyman avant de franchir la porte du hall. Allait-il mettre le pied dans la crotte de chat ? Non. Dommage.

Elle l'a raccompagné. Tandis que je l'attendais dans la cuisine, j'ai entendu un bruit animal aussi étrange que troublant qui provenait du bureau. Je suis allée voir ce qui se passait. Et là, devant la cheminée, j'ai découvert Wonder Boy, le dos arqué, qui haletait et grognait en besognant de sa croupe musclée un petit chat roux plein de poils qui gisait immobile sur le pare-feu. Le pauvre, était-il mort, écrasé sous son poids ? J'ai regardé de plus près… Non, ce n'était pas un chat, mais une des pantoufles du *Roi Lion*.

« Quel homme adorable, n'est-ce pas ? » Mrs. Shapiro est revenue dans la cuisine en trottinant, rayonnante. « La prochaine fois que je l'invite, il faut venir. Il faut mettre un peu le maquillage, chérrrie. Et les vêtements plus jolis. J'ai le beau manteau que je vais vous le donner. Pourquoi vous portez toujours ce vieux *schmata* marron ?

– C'est très aimable à vous de penser à moi, Mrs. Shapiro, mais…

– Pas besoin faire le timide, Georgine. Quand tu vois l'homme qu'il est bien, il faut l'attraper.

– Vous êtes sûre que vous ne voulez pas une petite tisane ?

– Non merci, chérrrie. L'apéritif était très bien. »

Une sorte de grognement a retenti en provenance du bureau.

Le lendemain matin – c'était la veille de Noël – j'ai été réveillée à sept heures par la sonnerie du téléphone. J'ai aussitôt deviné qui c'était.

« Georgine ? C'est vous ? Venez vite. Quelque chose est arrivé mon *wasser*.

– Il y a une fuite ? Une canalisation rompue ? ai-je marmonné d'un ton groggy en me disant qu'elle aurait pu attendre une heure de plus avant de m'appeler.

– Non, rien. J'ai tourne robinet et que rien il se passe.

– Écoutez, je ne m'y connais pas en plomberie. Mais je connais un homme à tout faire. Voulez-vous que je l'appelle ? »

Silence.

« Combien il prend ?

– Je ne sais pas. Ça dépend d'où vient le problème. Il est très gentil. Il s'appelle Mr. Ali. »

Nouveau silence.

« C'est un Peki ?

– Oui. Non. Je ne sais pas. Écoutez, vous voulez que je l'appelle ou non ?

– C'est bon. Je l'appellerai mon bon ami Mister Nick. »

Elle a raccroché. J'ai téléphoné chez Wolfe & Diabello, mais je suis tombée sur un répondeur. Quelques minutes plus tard, Mrs. Shapiro a rappelé.

« Il est pas là. Juste le répondeur dans le bureau. Ces gens sont trop paresseux, hein ? Ils dorment tout le matin à la place travailler. C'est quoi le numéro votre Peki ? »

Quand je suis arrivée à Totley Place vers dix heures, j'ai vu que le vélo de Mr. Ali était déjà rangé sous le porche et qu'il buvait une tasse de l'immonde eau stagnante. Il s'est levé lorsque je suis entrée et m'a saluée chaleureusement.

« Rébaré broblème, Mrs. George.

– Ça venait d'où ?

– Quelque chose qu'il est étrange, a expliqué Mrs. Shapiro. Quelqu'un fermait le *wasser* robinet dehors. Mr. Ali il trouvait dessous la porte de derrière. Quel malin petite *knödel* !

– L'eau était toute coupée, a acquiescé Mr. Ali d'un air radieux. Maintenant, revenue.

– Mais pourquoi ?

– Comment je peux savoir ça ? » Il a vaguement haussé les épaules. « Je suis artisan, pas bsychologue.

– C'est vraiment bizarre », ai-je dit. Mon esprit allait à cent à l'heure. Qui avait bien pu faire une chose pareille ?

Mr. Ali a fini sa tisane et s'est levé pour prendre congé.

« Un autre broblème, vous me téléphone, Mrs. Naomi.

– Mais attendez, que je dois vous payer. C'est combien ? » Mrs. Shapiro a fouillé dans un cabas marron en similicuir posé sous la table.

« C'est bon. Cette fois pas payer. Juste tourner robinet.

– Mais je dois donner quelque chose que vous êtes venu chez moi.

– Vous donnez le thé. »

Il a jeté sa sacoche d'outils par-dessus son épaule et je me suis levée pour le raccompagner.

« Merci pour votre aide », ai-je dit en lui emboîtant le pas dans le hall.

Soudain, il s'est arrêté près de la petite table de téléphone à pieds torsadés. J'ai cru tout d'abord qu'il avait mis le pied dans la crotte de chat, puis je me suis aperçue qu'il avait les yeux rivés sur la photo encadrée de la voûte en pierre. Il s'est penché pour la regarder de plus près.

« Elle a l'air ancienne, hein ? ai-je dit d'un ton léger, alors que je n'avais aucune idée de quand elle pouvait dater.

– Église Saint-Georges, a-t-il dit, à Lydda.

– Lydda. » C'était donc un lieu et non une personne. « Vous y êtes déjà allé ?

– Un jour, j'ai revenu. Chercher ma famille. » Il avait parlé doucement, en murmurant presque. « Je suis né à côté de là.

– En Grèce ? » J'étais étonnée. Il n'avait pas l'air grec.

Il a fait non de la tête. « Palestine. »

Avant que je sache quoi lui répondre, il avait disparu. J'ai entendu la sonnette de son vélo tinter tandis qu'il le poussait dans l'allée. Quand je suis retournée dans la cuisine, Mrs. Shapiro était rayonnante.

« Très bon Peki. »

Je ne lui ai pas dit qu'il était palestinien.

Mon esprit continuait à tournoyer. Cette histoire s'avérait plus compliquée que je le pensais. Rien n'était conforme aux apparences. Lydda était un lieu et non une personne. Mr. Ali venait de Palestine et non du Pakistan, et quelqu'un avait fermé le robinet d'arrivée d'eau de Mrs. Shapiro. Pourquoi ? Une blague ? Ou du harcèlement ? Plus j'y pensais, plus j'avais la certitude que c'était Mr. Wolfe. Il avait dû remarquer le robinet en furetant. Il la savait vulnérable. Il avait passé un bon moment là, sur la chaise de cuisine, à lui faire boire du sherry en la couvrant de flatteries. C'était la carotte. Et la nuit venue, quand elle était seule, il lui avait donné le bâton.

Sur ce, le téléphone s'est mis à sonner. Mrs. Shapiro est allée dans le hall d'un pas traînant. Par la porte ouverte, je l'ai vue parler en gesticulant.

« Nicky ! Vous avez eu mon message au bureau… Merci d'appeler. C'est bon. Problème *wasser* résolu, mais vous pouvez venir quand même. Georgine est là… *Ach so.* Tant pis. Quand vous voulez prendre café *mit mir*, vous êtes très bienvenu. Oui, et joyeux Noël pour vous, Nicky. » Elle battait des paupières en parlant comme s'il se trouvait dans la pièce. Quand elle a raccroché, elle s'est tournée vers moi.

« Un homme très gentil. Il ferait le mari parfait pour vous, Georgine. Riche. Beau. Qu'est-ce que vous pensez ? »

J'ai ri. « Pas tout à fait mon genre.

– *Ach*, vous les jeunes filles ! Aujourd'hui, vous avez trop le choix. De mon temps, si tu vois l'homme qu'il est bien, il fallait attraper.

– C'est ce que vous avez fait, Mrs. Shapiro ? Comme les saucisses au Sainsbury's ? » l'ai-je taquinée.

Son visage s'est assombri. Elle s'est mise à chercher un mégot de cigarette dans le cendrier en fronçant les sourcils, essayant de déterminer quel était le plus long.

« Vous savez, pendant la guerre tellement les hommes qu'ils étaient tués. Si tu voyais un qui te plaît, il fallait attraper vite. »

III

Cohésion

19

Noël dans les règles de l'art

Je suis allée passer Noël à Kippax, pourtant je n'étais pas d'humeur à faire la fête. C'était mon premier Noël sans Ben et Stella, et j'avais dans le cœur une sensation de cavité douloureuse comme lorsqu'on a une dent arrachée. Je m'inquiétais également pour papa et maman, et le pire, c'était que je voyais bien qu'ils s'inquiétaient pour moi. Papa était encore souffrant ; sa dernière opération d'une hernie l'avait affaibli, mais il était déterminé à ne rien laisser paraître et faisait le tour de la maison dans ses nouvelles pantoufles Père Noël en accrochant les décorations. Je l'ai surpris à grimacer une fois ou deux, quand il se croyait à l'abri des regards. Le chauffage et la télévision étaient au maximum. Maman errait dans la cuisine d'un air absent, affublée d'une paire de bois de renne en feutrine, se demandant ce qu'elle avait bien pu faire de la sauce au pain et soutenant mordicus qu'elle se devait de préparer un vrai Noël dans les règles de l'art.

Quand je vivais encore à la maison, le soir de Noël

nous nous esquivions toujours toutes les deux pour assister à la messe de minuit à Saint Mary's. Maman adorait chanter les cantiques de Noël. Sa voix perçante et légèrement fausse me donnait envie de rentrer sous terre. Mais avec le temps j'avais appris à cultiver l'indifférence et fixer les gens des bancs d'en face qui se démanchaient le cou pour voir d'où provenait ce raffut, l'air de leur dire : qu'est-ce que vous avez à nous regarder comme ça ? Papa s'obstinait à rester à la maison pour se passer ses vieux Woodie Guthrie. Mon petit frère Keir allait au pub avec ses copains. Mais, cette année, même la perspective de pouvoir chanter à tue-tête n'avait pas suffi à persuader maman de sortir dans le froid et nous nous sommes installés tous les trois dans le canapé devant la télévision.

Le jour de Noël, à la place de la dinde traditionnelle, maman nous a servi un rôti de dinde façon traditionnelle vendu avec un sachet de sauce au pain – qu'elle avait perdu. Papa avait préparé la sauce avec des granules mélangés à de l'eau chaude. Il avait mis un tablier pour l'occasion.

« Je parie que tu n'aurais jamais cru que je deviendrais un nouvel homme, Jean, a-t-il dit à maman.

– Non, a répondu maman. Où est-ce qu'il y a du nouveau ? »

Elle était occupée à décongeler les chipolatas au micro-ondes. Elles venaient de la gamme à bas prix du Netto. Avec leur aspect rose et charnu, elles me faisaient penser aux doigts de l'Anguille. Quand j'ai mordu dedans, un jus rose s'est mis à dégouliner.

Maman avait mis un couvert pour Keir – il avait le

set du Loch Lomond, qui avait toujours été mon préféré. Une fois de plus, je me retrouvais avec le château d'Édimbourg.

« Aux amis absents ! » Elle a levé un verre de Country Manor tiède – son troisième. « Et mort aux Irakiens ! » Les bois de renne avaient glissé sur son front et pointaient en avant comme si elle s'apprêtait à charger.

« Maman, ai-je dit à voix basse, Keir est censé les libérer, pas les tuer. »

Mais il était trop tard. Papa s'est renversé sur sa chaise et a plaqué ses mains sur la table.

« De toute façon, il a rien à faire là-bas. » Il parlait si fort que les voisins pouvaient l'entendre. « S'ils avaient pas fermé tous les puits, ils seraient pas tous là à courir après le pétrole, hein ? »

La guerre avait mis en relief leurs divergences : maman d'une loyauté à toute épreuve envers les siens, papa d'une loyauté obstinée à ses principes.

« Ne commence pas, Dennis. C'est Noël. » Maman a posé la main sur son bras. Elle portait toutes ses bagues : en or, en saphir et en diamant.

– Je veux bien, mais c'est pas Noël pour eux, hein ? » a répondu papa, toujours aussi internationaliste.

La guirlande lumineuse du sapin clignotait, rivalisant avec la télévision dont on avait coupé le son, où les chœurs muets de King's College chantaient à perdre haleine.

« Que penses-tu de cette dinde ? m'a demandé maman en changeant de sujet. Elle était en promotion. »

Mais impossible de détourner papa de ses idées fixes.

« Moi, je t'aurais plutôt pris le Tony Blair et je te l'aurais ficelé pour faire un bon rôti. Et avec le gésier en prime. »

Maman s'est penchée vers moi pour me glisser à voix haute : « Je ne sais pas pourquoi, mais à chaque fois, à Noël, il remet ça. »

À ces mots, j'ai soudain revu un autre Noël – bien longtemps avant la grève, je devais avoir dix ans à l'époque et Keir cinq. Une troupe de choristes était passée chez nous. C'étaient des élèves de l'école voisine. Ils avaient sonné à la porte et quand papa était venu leur ouvrir, ils s'étaient mis à chanter de leurs petites voix éraillées :

Nous sommes les trois Rois mages
Chargés de présents,
Nous avons fait un grand voyage.

Papa avait attendu patiemment qu'ils aient fini. Arrivés à la fin du deuxième couplet, ils s'étaient tus. Sans doute ne connaissaient-ils pas la suite. Papa avait fouillé dans sa poche et leur avait donné quelques pièces. Puis, alors qu'ils marmonnaient leurs remerciements, il avait entonné :

Le drapeau du peuple est rouge profond,

Il fut souvent le linceul de nos martyrs…

Il chantait d'une voix grave et vibrante. Keir et moi avions filé nous cacher derrière le canapé. Les enfants restaient plantés là, bouche bée. Quand il était arrivé au passage sur les membres qui devenaient raides et froids, ils s'étaient brusquement retournés et sauvés à toutes jambes jusqu'au bout de la rue sans regarder derrière eux.

« Pourquoi tu as fait ça, Dennis ? l'avait grondé maman.

– Ils devraient leur apprendre, à l'école, avait répondu papa avec douceur. La vraie histoire, pas des contes de fées. »

Quand on était retournés à l'école après les vacances de Noël, les enfants m'attendaient.

« Ton père est cinglé, m'avaient-ils lancé.

– Non, c'est pas vrai. » Je leur avais tenu tête. « C'est parce que vous étiez nuls. »

J'ai vu papa grimacer de douleur en remuant sur sa chaise et j'ai eu mal pour lui. Pauvre papa… Il n'avait jamais eu peur de se mouiller et avait toujours fait ce qu'il croyait être juste au mépris des conséquences. J'ai pensé avec une pointe de tristesse à Rip, Stella et Ben qui passaient leur Noël à Holtham sans moi. Le repas y serait meilleur, les cadeaux plus dispendieux, le décor discret et plein de goût. Il n'y aurait pas de pantoufles Père Noël ni de bois de renne, pas de discussions politiques, pas de sets de table Highlands ou de sapin en plastique orné d'une guirlande avec des ampoules de couleur. Stella se prélasserait dans le jacuzzi et flirterait de manière éhontée avec son grand-père. Ben reviendrait avec un quelconque gadget high-tech pour son ordinateur, qu'il s'empresserait de cacher discrètement dans sa chambre pour ne pas me faire de peine.

« Ne t'en fais pas, mon chou, m'a dit maman en lisant sur mes traits. Rien de tel qu'être en famille à Noël. »

Nous avons trinqué, maman avec le reste de Country Manor, papa et moi à la bière brune. Le mystère de la sauce au pain s'est dissipé quand papa l'a versée sur le *Christmas pudding*.

Cette nuit-là, dans mon lit, j'écoutais les voix dans la chambre d'à côté sans trouver le sommeil. Maman m'avait sorti un pavé de Danielle Steel, mais je n'arrivais pas à rentrer dedans, mon esprit ne cessait de replonger dans le passé, retraçant le chemin parcouru depuis l'époque où j'avais quitté ma famille.

C'étaient les livres qui avaient changé ma vie – qui m'avaient arrachée aux maisons mitoyennes couvertes de suie de Kippax pour me catapulter à l'université, à la découverte du vaste monde. Quand le conseiller d'orientation de Garforth Comp m'avait demandé ce que je voulais faire, je lui avais répondu que je voulais devenir écrivain. « Écrire est un merveilleux passe-temps, avait-il soupiré comme s'il savait de quoi il parlait. Mais vous aurez besoin d'un gagne-pain. »

J'avais passé un diplôme de lettres à Exeter, puis j'avais fait des études de journalisme au London College of Printing. J'étais la première de ma famille à aller à l'université – je sais bien que de nos jours c'est banal, mais à l'époque ça ne l'était pas pour nous. Après un stage au *Dulwich Post*, j'étais retournée dans le Yorkshire où j'avais accepté un poste de journaliste au *Telegraph and Argus* de Bradford, pour me rapprocher de la maison. Puis j'avais eu la chance de décrocher une place à l'*Evening Post* de Leeds. Au fil du temps, sans m'en apercevoir, j'avais arrêté de parler Yorkshire et de penser Kippax. Aujourd'hui, une oreille exercée remarquerait peut-être mes *a*, que je n'accentue pas toujours. Et je n'avais plus pour ambition ultime d'épouser Gavin Connolly. Mes parents ne m'en voulaient pas. Maman avait fait un album des articles que j'avais signés et le sortait au moindre prétexte. Ils étaient fiers de moi, mes parents.

Eux aussi avaient fait du chemin. Papa était entré dans l'industrie minière après la guerre, et quand il avait bu une pinte ou deux, il se lançait dans des envolées lyriques sur le modèle social d'après guerre, où la famille, la communauté, la mine, le syndicat, le gouvernement, la nation, les Nations unies ne faisaient plus qu'un. C'est à ce modèle qu'il devait tout ce qu'il possédait, et en échange il avait donné sa contribution, suivant des cours du soir pour devenir contremaître, étudiant ses manuels au fond de la mine à la lueur de sa lampe, car il était convaincu qu'il était de son devoir de mettre à profit ses facultés pour tous ceux qui étaient moins capables que lui. Lorsque, en 1986, Ledston Luck avait fermé ainsi que cent soixante autres mines à la suite de la grève, les hommes tels que mon père et mon frère s'étaient trouvés rejetés de cette société hospitalière pour être propulsés dans un tout autre monde. « L'Angleterre de Maggie », comme disait toujours papa avec un sourire narquois. Ce n'était plus son pays.

Keir – il n'avait que vingt et un ans à l'époque – avait survécu en se trouvant une nouvelle famille : les Royal Engineers avaient comblé le manque laissé par la mine et le syndicat des mineurs. Il y avait des cartes postales de Keir construisant des ponts dans des contrées exotiques, entouré d'enfants souriants à la peau sombre ; Keir en civil buvant une bière au pied d'un imposant sommet couronné de neige ; Keir et ses camarades tout sourire sous leurs casques posant quelque part dans un désert. « Regardez un peu où il est, notre petit gars », murmurait maman en passant les doigts sur la photo brillante.

Papa avait été muté au gisement de Selby, et quand ce dernier avait également fermé, il était encore suffisamment jeune pour toucher le chômage, suffisamment vieux pour toucher une retraite correcte et du charbon à vie et suffisamment à gauche pour accepter la direction de la section travailliste locale. Il avait consacré toute son énergie à renverser Maggie, poursuivant sa mission avec le même zèle opiniâtre qu'il mettait auparavant à détecter le grisou. Il n'avait jamais tout à fait pardonné à Keir de s'être engagé dans l'armée, ni à moi d'avoir épousé Rip, mais il ne nous avait jamais lâchés non plus, tout comme il n'avait jamais lâché le Parti travailliste, même quand Tony Blair s'était avéré être un mini-Maggie, comme il le surnommait.

De son côté, Maman s'était épanouie dans les années quatre-vingt. Elle adorait les épaulettes et les bijoux. Elle adorait se balader en car pendant la grève en braillant à tue-tête. Puis, au lieu d'accepter la défaite, elle avait mis à profit les talents d'organisatrice qu'elle s'était découverts et suivi des cours du soir de comptabilité à Castleford. Alors que papa s'apprêtait à prendre sa retraite, maman attaquait une nouvelle carrière de comptable pour Pete's Fish & Chips, Annie's Antiques, Electric Steve, Abdul 24/24,

Rock Hair et autres petits commerçants qui se succédaient dans les anciens villages miniers. Pour la première fois de sa vie, elle était financièrement indépendante. Puis, plus ou moins à l'époque de ma séparation avec Rip, elle avait commencé à perdre la vision centrale de l'œil gauche. Ce serait lent, avait dit le médecin, mais évolutif.

Quelque part dans la maison, j'ai entendu un bruit de porte puis la chasse d'eau. Ce devait être papa se débattant avec sa prostate aussi obstinément qu'il s'était débattu avec le capitalisme mondial. Puis de nouveau la chasse d'eau et des voix dans la cuisine. Le sifflement de la bouilloire, le tintement des tasses. Dans la journée ils faisaient bonne figure en ma présence, mais la nuit ils étaient assaillis par tous leurs soucis. Comme ils ne trouvaient pas le sommeil, ils se préparaient du thé tous les deux. Papa et maman.

J'étais là dans le noir, à écouter le murmure de leurs voix en songeant à Noël. Franchement, quand on y pense, ce n'est pas bien joli comme histoire. Bon, d'accord, un bébé est né et il y avait des anges, une étoile dans le ciel – jusque-là, ce n'est pas mal –, mais cette pauvre Marie qui a dû faire tout ce chemin à dos d'âne – dans son état ? Les Rois mages et leurs cadeaux sinistres. Puis le massacre des innocents. Et encore, ce n'est que le début ; après ça, il y a eu des crucifixions, une résurrection – et on attend encore Armageddon et le Second Avènement.

Soudain, j'ai repensé à la conversation que j'avais eue avec Ben sur Jésus et la fin du monde, la peur dans son regard tandis qu'il essayait de rationaliser l'irrationnel. C'est vrai que l'époque de Noël était risquée, me suis-je dit. Parfois, il vaut mieux rester chez soi jusqu'à ce que ce soit fini.

20

Les fêtes

Quand je suis rentrée à Londres le lendemain de Noël, Wonder Boy m'attendait devant la porte avec un oiseau mort. À ses yeux ce devait être un cadeau, aussi je l'ai laissé entrer dans la cuisine et je lui ai donné une soucoupe de lait, malgré toutes les bonnes résolutions que j'avais prises de ne pas l'encourager. C'était Noël après tout. Il m'a remerciée en levant la queue pour arroser le lave-vaisselle. Merci, Wonder Boy.

Ben ne devait pas rentrer avant quelques jours. Même *Adhésifs* s'était mis en congé – le prochain numéro n'était prévu qu'en mars. Nathan m'a appelée pour me souhaiter une bonne année et me raconter une blague.

« Qu'est-ce qui est plus fort que la colle pour assurer une bonne cohésion ? a-t-il murmuré sur un ton de conspirateur.

– Je ne sais pas. Dis-moi.

– Un assemblage hybride. Avec colle et vice. Tu as pigé ? » Je l'imaginais avec sa blouse blanche ouverte pouffant d'un rire gluant à l'autre bout du fil. Quand il a raccroché, le silence de la maison s'est refermé sur moi.

La première nuit que j'ai passée chez moi, je n'ai pas arrêté de me tourner et me retourner dans mon grand lit à moitié vide en regrettant de ne pas être dans mon ancienne chambre de Kippax avec la télévision qui braillait et papa et maman qui se faisaient du thé au beau milieu de la nuit. Évidemment, je savais bien que si j'avais été là-bas, j'aurais regretté de ne pas être ici – le problème, ce n'était pas ici, ce n'était pas Kippax, mais quelque chose qui me rongeait de l'intérieur.

C'est à des moments comme ça qu'on cherche le réconfort dans la littérature. Je me suis fait un thé et j'ai sorti mon cahier.

Le Cœur éclaté
Chapitre 5

Noël à Holty Towers était une véritable orgie de gloutonnerie et de consommation effrénée que Gina trouvait ~~cruellement tentante~~ absolument révoltante. Mrs. ~~Sinclair~~ Sinster offrit à Mr. ~~Sinclair~~ Sinster ~~un yacht un jet privé une Rolex une flasque en argent des clubs de golf, bien qu'il en eût déjà quatre jeux complets, parce qu'il avait déjà tout le reste~~.

Pour être franche, je n'ai aucune idée de ce que

ces gens-là peuvent bien s'offrir. Même si les Sinclair n'étaient pas aussi richissimes que les Sinster du *Cœur éclaté*, Ben et Stella étaient leurs uniques petits-enfants et à Noël ils avaient tendance à les gâter excessivement. Stella acceptait tout en remerciant avec effusion et avait appris avec l'âge à soutirer les reçus aux donateurs pour rapporter les articles au magasin et les échanger contre ce qu'elle voulait. Ben acceptait tout avec un sentiment de culpabilité et offrait les cadeaux dont il ne voulait pas au refuge des animaux, où il s'était lié d'affection avec un âne abandonné du nom de Dusty. Ben et Stella : si chers à mon cœur, si différents. J'ai refermé mon cahier et je suis restée là dans le noir en repensant à leurs visages ; ils me manquaient tant.

La veille du Nouvel An, le téléphone a sonné vers minuit moins cinq. Il m'a brusquement arrachée à un sommeil de plomb. En cherchant à tâtons le combiné et la lampe de chevet, j'ai fait tomber mon verre d'eau par terre.

« Allô ?

– Ç'est moi. » La voix était grinçante et comme étouffée.

« Qui ça, moi ?

– C'est moi. Ben.

– Ben ! Qu'est-ce qui se passe ? Tu sais quelle heure il est ?

– Tu es là demain ? Je rentre. J'ai oublié ma clef. »

Je reconnaissais à peine sa voix – elle était légèrement éraillée, avec une pointe d'accent de Londres que je n'avais jamais remarquée.

« Bien sûr. Mais je croyais que tu restais jusqu'au Nouvel An.

– Oui, mais finalement je rentre demain. Le train arrive à trois heures dix. »

Il avait un léger tremblement dans la voix. Si je n'avais pas été sa mère, je ne l'aurais pas décelé.

« Tu veux que je vienne te chercher à Paddington ?

– Non, ça va. Je prendrai le bus.

– Tout va bien ?

– Oui. Impeccable.

– Mais pourquoi ?...

– Je te raconterai. »

Clic.

Après ça, j'avais mis plus d'une heure à me rendormir. Il avait dû se passer quelque chose. Une dispute sans doute.

En fait, Ben n'est rentré que vers quatre heures et demie. Soit le train avait du retard, soit il n'y avait pas de bus. J'étais là à regarder la pendule, attendant avec la même impatience, la même anxiété qu'à l'époque où j'attendais que Rip rentre d'un voyage d'affaires. Puis on a sonné à la porte et mon fils était là, planté sur le seuil dans le crépuscule hivernal, avec son gros sac à dos et un grand sac dans chaque main. J'avais le cœur débordant de joie, bien que cela fît à peine plus d'une semaine que je ne l'avais pas vu.

« Bonjour, m'man.

– Bonjour, Ben. »

Il a laissé tomber ses sacs dans l'entrée et il est resté là les bras ballants, le sourire contraint, pendant que je le serrais dans mes bras, acceptant ce rituel embarrassant sans y prendre part. Il semblait plus maigre et plus grand, comme s'il avait pris trois ou quatre centimètres en une semaine. Il avait une ombre de moustache sur sa lèvre supérieure. Ses cheveux avaient poussé, eux aussi, et il les avait attachés avec un petit foulard noué derrière ses oreilles, style pirate. C'était nouveau.

Il n'avait pris que le sac à dos en partant, les grands sacs devaient donc contenir des cadeaux. Il y en avait même un pour moi de la part des Sinclair – une énorme boîte de chocolats belges, semblable à celle que je leur avais envoyée mais en plus grand et plus cher.

« Comment s'est passé Noël ? lui ai-je demandé.

– Bien. »

La maturité avec laquelle Ben avait géré la séparation entre Rip et moi avait quelque chose de terrible. Ça me remplissait d'effroi et d'admiration. Il ne nous jouait jamais l'un contre l'autre – il était farouchement loyal envers nous deux. Mais j'étais saisie d'une curiosité aussi immature que malveillante et brûlais de savoir ce qui s'était passé là-bas à Noël.

« Alors pourquoi es-tu rentré plus tôt que prévu ? lui ai-je demandé d'un ton désinvolte.

– Oh, c'est juste que j'en avais marre. »

J'aurais pu le croire et en rester là, mais je me souvenais du coup de fil, de sa voix tremblante à minuit moins deux. Ce n'était pas seulement qu'il en avait marre.

« Et Stella ? Elle était là ?

– Oui. Mais elle est partie. Je crois qu'elle est allée chez son petit copain. »

Je lui avais envoyé un cadeau, un châle en soie fait à la main dans un camaïeu rose – il lui irait à merveille, c'était sa couleur. J'espérais qu'elle m'appellerait, mais je n'avais eu qu'un texto : *Mci m'man Kdo gnial jyx noël à + xxx.*

Bien que je lui eusse laissé un message avant Noël, Mark Diabello ne m'avait rappelée que le 31 décembre au matin. Je me souvenais que j'essayais d'éclaircir l'histoire de l'eau coupée chez Mrs. Shapiro et j'avais la certitude que le coupable était soit lui, soit Nick Wolfe.

« Mrs. Sinclair ? En quoi puis-je vous aider ? Avez-vous vu votre tante à Noël ? »

Bon, d'accord, je n'avais pas été honnête non plus.

« Écoutez, Mr. Diabello, je veux juste savoir ce qui se passe. Vous proposez un demi-million à Mrs. Shapiro pour sa maison. Puis vous faites passer le prix à un million, là, comme ça. Ensuite, votre associé lui offre deux millions. »

Il n'a eu qu'une seconde d'hésitation.

« Avec un bien aussi particulier que celui-ci, Mrs. Sinclair, il est difficile d'établir une estimation précise, car il n'y a rien de comparable sur le marché. En fin de compte, le prix du marché – comment dire ? – est celui que le plus offrant est prêt à payer. C'est pour cette raison que je suggère de la mettre sur le marché et de voir les offres qui se présentent. C'est logique, non ? »

En fait, ça m'avait l'air parfaitement plausible.

« Sur ce, il vient couper l'eau au beau milieu de la nuit.

– Il a fait ça, Nick ?

– Je suis sûre que c'est lui. Le matin même, il était là à faire boire du sherry à Mrs. Shapiro. »

Silence.

« Ne tirez pas de conclusions hâtives, Mrs. Sinclair. Vous permettez que je vous appelle Georgina ? »

Allez savoir si ça me dérangeait. Mes hormones faisaient un tel raffut que je ne m'entendais plus penser.

« Je vais lui en toucher un mot, si vous voulez. Quelquefois, il… il s'emballe. Il craque pour un bien et il oublie qu'il appartient à quelqu'un d'autre. » Il a hésité.

Changé de ton. « Vous savez, Georgina, ça va peut-être vous surprendre, mais pour être agent immobilier, il faut y mettre de la passion. Si on se lance là-dedans, c'est qu'on a une passion pour les biens. Les maisons élégantes, les petits cottages douillets, les grandes demeures et les appartements chics, chaque bien représente toute une vie – un rêve qui se réalise pour quelqu'un. Notre job, c'est d'accorder le rêve au bien.

– Alors maintenant vous vendez du rêve ? » J'essayais d'avoir l'air coriace, mais, en l'entendant parler, je songeais : c'est excitant, la mélasse noire – plus subtil, plus complexe que le miel blond, bien trop sucré. « Nous nous efforçons de réaliser des rêves, Mrs. Sinclair. » À l'autre bout du fil, il y a eu un souffle, comme un soupir. « Mais, en fait, on passe les trois quarts du temps à fourguer des logements sociaux à des gens qui imaginaient mieux et des appartements rénovés à des investisseurs amateurs qui veulent se faire du fric facilement en les louant. La passion s'émousse ; on ne fait plus ça que pour l'argent. Et puis il arrive qu'on déniche quelque chose de vraiment extraordinaire, quelque chose dont on tombe follement amoureux. À en perdre la tête. Comme Canaan House. »

Je l'ai dit, je ne suis pas du genre à penser automatiquement au sexe quand je parle avec un homme, mais Mr. Wolfe avait apparemment lancé une mode et je me suis surprise à me demander ce que ça donnerait avec Mr. Diabello. Et, mmm, je dois dire que c'était bien plus agréable. Mais – j'ai fait taire mes hormones rugissantes – il n'en demeurait pas moins un agent immobilier et, qui plus est, probablement véreux.

« Ce n'est pas un bien – c'est une maison. Et elle n'est pas à vendre », ai-je rétorqué.

Ce n'est qu'en raccrochant que je me suis rendu compte de l'incohérence de leurs discours. Mark avait parlé de vendre la maison au prix du marché, quel qu'il soit. Mais Nick Wolfe, lui, voulait l'acheter.

« Qu'est-ce que tu fais pour le Nouvel An, m'man ? »

Ben est venu s'asseoir sur l'accoudoir de mon fauteuil, interrompant ma réflexion.

« Je ne sais pas – je n'y ai pas pensé. C'est ce soir, non ? »

Si Noël est le moment où l'on se retrouve en famille, le Nouvel An est le moment de célébrer l'amitié – et la plupart de mes amis étaient à Leeds.

« Je n'ai aucun projet, Ben. On peut se préparer un dîner de fête, ouvrir une bouteille de vin et regarder les feux d'artifice à la télévision. Et toi, qu'est-ce que tu as envie de faire ? »

Il s'est agité sur l'accoudoir.

« Je pensais peut-être sortir avec des potes du bahut…

– Vas-y. Je… » Mon cœur a bondi, j'ai réfléchi à toute vitesse. « Je vais aller voir Mrs. Shapiro.

– … mais je peux rester si tu veux. Si t'es seule.

– Non, non. Vas-y. C'est super. »

Je ne voulais pas qu'il s'aperçoive que j'exultais. Il avait des amis, il faisait partie d'une bande, mon pauvre petit déchiré en deux, il passerait le Nouvel An à se saouler et vomir dans le caniveau et non chez lui devant la télé avec sa mère.

« Mrs. Shapiro et moi, on va descendre une bouteille de sherry et brailler des chansons idiotes. On va bien s'amuser. »

Au fond de moi, je me disais que je ne serais pas mécontente de m'épargner quelques jours Mrs. Shapiro et la puanteur de son entourage et de passer la soirée seule à la maison.

Puis, vers six heures du soir, le téléphone a sonné. Je me suis sentie découragée. J'étais sûre que c'était Mrs. Shapiro. Mais en fait c'était Penny, d'*Adhésifs*.

« Salut, Georgie… T'as des projets pour ce soir ? a-t-elle lancé de sa voix de stentor. Je fais une petite fête à la maison. Il y aura des gens du boulot. Apporte une bouteille et des chaussures pour danser. »

Elle m'a donné l'adresse, juste à côté de Seven Sisters Road. Je ne savais pas qu'elle habitait si près. Je me suis demandé rapidement ce que j'allais mettre, puis j'ai repensé à la robe de soie verte. J'avais l'intention de la faire nettoyer, mais tant pis.

21

La fête d'*Adhésifs*

La musique s'entendait jusqu'au bout de la rue. Penny m'a accueillie en me serrant contre elle et m'a aidée à enlever mon manteau avant de prendre la bouteille de rioja que j'avais apportée. Elle était petite et plantureuse, la quarantaine, je dirais, vêtue d'une minijupe noire brodée de tourbillons en sequins et d'un haut rouge décolleté avec vue plongeante sur son soutien-gorge. Elle avait des cheveux bouclés blond peroxydé coupés court hérissés sur le sommet du crâne qui lui donnaient des airs de lutin grassouillet.

« Merci de m'avoir invitée, Penny. Je suis contente de faire enfin ta connaissance. »

Je l'ai embrassée sur ses bonnes joues toutes chaudes et je l'ai suivie dans une pièce où toutes les lumières étaient éteintes et la sono dégageait une telle puissance que j'ai dû me boucher les oreilles. Une foule de gens se balançaient en piétinant et l'atmosphère était saturée de fumées en tout genre.

« Ils sont tous là. » Penny parlait en roulant des hanches. « Nathan est venu avec son père. »

Elle m'a donné un petit coup de coude. Je me suis retrouvée propulsée en avant. Au départ, je ne me sentais pas d'humeur à faire la fête, mais soudain j'ai été entraînée par l'ambiance et je me suis frayé un chemin en me dandinant en rythme au milieu des corps qui se pressaient dans la pièce.

« Voici Sheila. » Penny m'a présentée à une fille qui devait avoir à peu près l'âge de Stella, vêtue d'une petite bande de satin rouge – le minimum de tissu nécessaire à une robe –, qui dansait langoureusement dans les bras d'un sublime jeune Noir élancé d'un bon mètre quatre-vingt-cinq. Il avait un verre de vin rouge dans une main et une cigarette dans l'autre. Ils se déhanchaient de façon suggestive. Penny les a laissés pour m'emmener au fond de la pièce.

« Ce grand mec là-bas, c'est Emery, un des pigistes de *Préfabrication.* Je t'ai parlé de sa petite opération ? a-t-elle chuchoté.

– Non, euh, qu'est-ce ?… »

Je me suis demandé ce qu'elle avait bien pu leur dire de moi.

« Tiens, je te présente Paul. Paul, voici Georgie. Tu sais, d'*Adhésifs.* »

Paul était un garçon frêle aux épaules timidement voûtées, avec un yin-yang tatoué sur l'avant-bras.

Il m'a saluée de la tête en continuant à danser, fasciné

par la toute petite brune dont le torse virevoltait devant lui. Quand je me suis retournée, Sheila avait disparu, et le sublime garçon élancé se jetait sur moi. J'ai senti mes genoux se dérober et mon pelvis se liquéfier, mais le rythme s'est emparé de mes pieds et je me suis surprise à rouler les hanches de manière inhabituelle. Il s'est rapproché.

« Salut, ma belle. Je suis le cousin de Penny, a-t-il hurlé pour couvrir le vacarme de la musique. Darryl Samson. Je suis médecin. » Avec un médecin pareil, il y avait de quoi rester cloué au lit. C'était autre chose que le docteur Polkinson, le médecin miteux du cabinet de Kippax.

« Ça m'étonne que vos patients prennent la peine de guérir. »

Il a éclaté d'un rire profond incroyablement sexy.

« Moi, c'est Georgie. Je suis… écrivain.

– Sérieux ? »

Je sentais ses hanches – et pas seulement ses hanches – qui se collaient à moi. Puis Penny a surgi à mon côté, m'a prise par la main et m'a entraînée avec elle.

« Viens, tu as besoin de boire quelque chose. » Elle a jeté à Darryl un regard d'avertissement et ce dernier a écarté les paumes avec un sourire d'excuse.

« Attention à lui. C'est le beau-frère de ma sœur. Il ne faut rien croire de ce qu'il te dit.

– Il est médecin ?

– Ha ! » Elle a renversé la tête en arrière. « J'ai eu quelques plaintes. Il a dit à Lucy qu'il était gynécologue. Et elle l'a cru. »

En regardant par-dessus mon épaule, je l'ai vu traverser la pièce avec la même insolence languide que Wonder Boy pour venir se jeter entre Paul et la fille au torse virevoltant, et l'instant d'après ils se déhanchaient tous deux ensemble, bassin contre bassin. J'étais plantée devant les boissons dans la pièce d'à côté, un verre de rouge à la main, râlant intérieurement contre Penny, quand, brusquement, elle a plongé parmi la foule et m'a pêché quelqu'un d'autre. « Georgie, voilà quelqu'un qu'il faut absolument que tu rencontres. »

J'ai écarquillé les yeux. C'était incroyable. Lunettes à monture d'écaille. Yeux bleu marine. Cheveux bruns, front haut. Le type même du beau mec intelligent – il ne lui manquait plus que la blouse blanche. Et quelques centimètres de plus peut-être. Bon, d'accord, il était un peu petit – mais quelle importance ? Étais-je superficielle au point de ne pas pouvoir être attirée par un homme qui avait un ou deux centimètres de moins que moi ? J'en étais à ce point de mes réflexions quand le beau mec intelligent mais petit a tendu la main.

« Bonjour, je suis Nathan.

– Et moi Georgie. » Je me suis sentie rougir. « Ravie de faire enfin ta connaissance.

– La rose de Chattahoochee.

– Hein ?

– Georgie. Tu sais, sur la rivière Chattahoochee.

– Ah ! Je ne suis pas très douée en géographie », ai-je bafouillé. Je lui avais déjà prouvé mon ignorance. Il portait une chemise en soie bleu nuit assortie à ses yeux, et la barbe de trois jours qui jetait une ombre sur ses joues et son menton était parsemée de poils argentés tout à fait séduisants.

« Tu as une robe magnifique.

– Merci. Elle vient de… » Il y avait une petite tache de vomi sur une manche, mais il ne l'avait sans doute pas vue.

« J'avais hâte de faire ta connaissance, Georgie. » Cette voix basse, confidentielle, avec une pointe d'accent chic. Je me suis aperçue que depuis des années notre seul sujet de conversation était la colle. Devais-je mentionner mes idées sur la polymérisation ?

« Moi aussi. Je repensais à ce que tu m'avais dit… » Je me souvenais de sa plaisanterie à Noël. Avec colle et vice. Non, ce n'était pas terrible comme entrée en matière. « Après toutes ces années, à parler d'adhésifs au téléphone. Je me disais que tu devais être… » Non, ça n'allait pas non plus. J'ai rougi.

« Un pot de colle ?

– Absolument pas. »

Sur ce, un monsieur plus âgé que je n'avais pas remarqué, maigre et noueux, avec une barbe blanche en broussaille et un verre de vin blanc à la main, s'est approché de moi.

« Alors, Nathan, tu ne me présentes pas ta jeune amie ? »

J'ai cru apercevoir une brève lueur d'agacement dans le regard de Nathan, mais il s'est contenté de dire : « Tati, voici ma collègue Georgie. Georgie, je te présente mon père.

– Georgie ! Ah, ah ! L'État ou la république ?

– Euh… » Était-ce un nouveau quiz de géographie ? Je n'avais pas fait de géographie depuis l'âge de quatorze ans. À cette époque, à Garforth Comp, il fallait choisir entre l'histoire et la géographie. Je me suis sentie rougir sous le regard curieux de Nathan.

J'ai été sauvée par le carillon de Big Ben. Les lumières se sont rallumées. Les bouchons ont sauté et tout le monde a levé son verre. Nathan a pris une bouteille et rempli les nôtres. J'ai avalé une grande gorgée de vin qui m'est monté directement à la tête. Le vieux monsieur a posé son verre, croisé les bras, saisi ma main gauche de sa droite d'une poigne étonnamment ferme et tendu son autre main à Nathan. Puis il a pris son souffle et entonné : « Ce n'est qu'un au revoir, mes frères… » Tout le monde s'est tu. « Ce n'est qu'un au revoir… » Sa voix avait un écho étrangement grave et mélodieux. Il s'est alors produit une sorte de polymérisation – subitement, toutes les molécules de gens qui s'agitaient dans la pièce se sont prises par la main pour former une longue chaîne covalente. Et bientôt nous étions tous là à nous balancer main dans la main et nous embrasser les uns les autres. J'ai même eu droit à une petite bise de Darryl. Ce n'était pas désagréable. Puis Sheila l'a entraîné ailleurs et le vieux monsieur en a profité pour se jeter sur moi et m'enfouir le visage dans sa barbe. Il s'est mis à m'embrasser vigoureusement, un baiser moustachu, épicé – au *vindaloo.* Je me suis débattue, mais il me tenait fermement. Nathan est venu à ma rescousse.

« Bonne année, Georgie ! » a-t-il murmuré comme si nous partagions un secret. L'espace d'un instant, il m'a serrée dans ses bras. Nos lèvres se sont frôlées. Tout s'est mis à tournoyer autour de moi. Mais le vieil homme s'est interposé entre nous, repassant à l'attaque, du coup je me suis dégagée, j'ai attrapé mon manteau sur la pile entassée dans la pièce d'à côté et je me suis ruée dehors.

Il faisait un froid polaire. Je me suis mise à courir. Les rues étaient pleines de fêtards et le ciel peuplé d'étoiles.

Quand je suis rentrée, la maison silencieuse était plongée dans le noir et il faisait bon. Je n'ai pas allumé les lumières. J'ai balancé mon manteau et mes chaussures, je me suis allongée sur le lit et endormie quasi aussitôt. Je me suis réveillée deux heures plus tard, gelée, avec un goût répugnant dans la bouche. Un mélange de mauvais vin et de *vindaloo.* Mais ça m'a fait réfléchir et je me suis demandé à quand remontait mon dernier baiser. En fait, ça m'avait fait du bien. Je devrais sortir plus souvent.

J'ai fait ma toilette, je me suis brossé les dents, j'ai enfilé ma chemise de nuit et je suis retournée me coucher. J'ai essayé d'appeler Ben, mais il avait éteint son portable. Il ne tenait probablement pas à être embarrassé par les coups de fil de sa maman. J'ai sombré peu à peu dans le sommeil en me demandant où il était, repensant au Nouvel An 1980 à Kippax, quand j'avais embrassé Karl Curry. Qu'avait-il bien pu devenir ?

Je me suis réveillée peu après le lever du jour et je suis allée voir de l'autre côté du palier si Ben était rentré. Les rideaux étaient tirés et la lumière éteinte. Ça sentait le renfermé, une odeur mêlée de sommeil et de vieilles chaussettes. Mais il n'était pas dans son lit. Une lumière rouge clignotait sur son ordinateur. C'était l'écran de veille où tournoyait un motif criard de spirales rouges et blanches qui donnaient le vertige. Je suis allée l'éteindre et dès que j'ai touché la souris, la page qu'il regardait a surgi sous mes yeux.

C'étaient les mêmes caractères rouges sur fond noir qu'auparavant. Mais, cette fois, le mot qui brillait en lettres rouges encerclées de flammes dansantes était *Antéchrist.* Qu'est-ce que c'était que ces imbécillités qu'il regardait ? Par curiosité, je suis allée sur la page précédente et je me suis retrouvée sur un forum de discussions. Il n'y avait que deux noms : Benbo et Spikey.

Spikey : salut benbo bonne année gaffe c'est l'année du rène de l'antéchrist.

Benbo : c'est qui à ton avis l'antéchrist poutine ou bush ?

Spikey : poutine est le roi du nord qui va s'allier avec le roi du sud dans la bataille d'armagedon daniel 11,40.

Benbo : c'est où armagedon ?

Spikey : c'est dans le nord d'israël.

Benbo : wah c'est vachement loin d'highbury c'est qui le roi du sud ?

Spikey : gadafi ou sadam hassain ou ousama benladin au choix.

Benbo : tu crois qu'obl est tjs en vie ?

Spikey : va voir *http://dramusic.com/endtimeprophesies/oblIives.html* il a la goutte aux orteils mais à part ça ça va.

Benbo : je pense que saddam est tjs en vie t'as remarqué un truc bizare sur les photos de pendaison l'angle de la tête est pas normal et quand quelqu'un est pendu les yeux sortent à cause de la pression mais les yeux de saddam ont l'air normal à mon avis la tête est un copié-collé d'une autre photo.

Spikey : t'as raison si les photos sont fausses peut-être l'execussion était fausse aussi t'as été regardé *http://www.saddamhusseinlives.com* ?

Benbo : j'ai lu quelque part que le prince charles est l'antéchrist à cause des codes-barres du duché de cornouailles.

Spikey : 666 est la marque de la bête va voir ce lien *antéchrist.*

Benbo devait être Ben. Où avait-il appris tout ça sur la pendaison ? Mais qui était Spikey ? En tout cas, son orthographe laissait à désirer.

J'ai cliqué sur le dernier lien, qui m'a amenée sur le site d'un certain Isiah. C'était un homme d'âge mûr aux cheveux ras avec des paupières tombantes et une grosse croix en bois attachée à une chaîne autour du cou. Sous sa photo il y avait un titre :

Qui est l'Antéchrist ?

Beaucoup de chrétiens ont cru que l'Antéchrist était le communisme et qu'*Armageddon* serait la guerre nucléaire entre la Russie et l'Amérique. Cependant il semblerait qu'aujourd'hui les forces de l'Islam et de la Chrétienté se préparent à la bataille défénétive avant que le troisième Temple est reconstruit à Jérusalem et que le Christ revient régner sur la Terre dans toute sa puissance et sa gloire.

En fait tous les signes montrent que l'Antéchrist, Satan le grand imposteur, hante déjà le monde. « Prenez garde qu'on ne vous abuse. Car il en viendra beaucoup sous mon nom qui diront : "C'est moi le Christ", et ils abuseront bien des gens » (Matthieu 24,4-5).

Dans l'Apocalypse la *Marque de la Bête* est révélée comme étant 666.

Je me suis frotté les yeux. Il était bien trop tôt pour ce genre d'idioties. Mais j'étais curieuse de savoir à quoi Ben passait son temps quand il était cloîtré là-haut. Il y avait une liste de noms, tous soulignés par un lien et marqués d'une petite crête de flammes.

Oussama Ben Laden
Saddam Hussein
Pape Benoît XVI, alias Joseph Ratzinger

Vladimir Poutine
Charles, prince de Galles

J'ai ouvert le dernier lien.

> Cet aristocrate anglais est un candidat surprise – mais voyez les preves. Son titre officiel complet est égal en anglais comme en hébreu à *666* comme il est décrit dans l'ancienne *Gematria* hébreu et ses emblèmes héraldiques sont basés sur les *bêtes* de Daniel et de l'Apocalypse. De plus, c'est un authentique prince, comme il est prédit dans Daniel 9. Rome est à l'évidence la nouvelle Babylone et l'*Union européenne* maléfique est le nouveau Saint-Empire romain. Sa Constitution est en voie d'élaboration et le prince Charles pourrait être un jour son souverain. Enfait le fait que ce soit peu plausible renforce encore cette thèse, car comme il est dit dans la Bible, Apocalypse 12,9 : « Le Diable ou Satan, le séducteur du monde entier. » Regardez *http://www.greaterthings.com/News/PrinceCharles/index.html.*

Jusque-là j'avais lu avec une sorte de fascination horrifiée, mais l'histoire du prince Charles m'a fait éclater de rire. Le pauvre ! me suis-je dit. Et cette grammaire, et cette orthographe. Comment pouvait-on prendre au sérieux un texte à ce point truffé de fautes ? Il fallait défénétivement (ah, ah !) que je taquine Ben à ce sujet. Par curiosité, j'ai cliqué sur le lien *666*.

La Marque de la Bête est peut-être déjà chez vous. Regardez le code-barres de tous les produits que vous achetez. Vous avez peut-être acheté des articles qui portent le signe de la Bête 666 dont certains viennent de la sinistre marque du prince Charles, Duchy Originals. Regardez *http://www.av1611.org/666/barcode.html.*

En souriant, j'ai cliqué sur *menu*, *quitter*, puis je suis descendue et j'ai mis de l'eau à bouillir. Quand je suis passée dans le salon avec mon café, j'ai trouvé Ben qui dormait comme une souche sur le canapé en serrant un énorme cône de signalisation sur sa poitrine. Il a bougé et ouvert les yeux.

« Bonne année, m'man.

– Bonne année, mon ange. Qu'est-ce qu'il fait là, ce cône de signalisation ? »

Il a regardé sa poitrine et secoué la tête, l'air étonné.

« Je sais pas, m'a-t-il répondu avec un sourire endormi. Aucune idée. »

Avant que je n'aie pu l'interroger sur les sites Internet, il s'était rendormi avec les pieds qui dépassaient du canapé, le cône toujours niché entre les bras.

Mon répondeur clignotait.

« Georgie, c'est Nathan. Tati s'excuse pour hier soir. Il a tendance à se lâcher un peu quand il a bu. J'espère que tu es bien rentrée. Bonne année ! »

Je m'apprêtais à le rappeler, puis je me suis dit que j'allais me ridiculiser. Mieux valait me retirer du jeu la tête haute. À la place, j'ai appelé Penny et laissé un message sur son répondeur :

« Merci pour la soirée, c'était super. »

Voilà, c'était fini : Noël et le Nouvel An, les fêtes étaient passées. J'avais survécu.

22

Changement de serrures

Après le départ de Rip, une des choses les plus dures avait été de me retrouver toute seule dans ce grand lit vide. Le jour je réussissais à m'occuper, mais la nuit les heures semblaient se dilater et s'étirer indéfiniment, perdant leurs contours. Il n'y avait pas que le sexe qui me manquait, mais aussi la chaleur d'un corps contre lequel je puisse me blottir, une présence solide pour m'accompagner dans la course cauchemardesque du crépuscule au point du jour. Parfois, je me réveillais pelotonnée contre le second oreiller, l'enserrant entre mes bras et mes jambes.

Trois semaines environ après le Nouvel An, je suis descendue au petit matin pour me faire du thé après une nuit agitée. Je m'étais réveillée à l'aube, trouvant mon oreiller mouillé de larmes. Je ne me souvenais pas de mon rêve, si ce n'est une ombre malveillante sans visage qui se traînait vers moi. Une sirène hurlait quelque part dans les rues encore plongées dans l'obscurité, un appel insistant, déchirant, pareil au cri d'un sinistre oiseau de nuit. Il faisait froid, le chauffage central n'était pas encore en route. J'ai frissonné en versant le thé et je m'apprêtais à remonter me coucher quand le téléphone a sonné. C'était Mrs. Shapiro.

« Georgine, venez vite. Il y a le cambriolage. Le porte a cassé. »

Vaguement agacée, je me suis habillée, j'ai enfilé mon manteau et j'y suis allée aussitôt. Il s'était mis à neiger – non pas de vrais flocons, mais une espèce de poudre qui pleuvait du ciel comme des pellicules gelées. Mrs. Shapiro est venue m'ouvrir en robe de chambre rose et pantoufles du *Roi Lion*, le cheveu ébouriffé, le rouge à lèvres appliqué à la hâte. Violetta tournait autour en miaulant. Elle m'a emmenée dans la cuisine. Il faisait un froid polaire. Une des vitres bleues des jolis panneaux victoriens avait été cassée, laissant passer un courant d'air glacé. La clef avait été volée à l'intérieur. Apparemment, il ne manquait rien d'autre.

« Peut-être c'est votre Peki. Peut-être c'est le voleur.

– Pourquoi ce serait lui ? » Je ne pouvais masquer mon irritation. « Il ne s'est même pas fait payer la dernière fois. Il n'a rien volé, n'est-ce pas ? Vous devriez être reconnaissante, Mrs. Shapiro, mais au lieu de ça vous passez votre temps à vous plaindre. »

Bon, d'accord, ce n'était pas très gentil, mais je ne me sentais pas d'humeur gentille.

« Hmm. Mais si c'est pas le Peki, qui ça peut être ? » Elle a envoyé balader Violetta d'un petit coup de pied rageur, puis elle est allée mettre de l'eau à chauffer en traînant des pantoufles.

« Ça peut être n'importe qui. Un cambrioleur ou n'importe qui. » J'ai aperçu une expression terrifiée sur son visage et je m'en suis aussitôt voulu de ne pas avoir tenu ma langue. Je ne lui avais pas dit que Mr. Ali avait déjà changé la serrure – je ne voulais pas l'inquiéter. Mais, cette fois, j'étais également inquiète.

« Mais pourquoi il veut me faire peur ? Pourquoi il entre pas dans le maison ? Pourquoi il prend juste le clef ? » Elle était en train de se mettre dans tous ses états.

« C'est peut-être quelqu'un qui a l'intention de revenir. » J'avais du mal à imaginer qu'on puisse pousser la malveillance jusqu'à terroriser une vieille dame sans défense dans sa maison. « Écoutez, vous feriez mieux de faire réparer la vitre et changer la serrure aujourd'hui. Vous devriez appeler Mr. Ali. À moins que vous ne connaissiez quelqu'un de mieux. »

Elle s'est mise à farfouiller dans ses placards répugnants en cherchant la tisane au goût d'eau stagnante. Elle me tournait le dos.

« C'est le malin petite *knödel*, ce Peki. »

Depuis le début, je sentais en moi l'irritation le disputer à l'inquiétude, et pour l'instant l'irritation prenait le dessus. Elle a versé l'eau bouillante dans un pichet et trempé dedans un sachet grisâtre tout mou en le tenant par la ficelle. Au bout d'un moment, elle m'a regardée en disant : « Mais je crois je demande à Mr. Wolfe. Mon Nicky. »

Puis elle m'a lancé un petit sourire rusé, l'air de dire : « J'ai peut-être quatre-vingt-un ans, mais je sais encore m'y prendre pour t'énerver. » Et elle a réussi.

« C'est parfait. On ne peut pas rêver mieux. Vous pouvez régler ça avec votre Mr. Wolfe. Je ne sais vraiment pas pourquoi vous m'avez appelée. »

Soudain, j'ai été submergée par la colère. Je me suis brusquement levée et me suis dirigée vers la porte. J'en avais assez de ses perpétuelles exigences, de ses préjugés mesquins et de ses mystères ridicules. Je ne pouvais pas supporter une seconde de plus la puanteur de sa maison et encore moins rester là dans le froid à boire sa tisane pisseuse, alors que j'avais laissé refroidir mon propre thé dans la cuisine. Qu'elle se débrouille, me suis-je dit. Je voulais retourner me coucher.

Une fois rentrée, j'ai fait réchauffer le thé au micro-ondes et me suis mise au lit tout habillée. Par la fenêtre, le jour blafard commençait à peine à percer un ciel violet meurtri de longues traînées rouges pareilles à des plaies ensanglantées qui marbraient les nuages. J'ai tiré le slip noir sur mes yeux pour me protéger de la lumière et j'ai essayé de me forcer à dormir, mais j'étais trop remontée pour trouver le sommeil et trop épuisée pour me lever. Le rêve ou le cauchemar qui m'avait réveillée persistait à la lisière de ma conscience – la silhouette malveillante sans yeux ni visage. J'ai frissonné. Pour une raison ou pour une autre, j'ai repensé au site Internet que regardait Ben – l'Antéchrist, l'Imposteur qui rôdait sur terre incognito en répandant le mal et la terreur. Ce n'était plus aussi drôle qu'avant.

Le téléphone a sonné.

« Il faut pas être colère *mit mir*, Georgine. Je plaisante. Je suis une vieille femme. Je vous prie téléphonez Mr. Ali. Je perdais le numéro.

– Bon, bon, d'accord. »

Elle m'a rappelée quelques heures plus tard pour me dire que Mr. Ali était passé clouer des planches sur la porte de derrière et changer la serrure. Il avait posé une nouvelle serrure à mortaise devant, en plus de la serrure de sûreté, et mis des verrous aux deux portes.

« Vous serez en sécurité comme prison », avait-il dit.

« Combien vous a-t-il pris ? ai-je demandé.

– Je lui ai donné 10 livres. Plus qu'il me fait payer plein tarif pour serrures et verrous. »

Elle avait dit ça en ronchonnant comme si elle estimait avoir été escroquée.

« Vous devriez lui être reconnaissante, ai-je répliqué, bien que, manifestement, ce ne fût pas le cas.

– Vous êtes encore colère *mit mir*, Georgine, hein ? Pas colère. Vous êtes le seul ami que j'ai.

– Je ne suis pas en colère, Mrs. Shapiro. »

Et c'était vrai, je ne lui en voulais plus. J'avais d'autres préoccupations.

Rip était rentré d'un voyage d'affaires et m'avait appelée vers l'heure du déjeuner pour m'annoncer qu'il viendrait chercher Ben le lendemain, après le travail. Malgré les semaines qui s'étaient écoulées, ses coups de fil continuaient à me perturber. J'avais besoin d'un peu de temps pour me préparer mentalement à l'affronter. En haut, j'entendais un bruit sourd de pas, suivi du bruit sourd de la musique – le rituel matinal de Ben, bien qu'il fût midi passé. Ce garçon aurait pu passer sa vie à dormir. Et puis autre chose aussi : je ne savais toujours pas ce qui s'était passé à Noël à Holtham.

Le lundi après-midi, on a sonné à la porte plus tôt que prévu. Je suis allée ouvrir, un sourire intrépide plaqué sur le visage. Mais ce n'était pas Rip qui se tenait sur le seuil, c'était Mark Diabello. Sa Jaguar noire était garée devant le portail et il affichait lui aussi un sourire intrépide.

« Bonjour, Mrs. Sinclair. Georgina. »

Les rides profondes de ses joues burinées se sont creusées avec une rudesse virile. « J'espère que vous ne m'en voulez pas de passer comme ça, à l'improviste. J'ai mené ma petite enquête au sujet des craintes que vous avez évoquées lors de notre dernière conversation et je voulais vous tenir au courant. »

Si je ne m'attendais pas à ce que Rip apparaisse à tout moment, peut-être ne l'aurais-je pas invité à entrer. Mais l'occasion était trop belle pour la laisser passer.

« C'est aimable à vous, Mr. Diabello. Je vous offre un café ?

– Appelez-moi donc Mark. »

Il m'a suivie dans le salon en regardant autour de lui.

« J'ai fait visiter cette maison la première fois où elle a été mise en vente. Vous avez accompli des miracles, je dois dire. Toutes ces petites touches féminines que vous avez ajoutées.

– Merci. »

Pour autant que je sache, je n'y avais pas ajouté la moindre touche, à part poser mes meubles et accrocher des rideaux.

Je l'ai installé sur le canapé près du bow-window, pour qu'on le voie de la rue. Puis j'ai mis l'eau à chauffer et versé du café dans la cafetière.

« Du lait ? Du sucre ?

– Noir, avec quatre sucres. »

J'ai ri. « Ça va avoir un goût de mélasse noire.

– Mmm. C'est comme ça que je l'aime. »

Il avait dû s'apercevoir que je n'arrêtais pas de jeter un œil par la fenêtre car il m'a lancé : « J'espère que je ne vous mets pas mal à l'aise, Georgina. » De la mélasse noire avec une pointe de dureté minérale.

« Non, non, pas du tout », ai-je bafouillé, on ne peut plus mal à l'aise.

Puis un klaxon a retenti dehors – j'ai reconnu le bruit caractéristique de la Saab de Rip.

« Veuillez m'excuser. » Je suis allée au bas de l'escalier et j'ai crié : « Ben ! Rip est là !

– J'arrive ! »

Quelques instants plus tard Ben est apparu, les lacets défaits, la chemise débraillée, son gros sac à dos sur l'épaule. Dieu sait ce qu'il trimbalait dedans car il portait toujours les mêmes vêtements. Je l'ai accompagné jusqu'à la voiture, mon sourire intrépide soigneusement plaqué sur les lèvres. Cependant Rip s'est contenté d'ouvrir le coffre de l'intérieur et a attendu que Ben y mette son sac à dos sans bouger de derrière le volant. Il n'a même pas descendu sa vitre. Je ne savais pas s'il avait remarqué la Jaguar noire ou l'homme à la fenêtre. J'avais envie de cogner contre la vitre, de donner des coups de pied dans les portières vert forêt bien lustrées. Mais Ben me faisait au revoir de la main, alors je lui ai soufflé un baiser et je suis rentrée en claquant la porte.

Quand je suis retournée dans le salon, je devais être livide, car Mr. Diabello m'a lancé un regard perçant et m'a dit : « Ça va comme vous voulez ?

– Pas exactement. »

Il a haussé légèrement le sourcil gauche et crispé les joues, et, en le voyant, je me suis aperçue qu'il avait tout compris de ma situation. J'ai rougi comme s'il venait d'entrer dans ma chambre et m'avait trouvée nue. C'était un homme qui savait lire dans les rêves des autres, me suis-je rappelé avec un frisson.

« Vous avez envie d'en parler ? » Il avait le ton dégoulinant de compassion. « Je peux vous conseiller un bon avocat.

– Non. Je n'en suis pas encore là. »

En m'entendant prononcer ces mots, je me suis rendu compte que les choses en étaient bel et bien arrivées là et que j'avais sans doute besoin des conseils d'un avocat. Mais la seule idée qu'un ami de Mark Diabello puisse s'immiscer dans les secrets de ma vie intime me faisait frémir. « Tenons-nous-en à ce que vous étiez venu me dire.

– Oui… vous craigniez que mon associé Nick Wolfe se conduise… Comment dirais-je ?… De manière déplacée.

– Qu'il harcèle une vieille dame pour la forcer à partir et prendre possession de sa maison. »

Mon café était froid, mais je l'ai tout de même bu pour éviter de le fixer. Son regard me mettait mal à l'aise et me donnait des suées comme si j'étais sous un projecteur. Je me sentais devenir toute rouge.

« J'ai parlé avec Nick. Il admet qu'il a craqué pour la maison et qu'il s'est peut-être montré un peu trop… euh… enthousiaste dans sa manière d'approcher Mrs. Shapiro. Mais il nie avoir fait quoi que ce soit de déplacé.

– Mais il admet lui avoir fait boire du sherry, en espérant qu'elle signerait le bout de papier qu'il avait comme par hasard dans sa mallette ? »

Mrs. Shapiro avait beau m'agacer, je n'allais tout de même pas rester là les bras ballants à la regarder se faire plumer par ces deux salauds.

« Le sherry n'était qu'un geste, à mon avis. Un cadeau. Il ne pensait pas qu'elle allait le déboucher et l'attaquer tout de suite. C'est elle qui a eu l'idée. En tout cas, elle lui faisait de l'œil.

– Et puis quoi encore ! Elle a quatre-vingt-un ans. Et, de toute façon, pourquoi lui apporter un cadeau ?

– Un geste de considération envers une bonne cliente.

– Mais ce n'est pas une cliente. Il a débarqué à son chevet à l'hôpital.

– À ce que dit Nick, elle s'est montrée tout à fait disposée. Plus que disposée. Extrêmement empressée. Il m'a également dit, au fait, que ce n'était pas votre tante. »

Il m'a regardée par en dessous avec un léger sourire flottant sur… Que dire de ses lèvres ? Qu'elles étaient pulpeuses ? Non. Sensuelles ? Non plus. Mais appétissantes, incontestablement.

« Bon, d'accord, je l'ai inventé. Mais ça ne change rien.

– Ça pose la question de savoir quel est votre intérêt là-dedans.

– Je n'ai aucun intérêt. C'est juste que je ne veux pas voir une vieille dame se faire dépouiller. Quelqu'un a dû lui parler de la maison. » Puis j'ai compris. « C'est vous qui lui en avez parlé. »

Nos regards se sont croisés. Je me suis aperçue qu'il n'avait pas les yeux bruns, comme je l'avais cru au premier abord, mais d'un bleu-vert sombre moucheté d'or et d'obsidienne.

« Je lui ai parlé de notre conversation. Je ne pensais pas qu'il s'enthousiasmerait à ce point. C'est un homme très passionné, vous savez. C'est notre devise, chez Wolfe & Diabello. La passion des biens. »

« Passion » – il avait une drôle de manière de s'attarder sur le mot.

« Il a estimé que Mrs. Shapiro méritait de pouvoir se faire une idée plus précise de vos services ?

– Exactement.

– Comme moi ?

– Ça dépend de vous, Georgina.

– Merci. Ravie de vous avoir vu. » Je me suis levée brusquement en renversant ma tasse vide. Il s'est levé également et s'est dirigé vers la porte en me frôlant au passage. J'ai frissonné – était-ce de délice ou de peur ?

« Tout le plaisir est pour moi », a-t-il répondu.

Quand j'ai regardé par la fenêtre, j'ai vu qu'il avait recommencé à neiger.

Après son départ, je me suis assise dans le canapé et j'ai respiré à fond. *Inspirer – deux, trois, quatre. Souffler – deux, trois, quatre.* Mon cœur s'est mis à cogner dans ma poitrine. Au fond de moi, je savais que s'il y avait bien une chose dont je n'avais pas besoin, c'était d'un homme comme Mark Diabello dans ma vie – un agent immobilier à la voix sirupeuse, avec des yeux mouchetés d'éclats noir et or. Mais j'étais malheureuse, furieuse, en manque d'affection. Et il y avait si longtemps que je n'avais pas lu du désir dans les yeux d'un homme. Et puis une petite voix dans ma tête me chuchotait : pourquoi pas ?

23

Ruptures par fatigue

Le lendemain, quand je suis passée devant l'agence Wolfe & Diabello en allant prendre le bus, la neige continuait à tomber, toujours aussi poudreuse. J'étais descendue chercher une cartouche d'encre laser, de nouveaux cahiers et une boîte de Choco-Puff. (Je trouve ça infect, mais Ben les adore et je fais de la concurrence à Islington.) J'ai jeté un œil à l'intérieur et j'ai aperçu Nick Wolfe penché sur le bureau d'une jeune blonde qui aurait pu être le clone de Suzi Brentwood. Cédant à l'impulsion, j'ai poussé la porte et suis entrée. Ils ont tous les deux levé la tête en entendant le cliquetis de la porte.

« Mr. Wolfe. Ça tombe bien. Vous avez une minute ? »

Quand il s'est redressé, j'ai aperçu un éclat luisant sur le crâne aux cheveux blonds coupés ras. Il m'a conduite dans un bureau situé au fond et a avancé deux chaises.

« Que puis-je pour vous, Georgette ? » Il m'a souri avec ses airs de loup.

Je lui ai fait part de mes craintes au sujet du robinet d'arrivée d'eau et des clefs de la porte de derrière, prenant soin de garder un ton neutre et d'éviter le moindre soupçon d'accusation.

« Vous en avez parlé à mon collègue Mr. Diabello, n'est-ce pas ? »

Il avait la voix légèrement plus mélodieuse que Mark. Il avait dû fréquenter les bancs d'un collège chic, alors que Mark s'était hissé à la force du poignet. Comme moi. Il a regardé sa montre avec insistance. J'ai fait celle qui n'avait rien remarqué.

« Ce que je ne comprends pas, c'est ce que vous trafiquez au juste, vous et Mr. Diabello. » Je souriais gentiment en le regardant droit dans les yeux. « Il veut la vendre un demi-million. Puis il la fait passer à un million. Et, sur ce, vous débarquez à l'hôpital avec une offre de deux millions. » Je parlais à toute vitesse, sentant peser sur moi son regard hostile. « Vous admettrez que c'est pour le moins… préoccupant.

– Écoutez, Mrs… Georgette. Pour être franc, je vois mal en quoi ça vous regarde. C'est à Mrs. Shapiro de décider ce qu'elle fait de sa maison, non ? Si j'ai bien compris, elle n'a aucun lien de parenté avec vous. » Il a jeté de nouveau un œil à sa montre. « Je lui ai fait ce que j'estime être une offre très raisonnable. Plus que raisonnable. Généreuse. Je ne sais pas ce que Mark vous a dit, mais que ce soit bien clair. » J'ai frémi en percevant une pointe d'intimidation dans sa voix. « Ce n'est pas parce qu'elle est mise sur le marché qu'elle a atteint le prix du marché. Ni que la personne qui l'achète en premier est l'acheteur final, si vous voyez ce que je veux dire. »

Qu'est-ce qu'il pouvait bien vouloir dire ? Dans l'espace confiné du bureau, je sentais le parfum musqué de son after-shave qui couvrait à peine une autre odeur, forte, sauvage presque, qui me faisait irrésistiblement penser à Wonder Boy.

« Vous voulez dire que Mark Diabello l'achète un demi-million, puis la revend deux millions à quelqu'un d'autre et empoche la différence.

– Je n'ai pas dit ça, Georgette. » Il détachait soigneusement chaque syllabe. « Ce n'est pas ce que j'ai dit. » Il a de nouveau regardé sa montre, puis s'est levé. « Si vous voulez bien m'excuser, j'ai à faire. »

Je suis restée sur le trottoir à vaciller. En l'espace d'une demi-heure, la nuit était tombée et quelques flocons isolés tournoyaient comme des pensées éparses dans la lumière orangée. Un ou deux commerces avaient déjà fermé, mais j'ai remarqué que Hendricks & Wilson était encore ouvert. Après tout, qu'est-ce que j'avais à perdre ?

Si les devantures des deux agences se ressemblaient, à l'intérieur elles étaient radicalement différentes. Alors que Wolfe & Diabello était tout en verre et chrome avec un parquet stratifié et des lampes halogènes, style bistrot contemporain, Hendricks & Wilson était décoré d'une moquette rouge et de fauteuils de cuir avec des appliques en cuivre, style club de gentlemen. Le décor se voulait sans doute traditionnel et rassurant, mais il était ridiculement pompeux dans un espace aussi exigu. Un jeune homme mince avec les cheveux hérissés au gel était assis derrière un ordinateur, le regard rivé sur l'écran. Il a levé la tête, tout sourire, en me voyant entrer.

« Je cherche Damian, ai-je dit.

– C'est moi », m'a-t-il répondu, rayonnant. Il avait les dents légèrement de travers et des airs rassurants de grand dadais. « Qu'est-ce que je peux faire pour vous ? »

Je n'avais pas vraiment préparé mon discours, alors je lui ai sorti le laïus habituel de ma tante qui souhaitait vendre sa maison de Totley Place. Je scrutais attentivement son visage, mais, manifestement, ça ne lui disait rien. Quelles que soient les intentions de Mrs. Goodney, elle n'était pas encore passée à l'action. Peut-être lui avais-je fait peur.

« Pour ça, il vaut mieux que vous vous adressiez à un de nos associés. Voulez-vous que je vous fixe un rendez-vous ? » Il a attrapé un grand agenda de bureau relié en cuir rouge.

J'ai hésité. N'avais-je pas suffisamment d'agents immobiliers dans ma vie ?

« Vous ne pouvez pas me donner une petite idée ?

– Hmmm. » Il s'est rongé un ongle. « Vous savez quoi ? Je passerai devant en rentrant ce soir et je jetterai un coup d'œil.

– Merci. Je vous appelle demain. Merci, Damian.

– Comment savez-vous que ?... »

Je me suis hâtée de sortir.

Après avoir appelé Damian le lendemain matin, j'ai été encore plus convaincue qu'il n'était pas mêlé aux manigances. Il a refusé de me donner une estimation, mais il m'a dit : « Un grand terrain comme ça en plein cœur de Highbury – il y a un vrai potentiel de développement immobilier. Plusieurs millions en tout cas. Il vaut mieux en discuter avec Mr. Wilson.

– Je ne pense pas que ma tante souhaite la vendre à des promoteurs immobiliers. Mais je vous remercie de votre aide. »

Je me suis empressée de raccrocher avant qu'il puisse me poser des questions.

Si Damian n'avait rien à y voir, ça ne pouvait être que Wolfe & Diabello. Je bouillais de rage. J'ai essayé de me calmer avec les exercices de respiration de Miss Baddiel. *Inspirer – deux, trois, quatre. Souffler – deux, trois, quatre.* Wolfe & Diabello. Quels salopards ! J'ai appelé à leur agence – mes mains tremblaient tellement que je me suis trompée deux fois de numéro avant de l'avoir. Les deux associés n'étaient pas là. J'ai laissé un message à Suzi Brentwood :

« Pouvez-vous demander à l'un ou l'autre de me rappeler ? Non, je ne peux pas dire de quoi il s'agit. Dites-leur seulement que je suis au courant de leur petite combine. Dites-leur qu'ils ne sont qu'une bande de sales escrocs et de faux culs. »

C'est Mark Diabello qui m'a rappelée, moins de dix minutes plus tard.

« J'ai eu votre message, Georgina. Vous n'y allez pas

de main morte. Qu'avons-nous fait pour vous mettre dans cet état ?

– Ce n'est pas ce que vous avez fait, c'est ce que moi j'ai fait. J'ai demandé une autre estimation.

– Vous avez bien raison, Georgina. Et alors ?

– Il m'a dit que c'était un terrain à fort potentiel de développement immobilier. Il m'a dit que ça valait sans doute plusieurs millions.

– Qui vous a dit ça ?

– Quelqu'un. Quelqu'un de chez Hendricks.

– L'assistant ? Ils donnent toujours des estimations au hasard.

– Non. Quelqu'un de très qualifié. Et de respectable. Pas un charlatan comme vous.

– Vous êtes très émotive, Georgina. Ça me plaît. Mais vous avez oublié ce que je vous ai dit.

– Qu'est-ce que vous avez dit ?

– J'ai dit que j'étais prêt à renchérir sur n'importe quelle estimation sérieuse. »

Avait-il dit ça ? Si c'était le cas, j'avais oublié.

« Mais l'autre, votre acolyte, il lui a offert deux millions.

– Je ne peux pas parler pour mon associé. Mais j'ai dit

que je ferais une offre équivalente. Vous me devez des excuses, Georgina.

– Moi, je vous dois des excuses ? »

J'ai raccroché. Je tremblais. Puis j'ai repensé à nos précédentes discussions. Peut-être avais-je été un peu vite en besogne. Peut-être même un peu grossière. Je me rappelais à présent : il avait bel et bien parlé de faire une offre équivalant à celle de Hendricks & Wilson, mais le contexte n'était pas le même. Et c'est vrai que Damian devait être l'assistant. Mais il avait l'air de dire vrai. En fait, ils avaient tous l'air de dire vrai. Comment savoir qui croire ?

« Des ruptures par fatigue peuvent se produire dans les assemblages adhésifs quand les matériaux possèdent des coefficients différents d'expansion thermique. »

Je fixais cette phrase sur mon écran depuis plus d'une heure, avec mon thé qui refroidissait sur le bureau, en me disant que c'était peut-être ce qui nous était arrivé, à Rip et moi. Il ne se met pas facilement en colère, mais quand il s'énerve, ça dure un moment. Je m'emporte vite, mais je me calme presque aussitôt. J'ai repensé à la conversation que j'avais eue ce matin-là avec Mark Diabello – peut-être m'étais-je emportée trop vite. Peut-être aurais-je dû lui accorder le bénéfice du doute. Qu'avait-il dit exactement ? Je ne m'en souvenais pas. La colle m'avait englué le cerveau.

C'était l'heure de faire une pause pour le déjeuner. Je suis allée inspecter le réfrigérateur. Il y avait deux œufs, une tranche de pain et un reste de roquette en sachet du supermarché. Dans la porte, il y avait une bouteille de rioja entamée. Me laisserais-je tenter ? Oui ? Non ?

Je me faisais des œufs brouillés quand on a sonné à la porte. Mark Diabello se tenait sur le seuil, une bouteille de champagne à la main. Et pas n'importe quel champagne. Du Bollinger. Sans doute était-ce la lumière qui me jouait des tours, mais j'aurais juré qu'il y avait des braises dans ses yeux. Bleu-vert foncé, avec des étincelles d'obsidienne et d'or. J'ai senti un drôle de tressaillement au fond de mon cœur.

« Un geste de considération envers une bonne cliente, a-t-il murmuré.

– Je ne suis pas votre cliente.

– Mais vous pourriez le devenir.

– Je ne pense pas. Mais entrez. »

Je suis allée chercher deux verres à vin dans la cuisine. Je n'avais pas de véritables flûtes à champagne. Nous avons trinqué.

« Vous me plaisez, Georgina. Vous êtes différente. »

Les plis de ses joues se sont creusés. De nouveau, j'ai éprouvé ce petit tressaillement indocile.

« Êtes-vous venu me donner une idée plus précise de vos services ?

– Ça vous dirait ? »

Je n'ai pas dit oui. Mais je n'ai pas dit non.

Nous avons fini dans ma chambre. Il a montré le chemin. Évidemment, c'était un agent immobilier, il savait où aller. Tout s'est passé étonnamment vite, avec la précision bien huilée d'un moteur de Jaguar. Il m'a donné exactement ce qu'il fallait de champagne, m'a embrassée comme il fallait en me tenant fermement mais délicatement sous le menton. Puis pile au bon moment, une main a lâché mon menton pour se glisser sur mon sein gauche. L'autre est remontée entre mes jambes. Ça avait un côté impersonnel plutôt rassurant. Ses mains tombaient infailliblement pile au bon endroit. Ses doigts étaient vigoureux et souples à la fois. Aucune maladresse en ôtant les vêtements – ceux-ci tombaient tout seuls. Il avait le corps ferme et poilu. Il a sorti un préservatif de sa poche. Si j'avais eu le temps de réfléchir, je me serais peut-être dit : mais qu'est-ce que je fais ? Mais je n'ai réfléchi à rien. J'avais le cerveau plein de bulles. Des picotements électriques sur la peau. Mon corps ronronnait entre ses mains. J'aimerais pouvoir dire que je frémissais de dégoût devant une telle efficacité. Mais, en fait, c'était fabuleux.

Je ne sais plus trop ce qui s'est passé ensuite – enfin, si, mais je suis trop embarrassée pour l'écrire. Vous voyez, c'était le premier homme, à part Rip, avec lequel je couchais depuis vingt ans. C'était comme si je m'étais glissée hors de ma peau pour devenir une autre, une femme dont le corps palpitait et s'agitait comme une étoffe de soie dans la tempête.

Après, nous sommes restés allongés côte à côte à contempler les ombres qui s'étiraient dans le jardin et il m'a prise dans ses bras et m'a caressé les cheveux en me murmurant des mots tendres dépourvus de sens. Puis il a glissé la main vers son veston posé sur le dossier de la chaise et m'a tendu une pochette blanche immaculée.

Nous n'avons pas beaucoup parlé. Il n'a pas été question de nous. Il est parti avant que Ben rentre du lycée. Je craignais de me sentir sale, utilisée, de me dégoûter, mais sans doute, au plus profond de moi, je savais qu'en couchant avec quelqu'un d'autre je ne faisais que suivre un processus de réparation aussi difficile qu'indispensable. Qu'est-ce que Nathan avait dit, déjà ? On obtient une meilleure cohésion avec colle et vice. Il y avait peut-être du vrai là-dedans. Après son départ, je n'ai ressenti qu'une immense mélancolie qui pesait sur mon cœur comme un gros nuage de pluie. Je ne voulais pas qu'il me voie pleurer, mais dès que j'ai entendu sa Jaguar s'éloigner, j'ai laissé couler mes larmes. J'étais incapable de dire pourquoi je pleurais, ni ce qui avait provoqué une telle tempête en moi. Peut-être étais-je si détendue après le sexe qu'aucune rigidité ne faisait obstacle à mes pleurs.

Une demi-heure plus tard, j'ai entendu Ben qui ouvrait la porte d'entrée. Je me suis tamponné les yeux, me suis rhabillée et suis descendue lui dire bonjour.

« Ça va, m'man ? » Il m'a dévisagée attentivement. « Tu as l'air un peu… bizarre. »

Les œufs brouillés étaient toujours sur la plaque, jaunes et figés dans la poêle.

« Bizarre comment ?

– Agitée. Hyper-agitée.

– Ça doit être tout ce café que j'ai avalé. Je suis engluée dans un passage d'*Adhésifs*. Ah, ah, ah ! Et toi ? Comment ça se passe à… (J'ai censuré un certain nombre d'épithètes sarcastiques.) … Islington ?

– Ça va. Papa est un peu agité, lui aussi. »

Il a versé du lait sur ses Choco-Puff et s'est attablé avec sa cuillère.

« Ah oui ? »

J'étais avide de ces bribes d'informations, mais mon fidèle Ben ne les dispensait qu'avec parcimonie.

« Il dit qu'il se lance dans un nouveau projet ? »

Il avait retrouvé cette intonation montante à la fin de ses phrases. C'était troublant. Ça ne ressemblait pas à mon Ben.

« Pas le Programme de développement ?

– Il dit que le programme passe à un niveau supérieur ?

– Oui, il a toujours eu de grandes ambitions. »

Une pointe de sarcasme avait dû se glisser dans ma voix. D'un regard, Ben m'a avertie que je risquais de transgresser la frontière subtile qu'il avait tracée entre ses deux mondes.

Ce soir-là, après que Ben est allé se coucher, je me suis servi un verre de vin et j'ai pris mon cahier. Ils festoyaient de nouveau à Holty Towers.

Le Cœur éclaté
Chapitre 6

Rejetée par son mari volage, le cœur brisé, Gina trouva enfin ~~l'amour la plénitude~~ la consolation dans les bras d'un joueur de mandoline ambulant aux yeux ~~d'obsidienne d'azur de saphir d'améthyste de jade~~ de lapis-lazuli. (Vive les dictionnaires de synonymes !) *Il lui apporta de magnifiques cadeaux – des ~~dessous, jarretières, mouchoirs~~ mantilles espagnoles brodées à la main.*

En refermant mon cahier une heure plus tard, je me suis aperçue que la bouteille de vin était vide et que j'en avais ouvert une autre. Je filais un mauvais coton. Peut-être que Ben avait raison – il fallait que j'y aille doucement sur le rioja. La maison était plongée dans le silence. J'ai tendu l'oreille. J'ai entendu au loin une voiture qui passait et le tic-tic-tic imperceptible de l'eau dans les radiateurs. C'était tout. J'étais à des années-lumière de Holty Towers, de l'extase et du drame, des repas somptueux et du son de la mandoline.

24

Expériences avec du velcro

Mark Diabello est revenu le mercredi suivant, sans champagne cette fois, mais avec un bouquet de fleurs – des roses rouges – et un petit paquet-cadeau, que j'ai pensé être des chocolats. Je l'attendais, vêtue d'un haut plutôt décolleté que j'avais acheté la veille et d'un slip en dentelle sous une élégante jupe moulante, également achetée la veille. En m'apercevant dans le miroir de l'entrée, les joues en feu, les yeux brillants, je ne me suis pas reconnue. Je me suis mise à fondre dès qu'il m'a embrassée. En cinq minutes à peine, nous étions passés de l'entrée à la chambre.

Quand nous nous sommes jetés sur le lit, ses mains s'employaient déjà à me déshabiller avec la même efficacité, focalisées sur l'objectif à atteindre. Lorsqu'il a enlevé sa chemise, j'ai senti l'odeur de son corps, une odeur de sueur et de savon, mêlée à une autre, vaguement chimique, déconcertante. Qu'est-ce que c'était ? J'ai collé mon visage contre sa peau. Du soufre ? Du chlore. Et, subitement, je me suis revue à seize ans, dans le vestiaire de la piscine de Leeds, enfermée dans une cabine avec Gavin Connolly, blottie dans ses bras, éperdument amoureuse.

« Tu as été à la piscine ?

– Comment tu le sais ?

– Tu sens le chlore.

– Ça ne te plaît pas ?

– Si, si. Beaucoup.

– Je fais du plongeon. Du grand tremplin.

– Ça doit être terrifiant !

– Oui. Il suffit de fermer les yeux et de plonger. »

Je l'ai imaginé qui s'élançait dans l'eau, ferme, mince, droit comme un piquet. J'ai fermé les yeux et j'ai plongé.

« Tu n'ouvres pas ton cadeau ? » a-t-il murmuré.

J'ai ramassé le petit paquet qui était tombé à côté du lit et ôté le ruban. Un bout d'étoffe rouge et soyeux s'en est échappé. Je l'ai tenu en l'air. C'était un slip minuscule en satin rouge bordé de dentelle noire. J'ai écarquillé les yeux. Mince alors ! Il était pour moi ? Je n'avais jamais rien eu de ce genre. Je n'étais pas même sûre qu'il me plaisait.

« Tu ne le mets pas ? »

J'ai enfilé en me tortillant le bout d'étoffe qui m'effleurait les cuisses comme des ailes de papillon. Il y avait quelque chose de bizarre – le fond : il était ouvert. Ça allait à l'encontre du but recherché. À quoi bon un slip sans fond ?

Elle n'a pas tardé à le savoir. Pas moi, Georgie Sinclair, mais une autre – une femme sexy et dépravée qui batifolait en slip de satin rouge bordé de dentelle noir à fond ouvert, sentait le sexe et fondait comme du sucre sous la flamme dans les bras d'un beau brun ténébreux qui était apparu un après-midi sur le pas de sa porte et lui avait fait l'amour.

Le beau brun ténébreux était allongé avec la femme sexy, appuyé sur le coude. De son autre main, il explorait l'ouverture du slip. Sa peau sentait le chlore.

« Il y a autre chose dans la boîte », a-t-il dit.

La femme sexy a plongé sans vergogne la main dans la boîte et tiré… C'était quoi, ces machins-là ? Deux boucles en satin rouge matelassé bordé de dentelle noire. Des jarretières ? Non, il y avait une attache en velcro.

« Espèce de petite salope, a-t-il murmuré. Attends… »

Il s'est penché sur elle et a attaché ses poignets à la tête de lit, pesant de tout son poids sur elle, la vidant de tout son souffle jusqu'à ce qu'elle pousse un cri. Elle a joui quasi instantanément, avant même qu'il ne la pénètre.

Il faisait chaud et moite dans le vestiaire et nous avions la peau mouillée et glissante, puis nous nous étions séchés l'un l'autre à la serviette avant d'enfiler nos vêtements humides poisseux de chlore. Qu'était devenu

Gavin Connolly ? Qu'était devenue Georgie Shutworth ? Ça a été plus fort que moi – je me suis mise à pleurer. Mark Diabello a tamponné mes yeux avec son mouchoir et m'a embrassé longuement la gorge et le cou.

« Tu es très belle, Georgie. On te l'a déjà dit ? »

J'avais envie de le croire. Je l'ai presque cru, mais dans ma tête une voix impassible me murmurait qu'il couchait sans doute avec des dizaines de femmes à qui il répétait ça. Puis un souvenir d'une autre époque a surgi, la voix étouffée de Rip contre ma joue : « Si je vis quelque beauté qui éveilla mon désir et que j'obtins, c'est que je rêvais de toi. » C'était quand ?

« Il faut que tu y ailles. Il est presque quatre heures.

– Que se passe-t-il à quatre heures ? Tu te changes en citrouille ?

– Non, je me change en mère. »

À quatre heures tout juste passées, j'ai entendu la clef tourner dans la serrure et je me suis bel et bien changée en mère.

« Salut, m'man. »

Ben a jeté son sac par terre et m'a laissée l'embrasser en détournant la tête. Il était pâle et tendu.

« Ça va ?

– Oui, oui. Super. »

Il ne me regardait pas. Il avait les yeux rivés sur la fenêtre.

« Tu veux un sandwich ? Des Choco-Puff ?

– Non. Je vais juste prendre de l'eau. »

Il a bu les deux coudes appuyés sur la table, ses mèches brunes tombant sur les yeux.

– Depuis un moment, je me sens un peu… bizarre. »

J'ai éjecté aussi sec Mr. Diabello de mon esprit et je me suis assise en face de lui.

« Comment ça, bizarre ?

– J'ai des sensations bizarres. »

Mon pouls s'est accéléré, mais j'ai conservé un ton dégagé.

« Quelles sensations, Ben ?

– Genre… liminales.

– Liminales ? »

Je n'avais aucune idée de ce qu'il voulait dire. J'ai attendu la suite.

« Comme si on vivait dans un temps liminal. Ça se voit à la lumière. Regarde, on dirait qu'elle s'échappe d'un autre monde. »

Il indiquait la fenêtre. Je me suis retournée. Entre les

maisons, la lumière rosée du soleil rasant éclairait par en dessous un amas de cumulus violets. Les bâtisses en brique et les arbres dépouillés de leurs feuilles étaient tous à contre-jour, plongés dans l'ombre malgré la lumière éclatante. Je comprenais ce qu'il voulait dire – c'était surnaturel.

« C'est l'hiver, Ben. Le soleil est toujours bas à cette époque de l'année. Plus au nord, en Scandinavie, on ne voit même pas le jour. »

Il a levé la tête en esquissant un sourire fugace.

« Tu es tellement terre à terre, m'man. »

Les nuages se sont déplacés et le rayon de soleil a disparu, mais l'envers du ciel était encore teinté d'une lueur rougeoyante.

« J'ai des sensations comme ça en permanence, comme si le monde allait bientôt disparaître. » Il s'est interrompu pour avaler une grande gorgée d'eau. « Comme si la fin des temps était proche ?

– Ben, tu aurais dû m'en...

– Alors j'ai cherché *fin du monde* sur Google. Et là je me suis aperçu qu'il n'y avait pas que moi ? »

Ils sont comme ça, les jeunes de cette génération, je me suis dit. Ils ne parlent pas à leurs parents ou à des amis, comme nous – ils cherchent sur Internet.

« Il y a plein de signes – des prédictions de la Bible sur la fin des temps ? Des guerres, des tremblements de terre, des crues, des épidémies, tout ça – et c'est en train de se réaliser ? » Il avait la voix tendue, éraillée.

« Mais tu ne crois tout de même pas à toutes ces histoires de prophétie, Ben ?

– Non, mais… si… je me dis, s'il y a autant de gens qui y croient, il y a peut-être du vrai là-dedans ?

– Mais toutes ces catastrophes – les guerres, les tremblements de terre, les crues, les épidémies –, les annales de l'histoire en regorgent.

– Je sais, oui, mais depuis quelque temps ça s'accélère. Les crues, les tremblements de terre, il y en a tous les ans. Et puis il y a le sida, le sras, la grippe aviaire – toutes ces nouvelles maladies. C'est en train de se réaliser. Comme dans la Bible, il est prédit que les juifs retourneront en Israël et c'est ce qu'ils ont fait. Tu sais, en 1948. Après l'Holocauste, tout ça ? Ça a entraîné toutes les guerres au Moyen-Orient. L'invasion du Liban. Tu n'as qu'à lire, m'man – tout ça c'est dans la Bible. Et il n'y a pas que les juifs et les chrétiens ? Beaucoup de musulmans croient à l'arrivée de leur grand prophète ? Ils l'appellent le dernier imam ? » L'intonation montante de ses phrases appelait la contradiction.

Comment lui expliquer sans pontifier que ce n'était pas parce que des millions de gens croyaient quelque chose que c'était vrai ?

« Pourquoi tu ne m'as pas dit que tu avais cette sensation-là ? Ou à Rip ?

– Je pensais que tu me prendrais pour un fou ? Que tu ne m'écouterais pas ? Papa et toi, vous n'écoutez jamais personne. » Il a baissé la voix jusqu'à marmonner : « Vous êtes tellement sûrs de tout savoir ? »

Ce n'était pas dit sur le ton du reproche, mais c'était tout aussi blessant. Nous étions si absorbés par nos vies et nos problèmes que nous n'avions pas entendu que notre fils nous appelait à l'aide.

« Je suis désolée, Ben. Tu as raison – nous n'écoutons pas toujours. Tu veux qu'on en parle maintenant ?

– Non, ça va. » Il a souri d'un air penaud en vidant son verre d'eau. « Je me sens mieux maintenant. Je crois que je vais prendre des Choco-Puff. »

Quand il est monté dans sa chambre, je me suis installée dans la cuisine avec un verre de vin en me demandant ce que nous avions fait de travers. Nous l'avions élevé dans le respect des différences, de la diversité. À ne pas respecter la foi des autres, on risquait de blesser quelqu'un. À l'école primaire de Leeds, nous applaudissions en bons bourgeois les célébrations de Noël, de l'Aïd ou de Divali auxquelles participaient les enfants. Toutes les croyances se valaient. Le christianisme, l'islam, l'hindouisme, le judaïsme, l'astrologie, l'astronomie, la relativité, l'évolution, le créationnisme, le socialisme, le monétarisme, le réchauffement climatique, la dégradation de la couche d'ozone, la guérison par les cristaux, Darwin, Hawking, Dawkins, Nostradamus, sur le marché la rivalité faisait rage. Comment distinguer le vrai du faux ?

25

L'attraction entre adhésifs et supports

Dans la nuit, il s'est mis à neiger. Quand j'ai tiré les rideaux le lendemain matin, tout était blanc et j'ai ressenti un élan de bonheur, comme un enfant se réveillant un jour de neige. L'école fermée, les batailles de boules de neige avec mon frère, les descentes de talus enneigés sur le plateau à thé. En ce temps-là, avant l'arrivée des 4 × 4 et du télétravail, la neige était synonyme de vacances, d'anarchie et de plaisir.

Dans le jardin, même l'affreux buisson de laurier taché de jaune avait été touché par la magie, et ses branches et ses feuilles ployaient gracieusement sous leur manteau de neige. J'ai perçu du mouvement. J'ai d'abord cru que c'étaient trois petites créatures noires qui sautillaient, avant de me rendre compte que c'étaient des pattes noires attachées à un corps blanc. Wonder Boy a rôdé en bordure du jardin, puis il a traversé la pelouse sur la pointe des pattes et s'est posté sous le buisson de laurier, les yeux rivés sur la maison. Ça me rappelait qu'il fallait que je passe voir Mrs. Shapiro ce jour-là.

« Écoute, Ben, ai-je dit quand il est descendu prendre son petit déjeuner. Il neige. Tu n'as qu'à ne pas aller au lycée.

– Ça va, m'man. Je me sens mieux aujourd'hui. Il faut que je travaille sur mon exposé de techno. Le bus marche sûrement. »

Comment était-il devenu si raisonnable ? Je l'ai embrassé.

« Fais attention à toi. »

Après son départ, j'ai essayé de me concentrer sur un article pour *Adhésifs*. L'attraction entre les surfaces dans les assemblages adhésifs.

« Les puissantes forces d'attraction qui se développent entre l'adhésif et le support peuvent être adsorbantes, électrostatiques ou diffusives. »

Il y avait quelque chose de très romantique dans la durabilité de ces forces de viscosité, cette puissance d'adhérence telle qu'elle pouvait même survivre aux matériaux.

Mmm. Je me suis laissée aller à rêvasser. Ça ne servait à rien. *Adhésifs* devrait attendre – je voulais sortir avant que la neige ne disparaisse.

J'ai téléphoné à Mrs. Shapiro pour voir si elle avait besoin que je lui fasse quelques courses. Comme ça ne répondait pas, j'ai enfilé mes bottes et mon manteau, et j'y suis tout de même allée. Le soleil était bas à l'horizon, mais il était éclatant et saupoudrait de paillettes d'or toutes les surfaces blanches. Cependant la neige avait commencé à fondre, provoquant des mini-avalanches à tous les coins de rue en glissant des toits et des branches. Wonder Boy me suivait à la trace. Je lui ai lancé une boule de neige, mais il l'a esquivée.

Quand je suis arrivée à Canaan House, j'ai vu que la gouttière s'était décrochée d'un côté sous le poids de la neige et que de la neige fondue gouttait sur le porche. Il faudrait peut-être que je fasse revenir Mr. Ali. Dans l'allée, il y avait des empreintes de pas qui s'éloignaient de la maison. J'ai frappé à la porte, au cas où, mais je n'ai pas été étonnée de ne pas obtenir de réponse. Elle avait déjà dû sortir. Wonder Boy a remonté l'allée, puis il s'est assis sous le porche et s'est mis à miauler désespérément.

« Qu'est-ce qu'il y a ? »

J'ai voulu le caresser, mais il a craché et essayé de me griffer. Je lui ai balancé un coup de botte et je suis partie faire mes courses.

L'après-midi, j'ai rappelé Mrs. Shapiro. Toujours pas de réponse. C'était bizarre. J'ai commencé à m'inquiéter. Pourquoi était-elle sortie de si bonne heure dans la neige ? Puis Ben est rentré du lycée et je me suis mise à préparer le dîner. Je rappellerai plus tard, me suis-je dit.

Vers sept heures du soir, le téléphone a sonné. C'était une voix de vieille dame rauque, gutturale.

« L'est là ?

– Pardon ?

– Vot' copin'. L'est là. Mais l'a pas sa rob' de chamb'.

– Je suis désolée. Vous avez dû vous tromper de numéro.

– Non. C't'elle qui m'l'a donné. C'est ben vous qu'êt' v'nue à l'hôpital, pas vrai ? Elle m'a donné vot' numéro. La dame avec la rob' de chamb' rose. Elle dit qu'elle veut sa rob' de chamb'. Et pis ses pantouf'. »

Subitement, j'ai compris que ce devait être la frappée.

« Oh, merci de m'avoir appelée. Je…

– Et pis elle dit que vous pouvez y porter des clopes quand vous venez. »

Il y a eu des bips dans le téléphone, puis plus rien. Elle avait dû appeler d'une cabine de l'hôpital.

J'ai jeté un œil à la pendule. Les visites devaient être encore autorisées pendant environ une demi-heure. Comme je lui avais rendu sa clef, j'ai mis dans un sac mes pantoufles, une chemise de nuit et la robe de chambre de Stella.

« Je reviens tout à l'heure, Ben », ai-je lancé au bas de l'escalier en allant prendre le bus.

La neige avait déjà fondu et il faisait étonnamment doux. Je marchais d'un bon pas en évitant les flaques de neige fondue sur les trottoirs. Le tabac-presse à côté de l'arrêt de bus était encore ouvert. Fallait-il que j'achète des cigarettes ? Ou serais-je alors coupable de colporter la maladie et la mort ? Probablement. Mais j'en ai tout de même acheté.

En arrivant, j'ai trouvé la frappée qui traînait dans le foyer. Je l'ai vue s'approcher d'un visiteur qui repartait et lui taper une cigarette. Elle avait toujours ses mules bleues à pompons, qui avaient viré au grisâtre, tout comme ses orteils bleuis par le froid dont les ongles étaient plus crasseux que jamais. Je lui ai glissé ses cigarettes comme un contrebandier et elle s'est empressée de les empocher.

« Merci mon chou. L'est aux Horreurs. »

Il m'a fallu un moment pour retrouver Mrs. Shapiro dans l'unité Aurora. J'ai tout de suite vu qu'elle était dans un sale état. Ses joues étaient couvertes d'ecchymoses, elle avait un œil presque fermé et un bandage impressionnant autour de la tête. Elle m'a agrippée par le bras.

« Georgine. *Danken Got*, vous êtes venue. » Elle avait la voix faible et rauque.

« Qu'est-ce qui s'est passé ?

– Tombée dans le neige. Tout cassé.

– Je vous ai apporté ce que vous vouliez. » J'ai sorti les affaires du sac et les ai posées sur le meuble de chevet. « Votre amie m'a appelée.

– C'est pas mon amie. Qu'elle est frappée. Tout ce qu'elle veut, c'est le cigarette.

– Mais qu'est-ce qui s'est passé ? Je vous ai appelée aujourd'hui pour savoir si vous aviez besoin de quelque chose.

– Quelqu'un m'appelait ce matin. Il disait que mon chat qu'il était dans l'arbre coincé dans le parc.

– Qui vous a appelée ? Quelqu'un que vous connaissez ?

– Je sais pas qui. Je croyais que c'est le Wonder Boy qu'il est coincé. Le pauvre Wonder Boy qu'il est pas doué dans les arbres.

– Et il était coincé ?

– Je sais pas. Je le voyais pas. On me rentrait dedans, je glissais et je tombais. On me remet dans le maison de *kranken.* »

Les visites étaient terminées et les gens commençaient à se diriger vers la porte.

« Cherchez le Wonder Boy. Vous le nourrissez encore, hein, Georgine ? Le clef sont dans le poche, pareil qu'avant. Merci, Georgine. Vous êtes l'ange pour moi. »

Je dois dire que je me sentais plutôt grincheuse pour un ange. Les rapports de bon voisinage, c'est bien gentil, mais il y a des limites. J'ai tout de même repris les clefs dans la poche de son astrakan et rejoint le flot de visiteurs qui se massaient vers la sortie. Était-ce réellement un accident ? me suis-je demandé sur le chemin du retour. Ou l'avait-on poussée à sortir dans la neige avant de la faire tomber ? Qu'avait dit Mrs. Goodney ? « Nous ne voudrions pas être responsables d'un nouvel accident… » ?

Ben était encore debout quand je suis rentrée.

« Quelqu'un a appelé pour toi, m'a-t-il dit.

– Il a laissé un message ?

– Il a dit que tu pouvais le rappeler. Mr. Diabello.

– Ah oui, l'agent immobilier. » J'ai gardé un ton parfaitement impassible. « J'essaie d'obtenir une estimation de la maison de Mrs. Shapiro.

– Drôle de nom.

– Oui, c'est ce que je me suis dit, moi aussi. Il est un peu tard. Je l'appellerai demain. »

Devais-je lui téléphoner ou non ? J'ai repensé en frémissant à la conduite éhontée de la Dépravée qui batifolait en slip écarlate, se tortillant sans pudeur en se débattant avec du velcro. Était-ce bien moi ?

26

Un sourire édenté

Samedi, une fois Ben parti avec Rip, j'ai enfilé mon vieux jean, mis une lampe électrique et un tournevis dans mon sac au cas où et pris le chemin de Canaan House. C'était l'occasion de recommencer à farfouiller dans la maison. J'étais bien décidée à découvrir quel âge avait réellement Mrs. Shapiro et l'identité de la femme mystérieuse sur la photo. Il y avait deux endroits que je n'avais pas encore explorés – le salon au bow-window où il n'y avait plus de lumière et le grenier. J'ai donné à manger aux chats et enlevé la crotte de l'entrée. Puis je me suis lancée dans une fouille systématique.

Le crochet de la porte du salon était abîmé et légèrement de travers. J'ai poussé la porte. J'ai été assaillie par une telle puanteur – une odeur de fauve, fétide – que j'ai failli reculer, mais je me suis mis un mouchoir sur le nez et je suis entrée en braquant ma lampe électrique de ma main libre. Dans le faisceau, j'ai aperçu un haut plafond à moulures et son lustre défunt, une énorme cheminée en marbre avec un tas de suie déversé dans l'âtre et, sur le manteau, une pendule dorée dont les aiguilles étaient arrêtées juste avant midi. Il y avait deux canapés et quatre fauteuils recouverts de draps blancs, un buffet en acajou sculpté garni de verres et de carafes – dont l'une contenait encore quelques centimètres d'un liquide brun visqueux qui sentait le décapant –, et, près de la fenêtre, un piano à queue également drapé de blanc. J'ai promené la lampe sur les murs. Ils étaient ornés de tableaux – de sombres peintures victoriennes représentant des scènes des Highlands, de tempêtes en mer et de bêtes agonisantes – qui contrastaient avec l'amoncellement d'images et de photos intimes qui couvraient les murs des autres pièces.

Le bow-window était fermé par de lourds rideaux de brocart à franges. Une affreuse cantonnière en forme de boîte tapissée du même brocart pendait du mur et j'ai compris pourquoi en levant la tête. Une énorme lézarde courait du sol au plafond, juste au-dessus du linteau, laissant passer un courant d'air glacé. En bas, à l'endroit où elle disparaissait dans le sol, elle devait avoir plusieurs centimètres de large. Ce devait être les racines de l'araucaria qui avaient causé ces dégâts. Pas étonnant qu'elle veuille le couper.

Je me suis assise au piano, puis j'ai soulevé la housse et ouvert le couvercle du clavier – c'était un Bechstein. J'ai fait courir mes doigts sur les touches. L'écho mélancolique de notes désaccordées a résonné dans le silence. Il y avait des partitions dans le tabouret – Beethoven, Chopin, Delius, Grieg. Pas le genre de musique qu'on écoute à Kippax. Le concerto pour piano de Grieg portait un nom rédigé en écriture anglaise avec des majuscules ornées de fioritures à l'ancienne : *Hannah Wechsler*. Sur les lieder de Delius il y avait un autre nom : *Ella Wechsler*. Je me suis souvenue de la photo de la famille Wechsler assise autour du piano. Qui étaient-ils ? Quand j'ai feuilleté la partition, un bout de papier est tombé par terre. Je l'ai ramassé et l'ai éclairé avec la lampe électrique. C'était une lettre.

Kefar Daniyyel, près de Lydda, 18 juin 1950

Mon très cher Artem,

Pourquoi tu ne réponds pas à mes lettres ? Chaque jour je pense à toi, chaque nuit je rêve de toi. Tout le temps je me demande si j'ai bien fait de venir ici en te laissant à Londres. Mais je ne peux pas revenir sur ma décision. Car ce sera notre lieu de refuge, mon amour, le lieu où notre peuple venu de tous les pays où nous étions des exilés s'est rassemblé pour pouvoir enfin vivre en paix. Ici dans notre Terre promise notre nation dispersée qui a passé des siècles à tourbillonner autour du globe comme un nuage de poussière humaine peut enfin trouver le repos. Si seulement tu pouvais être ici avec nous, Artem.

Tu n'imagines pas, mon amour, la joie que l'on éprouve à travailler non pas pour un salaire ou un profit, mais pour bâtir une communauté de foi partagée. Nous vieillirons et mourrons ici, mais nous bâtirons un avenir pour nos enfants. Ils grandiront libres et sans peur dans ce pays que nous leur construisons – un pays sans barbelés, dont aucune personne jamais plus ne nous chassera.

Nous quittons enfin notre maison temporaire de Lydda pour nous installer dans notre nouveau *moshav*, ici, à Kefar Daniyyel, sur une colline exposée à l'ouest qui donne sur la ville. Quelques hectares de terre aride avec un filet d'eau, un lieu désert, abandonné, mais ce sera notre jardin. À l'est le soleil se lève sur les montagnes de Judée et à l'ouest il se couche sur une plaine côtière avec des champs de blé et des plantations de citronniers. La nuit nous voyons les lumières scintiller dans la vallée comme des bougies de Havdalah.

Le matin, avant que le soleil ne soit trop chaud, nous travaillons dehors à enlever les pierres de la colline et préparer des terrasses pour les plantations de l'automne. Yitzak a obtenu des noyaux d'un nouveau type d'arbre fruitier appelé *avo-kado*, qu'il pense pouvoir implanter ici une fois que le problème de l'irrigation sera résolu. Les hommes posent une conduite d'eau qui apportera la vie sur cette terre déserte qui avant ne nourrissait que quelques dizaines de personnes et leurs misérables troupeaux.

Mon amour, j'ai une grande nouvelle qui, j'espère, te convaincra de venir maintenant même si tu ne voulais pas avant, car notre amour va donner un fruit. Arti, tu vas être père. J'attends un enfant. Souvent le soir quand il fait frais, je monte au sommet de la colline à Tel-Hadid et je regarde le soleil se coucher sur la mer en pensant à toi qui vis là-bas, au-delà de la mer, et à ton bébé qui grandit en moi. Mon cher amour, viens nous rejoindre, je t'en prie, si tu le peux, ou si tu ne peux pas en ce moment, s'il te plaît, écris-moi ici, à Kefar Daniyyel, et je comprendrai.

Avec mes tendres baisers,

Naomi.

Il y avait une trace au bas de la feuille, une trace de baiser ou de larme.

La lettre était rédigée d'une petite écriture nette sur deux feuilles recto verso de papier très fin pliées ensemble. Avait-elle été cachée ou perdue ? Je l'ai relue. Son anglais était meilleur qu'aujourd'hui, me suis-je dit. Je l'ai repliée soigneusement et l'ai glissée dans mon sac. J'imaginais la triste jeune fille en haut de la colline qui portait son bébé en elle, contemplant le coucher du soleil sur la mer en rêvant à son bien-aimé. Mais l'histoire restait incompréhensible. Avait-il fini par la rejoindre ? Ou est-ce Naomi qui était revenue ? Était-il marié à une autre ? Et qu'était-il advenu de l'enfant ?

Poussée par la curiosité, j'ai feuilleté les partitions pour vérifier s'il n'en tombait pas d'autres lettres. Le recueil de chansons Delius s'est ouvert à une page où figurait une traduction en anglais sous l'original en allemand.

Je viens de voir deux yeux si bruns
J'y ai découvert ma joie, mon univers

Autrefois, Rip m'appelait sa belle aux yeux bruns et je nous revoyais sur les routes de France, reprenant en chœur *Brown-Eyed Girl* de Van Morrison, avec Ben et Stella attachés à l'arrière, et l'énorme tente et le camping-gaz sanglés sur la galerie de la voiture. Je lui prenais la main et les enfants roulaient les yeux en pouffant de rire devant un pareil étalage de mièvrerie de la part d'adultes. Qu'advient-il de l'amour ? Où va-t-il quand il n'est plus là ? L'amour de Rip s'était volatilisé dans le Programme de développement. Peut-être était-ce également de ma faute si c'était arrivé – si mes yeux n'étaient plus aussi bruns.

Le faisceau de la lampe commençait à faiblir. Les piles devaient être usées. Je l'ai éteinte et je suis montée au premier. Les neuf portes étaient toutes fermées. J'ai pris dans sa chambre la chemise de nuit en satin grisâtre, la robe de chambre rose en chenille et les pantoufles du *Roi Lion*. En me mettant sur la pointe des pieds, j'ai vu que la boîte de Harlech Castle était toujours en haut de l'armoire, là où je l'avais laissée. Puis j'ai refermé la porte derrière moi et j'ai ouvert celle qui menait au grenier.

Je n'y étais jamais montée et lorsque Mark Diabello avait parlé d'un fabuleux appartement, j'avais ricané intérieurement, mais en escaladant l'escalier raide, j'ai vu un flot de lumière se déverser de deux hautes fenêtres en œil-de-bœuf et d'un vaste puits de lumière dans le toit, révélant de larges poutres qui se divisaient dans des chambres mansardées offrant un panorama sublime sur les cimes des arbres de Highbury Fields.

Mais les chambres étaient pleines d'un véritable fouillis – des tas, des paquets et des cartons poussiéreux empilés les uns sur les autres. J'ai été prise de découragement. Il me faudrait une éternité pour fouiller tout ça. J'ai ouvert un des cartons au hasard – il était plein de livres. J'en ai sorti un et je l'ai feuilleté. *Sainte Thérèse d'Avila : une vie de dévotion.* Pas franchement ma tasse de thé. D'autres cartons contenaient de la vaisselle, des couverts et des bibelots chinois passablement hideux. Un placard à l'allure prometteuse ne renfermait que des élastiques, des couvercles de pots à confiture – par dizaines –, des recettes de cuisine et des magazines d'avant-guerre. Ni document, ni photo, ni lettre, ni agenda qui puissent combler les lacunes de l'histoire de Mrs. Shapiro.

À ma gauche, une petite porte débouchait sur un escalier en colimaçon qui conduisait à une petite pièce ronde. C'était manifestement la curieuse petite tourelle perchée sur la façade ouest de la maison. Elle était à peine assez grande pour y mettre un fauteuil et c'est là tout ce qu'elle contenait, un large fauteuil victorien capitonné de velours bleu fané avec des pieds à griffes. En m'y asseyant, j'ai soulevé un nuage de poussière qui m'a fait éternuer. J'ai regardé la jungle du jardin lavé par la pluie, en imaginant comme ce devait être agréable d'y passer tranquillement un après-midi avec un thé, un gâteau et un bon livre. Puis, subitement, j'ai eu la sensation intense d'une présence – la présence de quelqu'un qui était resté là tout comme moi à regarder par la fenêtre. À qui appartenait ce fauteuil ? Qui d'autre avait contemplé le jardin de ce fauteuil ? En caressant nerveusement le velours, mes doigts sont tombés sur un objet dur – une pièce. Un de ces gros pennies d'autrefois à l'effigie de la reine Victoria enfoncé sur le côté du fauteuil. J'ai continué à tâtonner du bout des doigts et j'ai sorti un trombone, un mégot de cigarette et une petite photo froissée. Je l'ai lissée. C'était la photo d'un bébé, un magnifique bébé aux yeux bruns. J'étais incapable de dire si c'était une fille ou un garçon. Quelqu'un le tenait sous les aisselles tandis qu'il arborait un grand sourire édenté devant l'objectif.

« Hou, hou ! Il y a quelqu'un ? »

J'ai fait un bond. Je me suis rappelé que j'avais laissé la porte ouverte. Je me suis honteusement dépêchée de remettre la pièce et la photo dans le fauteuil et je suis descendue. Mrs. Goodney était plantée dans le hall, affichant un sourire suffisant.

« Je savais bien que je vous trouverais là. On fouine dans tous les coins, à ce que je vois. »

Elle portait les mêmes souliers pointus à talons carrés et un horrible imperméable à la texture légèrement écailleuse quasiment du même vert lézard. On avait dû lui dire que c'était une couleur qui lui allait bien.

« Mrs. Shapiro m'a demandé de nourrir ses chats. Elle m'a donné la clef.

– Dans les chambres ? Ça m'étonnerait. »

J'ai rougi de fureur plus que d'embarras, mais je n'ai rien dit.

« Quoi qu'il en soit, vous pouvez rendre les clefs maintenant, car nous avons établi qu'en fait vous n'étiez pas sa plus proche parente. Elle a un fils. »

J'ai eu le souffle coupé – le bébé ! Mais quelque chose dans son regard me disait qu'elle bluffait. Ou cherchait à obtenir des informations. Qu'à cela ne tienne, moi aussi je pouvais jouer à ce petit jeu-là.

« Mais je ne pense pas qu'il vienne d'Israël pour nourrir les chats. »

Elle a cillé, un bref cillement reptilien.

« Nous sommes en contact avec les agences internationales, vous savez. Nous l'inviterons à nous aider à régler les affaires de sa mère quand la maison sera mise en vente.

– Vous ne pouvez pas la mettre en vente sans son consentement. » À moins que ?

« Naturellement, il aura également un droit sur le bien – le fils. » Elle m'a scrutée de ses yeux de lézard. « Mais pour l'instant elle est confiée aux services sociaux. Au fait, elle a dit qu'elle ne veut plus que vous lui rendiez visite. »

À ces mots, j'ai frémi. Mrs. Shapiro avait-elle réellement dit ça ? C'était possible, elle avait suffisamment mauvais caractère, mais j'avais la certitude que non.

« Bien. » Mrs. Goodney a tendu la main pour que je lui donne les clefs. « Je prends la relève pour m'occuper des chats. »

Sur ces entrefaites, Violetta est venue comme par hasard se frotter en ronronnant contre les jambes de Mrs. Goodney et j'ai aperçu Moussorgski qui se faufilait au bas de l'escalier, attendant le bon moment pour monter en douce dans la chambre. J'ai compris soudain que le lit de Mrs. Shapiro devait être leur nid d'amour. J'ai compris aussi au regard que leur portait Mrs. Goodney que sa manière à elle de s'occuper des chats consisterait à appeler le service d'éradication de la municipalité.

« Je refuse de rendre les clefs sans son autorisation écrite. » J'avais pris un ton hautain, mais ça n'a fait que l'énerver davantage.

« Je peux toujours obtenir une ordonnance du tribunal, a-t-elle rétorqué.

– Très bien. Allez-y. »

Était-ce vrai ?

Après son départ j'ai refermé soigneusement la maison, mis la nouvelle clef de la porte de derrière sur mon trousseau, pris le sac contenant les affaires de Mrs. Shapiro (évidemment, ç'aurait été un prétexte parfait pour avoir regardé en haut, mais sur le moment on ne pense jamais à ce genre de choses) et j'ai filé directement à l'hôpital. J'ai foncé dans le labyrinthe de couloirs aseptisés en cherchant l'unité Aurora. Mais quand je suis arrivée, elle était déjà partie. Il y avait quelqu'un d'autre dans son lit. J'ai eu beau chercher partout, impossible de la trouver.

L'infirmière de service était une autre gamine malingre à l'air épuisé.

« Où est Mrs. Shapiro ? Elle était dans ce lit », ai-je dit en le montrant.

La gamine a pris l'air vague.

« Elle est partie en maison de retraite, je crois.

– Vous pouvez me dire où elle est allée ? Je lui ai apporté des affaires.

– Il faut demander au bureau des services sociaux. C'est dans le même bâtiment que la kiné. »

Elle a pointé vaguement la main dans la mauvaise direction. À la seule idée du sourire suffisant de Mrs. Goodney si jamais je posais la question, mon sang s'est mis à bouillir.

Peut-être la frappée était-elle au courant. Je ne l'avais pas vue dans le hall en arrivant, et quand je suis retournée dans le service où je l'avais croisée la première fois avec Mrs. Shapiro, je ne l'ai trouvée nulle part. Je me suis dit qu'elle était peut-être descendue au foyer pour taper des cigarettes, mais elle n'y était pas non plus. Je suis allée à l'accueil, mais je me suis aperçue que je ne savais même pas comment elle s'appelait. Pourtant, en sortant, je l'ai vue qui traînait devant l'entrée principale à côté du panneau INTERDIT DE FUMER. Elle était en train de se chamailler avec deux jeunes à casquettes de base-ball, dont l'un avait une jambe dans le plâtre. Elle m'a agrippée au passage.

« Y m'ont piqué mes clopes.

– Qui ça ? L'infirmière ? » Ce n'est pas trop tôt, me suis-je dit.

– Non, eux. » Elle a pointé le doigt sur les jeunes qui tiraient sur des cigarettes, la tête penchée sur leurs mains comme si leur vie en dépendait.

Je me suis approchée d'eux. « Est-ce que vous ?…

– Elle est cinglée », a dit celui qui avait la jambe plâtrée. Puis ils ont continué à fumer en m'ignorant.

« C'est mieux pour votre santé, ai-je tenté de la consoler. Ce n'est pas bon pour vous. »

Elle m'a fixée en silence d'un regard où se mêlaient le mépris et la désolation.

« Bon, d'accord, j'irai vous en chercher. Vous savez où est mon amie ? La dame avec la robe de chambre rose ?

– Y l'ont embarquée. C'matin. Les a engueulés avec ça. Z'auriez dû entendre comment qu'elle beuglait ! Et d'ces insultes, j'vous dis pas. Moi qui croyais qu'c'était une dam' ! Tss tss tss...

– Vous savez où elle est ?

– Jamais rien entendu d'pareil. L'cause comme un charretier. Y vont la mett' en maison de retrait'. Vaut mieux pour elle.

– Vous savez comment elle s'appelle, cette maison ? Où elle est ?

– Nightmare 'ouse.

– Nightmare ? » La Maison des cauchemars, voilà qui ne présageait rien de bon.

« C'est là qu'y vont tous. J'suis déjà été. Du côté d'Lea Bridge. Y en a pas des masses qu'en sort' vivants. » Elle a secoué la tête d'un air sinistre, puis s'est mise à tousser.

« Merci, merci beaucoup. »

J'ai voulu y aller, mais elle m'a retenue par la manche.

« Z'oublierez pas mes clopes, hein ? »

Il n'y avait pas de Nightmare House ni dans l'annuaire, ni sur Internet. (Enfin si, mais c'était un jeu vidéo.) J'ai téléphoné à Miss Baddiel et lui ai laissé un message, mais elle ne m'a pas rappelée. Eileen m'a répondu mystérieusement qu'elle était « sur une affaire ». J'étais furieuse et déçue. Devais-je aller à la police dire que mon amie avait été kidnappée par les services sociaux ? Je voyais d'ici leurs têtes. Écrire à mon député ? Voir un avocat ? Il m'est venu à l'esprit que la seule personne qui pouvait nous aider était Mark Diabello. Il saurait ce qui arrivait dans ce genre de situations, et il était dans son intérêt de s'assurer que la maison de Mrs. Shapiro ne soit pas vendue à son insu.

Depuis notre dernière rencontre, je l'avais évité et ne l'avais pas rappelé. Non seulement j'avais décidé que ce n'était pas mon genre, mais j'en étais venue à la conclusion que je n'étais pas le sien non plus et que je n'étais qu'une des douzaines de femmes avec lesquelles il couchait dans le cadre de ses fonctions. Il devait s'intéresser bien davantage à Canaan House qu'à moi. Mais j'ai ravalé mes doutes et fait son numéro. Ça n'a sonné qu'une fois.

« Bonjour, Georgina. (Mon numéro devait être enregistré sur son portable.) Ravi de t'entendre. »

Quelque chose dans sa voix me faisait vaguement

penser à… du velcro. J'ai senti le rouge me monter aux joues. S'il acceptait de m'aider, cela se finirait-il encore au lit ? Était-ce vraiment ce que je voulais ? J'ai enfoui ces questions embarrassantes au fond de mon esprit.

« Mrs. Shapiro a disparu, ai-je lâché. Elle est dans une maison de retraite, mais je ne sais pas où. »

Il n'a pas eu l'air surpris. « Laisse-moi faire, Georgina. Quand allons-nous ?…

– Merci, Mark. Il faut que j'y aille. On sonne… »

Mais avant qu'il n'ait eu le temps de me rappeler, Mrs. Shapiro a trouvé un moyen de me contacter elle-même. En passant à Canaan House un jour, j'ai trouvé une lettre à l'intérieur, sur le paillasson. Au milieu de tout le courrier publicitaire, j'ai failli ne pas la voir. C'était une enveloppe réutilisée, adressée initialement à une certaine Mrs. Lillian Brown à Northmere House, Lea Gardens Close. L'adresse avait été barrée et celle de Mrs. Shapiro écrite à la place. L'enveloppe ne contenait qu'un coin de journal déchiré, où deux mots avaient été visiblement griffonnés avec un crayon à sourcils noir : *AIDEZ-MOI.*

IV

Des adhésifs dans la maison

27

La forteresse de parpaings

Northmere House n'était pas vraiment une maison, mais une grosse bâtisse carrée à un étage en parpaings enduits de plâtre qui avait été conçue d'emblée pour être un établissement spécialisé et dont la façade était percée de fenêtres également carrées, qui s'ouvraient suffisamment pour pouvoir aérer mais non pour s'échapper. On y accédait uniquement par une porte vitrée coulissante dont l'ouverture était déclenchée par un bouton situé derrière l'accueil, placé sous la garde d'une matrone revêche en uniforme d'entreprise.

« Que puis-je pour vous ? a-t-elle aboyé.

– Je viens voir Mrs. Shapiro. »

Elle a tapoté sur son clavier et, sans même lever les yeux de son écran, m'a lancé : « Elle n'a pas le droit de recevoir des visites.

– Comment ça, elle n'a pas le droit de recevoir des visites ? Ce n'est pas une prison, n'est-ce pas ? »

J'avais la voix un peu trop perçante. Calme-toi, me suis-je dit. *Inspirer – deux, trois, quatre…*

« C'est ce qui est marqué sur sa fiche. Pas de visiteurs.

– Et pourquoi cela ? Qui a pris cette décision ?

– La directrice.

– Je peux lui parler ? »

Elle a enfin posé sur moi un regard froid, indifférent.

« Elle est en réunion. » Elle m'a indiqué une rangée de fauteuils roses rembourrés. « Vous pouvez attendre, si vous voulez.

– Et si je fais un petit tour en attendant ? »

J'essayais de prendre un ton désinvolte, mais ma voix tremblotait tant j'avais le cœur qui cognait dans la poitrine.

« Je serai forcée d'appeler la sécurité. »

D'une fenêtre du hall, je voyais une cour centrale ornée d'un carré de gazon aseptisé méticuleusement entretenu, bordé d'une allée de ciment qui ne menait nulle part et de quatre bancs répartis de chaque côté. On y accédait par une double porte située à l'autre extrémité de la cour, qui devait être également actionnée par un bouton. Par la porte vitrée, j'ai aperçu un couloir avec des portes. Mrs. Shapiro devait moisir dans une de ces cellules en parpaings, attendant que je vienne la délivrer. Il fallait que je me débrouille pour lui faire parvenir un message lui disant que je faisais tout mon possible. Elle devait encore avoir ses bandages et recevoir des soins médicaux, du moins je l'espérais.

Je me suis installée dans un fauteuil rose et j'ai attendu un moment en me demandant quoi faire. Entre l'épaisse moquette rose et les doubles portes fermées qui étouffaient tous les bruits, le silence était pesant, et l'atmosphère inerte était imprégnée d'une odeur de synthèse chimique aux relents douceâtres. De temps en temps, un ascenseur débarquait des gens dans le hall et le cerbère de l'accueil appuyait sur le bouton pour les laisser sortir. Les uns étaient en uniforme d'infirmier, d'autres portaient le même tailleur que le cerbère, et il y avait une femme avec un stéthoscope qui devait être médecin. Ils avaient tous l'air soucieux et affairé. J'ai compris que le discours sur la violation des droits de l'homme que je préparais laisserait tout ce beau monde totalement froid. Sur une table basse, à côté des fauteuils roses, trônait une coupe de fruits bien lustrés, sans doute destinée à assurer aux familles que leurs parents incarcérés bénéficiaient d'un régime diététique. J'ai pris une pomme vert vif – de la même couleur que la veste de Mrs. Goodney – et j'ai croqué dedans à pleines dents. Le bruit de mes mandibules a résonné dans le hall. Le cerbère m'a fusillée du regard. Une fois fini, j'ai posé le trognon de pomme sur le bureau de l'accueil et je suis partie.

En allant à l'arrêt de bus, je me suis creusé le cerveau pour trouver un moyen de sortir de là Mrs. Shapiro. Je me suis imaginée comme dans un jeu vidéo, cavalant avec elle dans les couloirs en échappant aux vigiles et aux infirmières armées de seringues, et franchissant au galop les portes coulissantes pour rejoindre Lea Bridge

Road et attraper un bus, au rythme d'une bande-son de violons déchaînés.

C'est une sensation magique de naviguer entre les cimes des arbres, perché à l'avant d'un bus à impériale. À mesure que nous nous balancions au-dessus de la route comme si nous étions à dos d'éléphant, je sentais la tension s'évacuer de mes épaules et de ma nuque. En traversant le pont, j'ai aperçu les graciles méandres translucides de la Lea qui pénétrait dans Londres. Tout autour de moi, le ciel était empli de nuages qui filaient à toute allure en prenant des reflets roses au soleil – non pas ce rose chimique froid de Northmere House, mais un éclat de couleur fugace pareil à un sourire inattendu. J'ai repensé à la jeune femme enceinte contemplant du haut de la colline rocailleuse le soleil qui rougissait au-dessus de la mer, en attendant son bien-aimé. À présent, elle était enfermée dans cette forteresse de parpaings, attendant que je vienne la délivrer.

À Millfield Park, le bus a émergé en cahotant des cimes d'arbres et le ciel s'est brusquement ouvert devant moi, intense, tourmenté, éclairé de rayons de soleil apocalyptiques qui transperçaient les nuages. Il pleuvait quelque part. Un arc de couleur a lancé un bref éclat chatoyant avant de disparaître. Je ne sais pas pourquoi, les larmes me sont montées aux yeux. J'ai repensé à l'étrange conversation que j'avais eue avec Ben. Liminal. Une époque de transition. Le seuil d'un nouveau monde. Pauvre Ben – pourquoi prenait-il à ce point tout à cœur ?

Le lundi l'absence de Ben se faisait encore plus sentir – il me restait encore deux jours à attendre. Personne ne vous prévient jamais de tout le mal que vous feront vos enfants ; de cette souffrance d'amour qui vous perce les côtes et vous vrille le cœur alors même qu'on essaie de reprendre sa vie en main. Il était déjà quatre heures – il était temps de rentrer à la maison. Ben était-il de retour chez Rip, était-il en train de raconter sa journée au lycée devant un bol de Choco-Puff ? À l'arrêt suivant, une bande de lycéens est montée en se bousculant dans le bus et est venue me rejoindre sur l'impériale, jacassant, riant, se jetant des affaires à la figure. Étaient-ils angoissés à l'idée d'Armageddon et du temps liminal ? En fait, avec les enfants on ne sait jamais.

Dès que je suis rentrée, j'ai mis l'eau à chauffer et, en attendant qu'elle bouille, j'ai écouté mon répondeur. Il y avait un message de Mark Diabello me demandant de le rappeler quand j'aurais un moment, un de Nathan d'*Adhésifs dans le monde moderne*, me rappelant le nouveau délai, un autre de Pete les Pectos – aucune idée de ce qu'il voulait – et un message aussi laconique que péremptoire de Rip : « Rappelle-moi tout de suite. » Et puis quoi encore ? En voulant effacer celui de Rip, je les ai tous effacés par mégarde. Il faudrait que je pense à rappeler tout le monde. Une autre fois. J'ai mis un sachet dans la tasse et cherché du lait dans le réfrigérateur. Zut. Je n'en avais plus. Je fulminais encore en repensant au message de Rip – au ton qu'il avait employé. Avant, il n'y avait pas si longtemps, il aurait laissé un message amoureux. Qu'était-il advenu de toute cette tendresse ?

J'ai fouillé partout en espérant trouver du lait en poudre et j'ai fini par me servir un verre de vin à la place. Puis un autre. Le silence de la cuisine s'est refermé sur moi. Encore deux jours à attendre. Puis le téléphone a sonné. C'était Mark Diabello.

« Georgina, tu es rentrée. J'ai fait… ma petite enquête. Je peux passer ? »

J'aurais dû inventer une excuse quelconque et raccrocher, mais le vin me rendait sentimentale et la douceur sirupeuse de sa voix éveillait en moi un besoin soudain. Non de sexe. Non. Je voulais juste que quelqu'un soit gentil avec moi.

« Désolée de ne pas t'avoir rappelé. Je ne suis pas très… »

Je ne suis pas parvenue au bout de ma phrase. Un gros sanglot m'a noué la gorge, emportant les mots. Dix minutes plus tard, il était là.

J'espérais sans doute un peu de tendresse, mais dès que j'ai vu son regard sur le pas de la porte, j'ai compris qu'au menu c'était sexe à volonté. Il m'a amenée tout droit dans la chambre, où il a remarqué avec un murmure approbateur que les menottes de satin et de velcro étaient restées en place depuis la fois précédente. Sur ce, sa chemise est tombée, puis mon haut, puis son pantalon, ma jupe est remontée et… ce qui est arrivé ensuite est bien trop dégoûtant pour que je le décrive. Il a procédé étape par étape à la manière d'un mécano suivant un manuel de maintenance et je me suis abandonnée entre ses mains comme une Ford Fiesta passant la révision des cent mille.

Tandis que les draps refroidissaient contre ma peau et que mes yeux s'accoutumaient à la pénombre, j'ai remarqué que ses vêtements étaient pliés sur la chaise alors que les miens étaient emmêlés dans la couette. Il m'a enlacée en me lissant les cheveux en arrière.

« Tu es une femme très sensible. Ça me plaît.

– Toi aussi, tu me plais. »

Je m'étais forcée à prononcer ces mots, mais je les sentais figés et maladroits dans ma bouche. J'ai posé la joue sur son torse moite qui sentait la sueur, le savon musqué et le chlore.

Il a passé un doigt sur ma joue. « Tu n'es pas comme tout le monde. Tu es... différente. J'aimerais te voir plus souvent, Georgina.

– Mmm », ai-je murmuré d'un ton évasif.

Tout ce baratin sentimental était probablement feint, avais-je conclu, et tout ce qu'il l'intéressait, c'était coucher avec moi.

Nous n'avions pas parlé de Mrs. Shapiro et de Canaan House la fois précédente, comme par un accord tacite, comme si notre relation flottait dans sa bulle au-dessus du monde et de ses préoccupations sordides. Mais il y avait une telle détermination dans ces vêtements soigneusement pliés.

« Tu sais, Mark, je continue à me demander, pour la maison...

– Qu'est-ce que tu te demandes, chérie ?

– ... ce que vous manigancez, toi et ton associé.

– Je pourrais te poser la même question, tu sais. Pourquoi es-tu venue me voir pour la faire évaluer ? Ce n'est pas ta tante. Il est évident qu'elle ne veut pas vendre, alors pourquoi ce soudain intérêt de ta part ? » Il s'est redressé sur un coude en me dévisageant. « Je n'arrête pas de me demander : quel est son intérêt dans l'histoire ? Pourquoi avoir déclenché tout ça ? »

J'ai eu le souffle coupé. Il pensait… il pensait que j'étais comme lui. Mrs. Goodney, je m'en souvenais, avait porté la même accusation.

« Ce n'est pas moi qui ai commencé. » Je me suis souvenue brusquement de la voix de portail rouillé qui parlait sur un portable. Je me suis rappelé l'expression qu'elle avait employée au sujet de Mrs. Shapiro – une vieille bique. « C'est l'assistante sociale qui a commencé. Elle voulait placer Mrs. Shapiro en maison de retraite et la forcer à vendre la maison. Elle voulait la faire estimer par Damian de Hendricks & Wilson. Je l'ai entendue. »

Il s'est redressé, les muscles soudain tendus.

« Tu aurais dû me dire ça avant. C'est une arnaque bien connue. Tous les agents immobiliers ont leurs contacts avec les services sociaux. C'est comme ça qu'on entend parler des biens qui ont du potentiel avant leur mise en vente – les personnes âgées qui vont en maison de retraite, les successions, les saisies sur hypothèque. Quelquefois, il y a un client caché là-dessous, un investisseur ou un promoteur immobilier, qui est prêt à payer un bon prix pour le tuyau. »

J'avais du mal à le suivre. Le slip rouge dépravé était froissé sous les draps. Puis je me suis rappelé autre chose.

« Maintenant que j'y pense, la première fois, il y avait un type avec l'assistante sociale. Ça pouvait être un entrepreneur – elle lui faisait visiter la maison. Ça devait être à lui qu'elle téléphonait. Mais… et si Mrs. Shapiro a de la famille ?

– Ils s'entendent avec la famille, Georgina. Une vente au comptant, personne ne pose de questions, la famille empoche l'argent et on la débarrasse de la maison. Dans toutes les familles, il y en a toujours un pour accepter cette option. Les gens… comment dire… dans mon métier, on les voit souvent sous leur plus mauvais jour.

– Mais je ne comprends toujours pas pourquoi les familles acceptent.

– Si leur vieux père ou leur vieille tante va en maison de retraite, l'argent de la vente est censé payer les frais, d'accord ? À raison de 500 livres ou plus par semaine, ça a vite fait d'engloutir l'héritage que la famille espérait toucher. Mais quand il n'y a plus d'argent, c'est la municipalité qui prend à sa charge les frais de la maison de retraite. Alors ils s'arrangent pour que l'expert sous-évalue le bien. Il touche sa part. Ils la vendent à bas prix à un complice, sur la base de cette sous-évaluation. La famille paie les frais de la maison de retraite avec l'argent de la vente fictive jusqu'à ce qu'il ne reste plus rien et que la municipalité reprenne les frais à sa charge. Au bout de quelques mois, ils peuvent remettre le bien en vente à sa valeur réelle et ils empochent la différence. »

J'essayais de suivre ses explications, mais je ne voyais qu'un tourbillon d'argent et de briques qui tournoyait dans ma tête. J'aurais dû me taire.

« Mais c'est de l'escroquerie.

– Tu es tellement innocente, ma chérie. Ça me plaît. »

Il m'a embrassée sur le front d'une telle manière que j'ai soudain eu la nausée.

« Il vaut mieux que tu y ailles. Ben va bientôt rentrer. De toute façon, je ne crois pas qu'elle ait de la famille. »

Il m'a regardée d'un œil perçant, comme s'il savait que je mentais au sujet de Ben, puis il a attrapé son slip – un slip noir en lycra qui lui moulait parfaitement le sexe, n'aurait pas manqué de remarquer la Dépravée, mais elle était repartie d'où elle venait et Georgie Sinclair était de retour.

« Dans ce cas, l'assistante sociale travaille peut-être en solo, a-t-il dit.

– Vole en solo, tu veux dire.

– Si tu veux. Mais mets-toi à la place de l'assistante sociale : ils ne sont pas très bien payés. » Il a enfilé les manches de sa chemise. « Il n'y a pas beaucoup d'avantages. Et c'est un boulot plutôt ingrat. Et voilà que pour une fois dans sa vie, une occasion comme celle-là se présente. Elle ne vole personne. Il n'y a pas de famille. La vieille dame n'a pas besoin de millions, elle a juste besoin d'un toit agréable, propre, où elle soit à l'abri. Pourquoi ne pas l'aider et s'aider soi-même en même temps ? »

J'étais choquée. « Mais je croyais que les assistantes sociales étaient censées se soucier du bien-être des personnes âgées ? »

Il a eu un rire blasé. « Personne ne se soucie de personne en ce bas monde. »

Il boutonnait sa chemise à présent. Son ton détaché laissait un arrière-goût minéral comme la mélasse noire. J'ai été prise d'un soudain élan de pitié. Pauvre Mr. Diabello avec son beau corps fringant et sa belle Jaguar lustrée – condamné à vivre dans un monde où personne ne se souciait de quiconque. Je l'ai embrassé sur le poignet, à l'endroit où les poils noirs rebiquaient sous la manchette blanche amidonnée de sa chemise.

« Tu as pourtant l'air de tenir à moi.

– C'est différent. Tu es différente, Georgina. »

Il s'est penché et m'a embrassée si tendrement que je me suis dit qu'après tout il était peut-être sincère et mes hormones se sont remises à bourdonner. Puis il a levé la tête et j'ai vu une lueur s'assombrir dans ses yeux, passant de l'or à l'obsidienne. « Au fait, par simple curiosité, à combien Hendricks & Wilson l'évaluent-ils ?

– Sept millions, ai-je hasardé.

– Tu mens.

– C'est peut-être toi qui mens. »

Il a ri en renversant la tête en arrière pour nouer sa cravate, dévoilant l'ombre de barbe séduisante qui mouchetait la belle fossette qu'il avait au menton. Le velcro me sciait les poignets.

« Mark, tu as oublié…

– Ah oui. » Il a défait les menottes. Elles sont restées là à pendre à la tête du lit tandis qu'il repartait dans la nuit tombante et j'ai ramassé mes vêtements pêle-mêle.

28

Ancienne et inexplicable

Le lendemain, il pleuvait à verse et je me suis attelée à mon ordinateur en essayant de réfléchir aux adhésifs. Le collage. Pour une raison ou une autre, je n'arrêtais pas de repenser au velcro – c'était fascinant, cette chose-là. Tous ces petits crochets sexy. Au bout d'un moment, j'ai renoncé à travailler, j'ai enfilé mes bottes et je suis allée donner à manger aux chats de Mrs. Shapiro. Quand je suis arrivée, ils m'attendaient devant Canaan House en tournant désespérément en rond sous la pluie. Le porche sous lequel ils se mettaient d'habitude n'était qu'une énorme flaque. En levant les yeux, je me suis aperçue que l'eau ruisselait à présent de la gouttière cassée que j'avais remarquée près d'une quinzaine de jours auparavant et se déversait directement sous le porche. Je leur ai donné à manger dans la cuisine, puis je les ai fait sortir par la porte de derrière. J'ai remarqué que Violetta se faufilait vers les communs abandonnés, et quelques minutes plus tard Moussorgski s'est glissé dans la même direction. J'ai attendu pour voir si Wonder Boy allait leur emboîter le pas, mais il s'attardait encore pour finir les restes de la boîte. Je l'ai versée petit à petit pour laisser toutes leurs chances aux deux amoureux. Puis je suis rentrée chez moi en faisant un détour à la boulangerie turque, où je me suis offert un gâteau danois.

Sitôt arrivée, j'ai téléphoné à Mr. Ali. Quand j'ai décrit le problème, il a tout d'abord hésité :

« Je suis un petit artisan, pas le maçon. Il faut les grandes échelles pour cette travail. »

Il a cependant accepté de venir jeter un coup d'œil. Puis j'ai appelé Northmere House. J'ai été contrariée sans pour autant être étonnée d'apprendre que Mrs. Shapiro n'avait pas plus le droit de recevoir des appels que des visiteurs. Son courrier devait être également censuré.

Réconfortée par mon thé et mon gâteau danois, je me suis remise au travail. Adhésifs. Liaisons. Bondage. Mark Diabello. L'ennui, me suis-je surprise à penser, c'est que nous n'avions rien en commun. Une fois passé les premiers frissons de l'excitation, je le trouvais – jusque-là, je n'avais pas été capable de me l'avouer –, comment dire ? Un peu ennuyeux. Peut-être que c'était le problème avec *Le Cœur éclaté.* L'attrait de ces héros romantiques est parfois limité. Ce dont j'avais besoin, c'était quelqu'un à qui parler, quelqu'un d'intellectuel, de préférence un beau mec intellectuel.

J'avais effacé le message de Nathan sans noter le nouveau délai. Devais-je l'appeler pour vérifier ? J'ai hésité. Il me trouvait déjà passablement idiote. Je le voyais d'ici dégager ses cheveux noirs de son beau front buriné d'un geste exaspéré – comme il était assis à son bureau, on ne remarquait pas qu'il était petit.

Quoi qu'il en soit, la taille n'a aucune importance. J'ai fait son numéro.

« Nathan, je suis désolée, j'ai effacé ton message par erreur. Quel est le nouveau délai ?

– Tss, tss », a-t-il fait en soupirant. De toute évidence, il n'était pas réellement fâché. « 25 mars. Tu crois que tu pourras être dans les temps, ma petite Georgie ?

– Oui, je pense. En fait, Nathan, ai-je poursuivi en baissant la voix, je me laisse distraire en permanence.

– Ah oui ? Et c'est intéressant ? » a-t-il soufflé. J'ai hésité. Non, mieux valait ne pas mentionner le velcro.

– Tu as déjà entendu parler d'une ville qui s'appelle Lydda ?

– Lydda, à côté de Tel-Aviv ? Là où est l'aéroport ? Ça s'appelle Lod maintenant.

– Tu vois ? Je savais bien que tu étais doué pour les noms de lieux.

– Tu as l'intention de partir en vacances ? Tu ferais mieux de finir l'*Adhésifs* d'avril avant d'aller où que ce soit, a-t-il ajouté d'un ton faussement sérieux. La côte est belle par là-bas. J'ai des cousins qui habitent à Jaffa. »

En fait, il ne m'était pas venu à l'esprit que Nathan puisse être juif, lui aussi. Il faut dire qu'à Kippax tout le monde vient de Kippax. Mr. Mazzarella, le marchand de frites, et sa femme, la marchande de glaces, étaient les seuls éléments exotiques du village.

« Non, je rends parfois visite à une dame juive âgée qui habite pas loin de chez moi. Elle a une vieille photo de Lydda dans son entrée. » Nathan était silencieux à l'autre bout du fil. « Je croyais que c'était le nom de quelqu'un. Je ne m'étais pas rendu compte que c'était un endroit, ai-je marmonné. C'est tout.

– Tu croyais que c'était quelqu'un ? Comme Georgie ?

– Je t'ai dit que la géographie n'était pas mon fort. »

J'avais encore réussi à totalement me ridiculiser. Mais au même moment je me demandais : pourquoi Mrs. Shapiro a-t-elle une photo de Lydda ?

« En 1972, il y a eu un attentat terroriste là-bas. Un groupe de Japonais a abattu un paquet de gens à l'aéroport. Tu aurais pu être au courant », a dit Nathan.

J'ai creusé dans mes souvenirs. À l'époque, j'avais douze ans. Je commençais tout juste à trouver mes marques à Garforth Comp. Ce devait être une de ces tragédies survenues dans des pays lointains dont on entendait brièvement parler à la télévision avant qu'elles retombent aussitôt dans l'oubli, et qui arrachaient moins de pleurs que la mort du lapin Cœur de Lion, la mascotte du collège.

« Pourquoi ils ont fait ça ?

– Ils vengeaient deux pirates de l'air palestiniens qui avaient été abattus par les Israéliens. »

J'ai décroché. Des Palestiniens et des Israéliens qui se tuaient – une haine aussi ancienne et inexplicable que celle de Wonder Boy et Violetta. Ce n'était pas mon problème.

29

L'abomination

Le jour suivant, j'ai attendu qu'il cesse de pleuvoir pour filer à Canaan House en mission félinitaire. Ils étaient tous là à tourner en rond en ronronnant. C'est très agréable, cet accueil débordant de chaleur et d'enthousiasme, même si l'on sait que tout ce qu'ils veulent en réalité, c'est qu'on leur donne à manger – ce n'est pas de l'amour. Peut-être que si Rip montrait un tant soit peu de chaleur et d'enthousiasme quand il me parlait je pourrais accepter l'absence de sentiment.

Je leur ai donné à manger dans la cuisine, et alors même que je m'apprêtais à refermer la maison pour rentrer chez moi, de grosses gouttes se sont mises à tomber, laissant présager un véritable déluge. J'aurais pu me dépêcher, mais je n'étais pas franchement emballée à la perspective de retrouver *Adhésifs*. Je me suis donné pour prétexte d'aller vérifier s'il n'y avait pas de fuite dans le toit et je suis montée au grenier. Malgré l'état de délabrement du reste de la maison, le toit était étonnamment solide. Il y avait juste un endroit du côté de la façade, plus ou moins au-dessus du bow-window, où il manquait quelques tuiles et où l'eau s'infiltrait. J'ai fouillé dans le bazar, à la recherche d'un quelconque récipient pour recueillir les gouttes, et fini par dénicher un joli pot de chambre victorien orné d'un motif d'iris bleus semblable à celui de la salle de bains.

Dans la tourelle, il n'y avait aucune trace d'humidité au plafond. Je me suis assise dans le fauteuil bleu en attendant qu'il cesse de pleuvoir et j'ai cherché la photo en passant la main sur les côtés. Elle était toujours là. Je l'ai sortie et examinée. Un jour, peu après la naissance de Stella, Mrs. Sinclair m'avait dit qu'elle trouvait que tous les bébés se ressemblaient. Sur l'instant j'avais été scandalisée, mais là, en regardant la photo froissée du bébé chauve édenté, je me suis dit qu'elle n'avait pas tout à fait tort. Seuls ressortaient ces beaux yeux sombres de bébé tout écarquillés. Je les ai scrutés et un souvenir datant de mes années de collège a brusquement refait surface : le gène des yeux foncés est dominant et celui des yeux bleus récessif. Ce bébé devait avoir au moins un parent aux yeux bruns. Mrs. Shapiro avait les yeux bleus. Et Artem Shapiro aussi.

Cette fois, ma curiosité était réellement en éveil. J'ai exploré le creux du fauteuil. Il était plein de moutons de poussière, de poils de chat et de divers déchets qui se collaient sous mes ongles. Enfin, près de l'accoudoir de gauche, je suis tombée sur quelque chose qui ressemblait à du papier. Il ne pouvait pas être arrivé là par accident – il avait dû y être enfoncé exprès. D'une main j'ai écarté l'étoffe bleue du rembourrage et de l'autre j'ai plongé deux doigts suffisamment loin pour l'attraper par un bout et je l'ai retiré. C'était une lettre, pliée en accordéon, écrite sur le même papier léger que celle que j'avais trouvée dans le tabouret de piano :

Kefar Daniyyel, près de Lydda, 26 novembre 1950

Mon très cher Artem,

Je t'écris pour t'apprendre une nouvelle merveilleuse. Notre enfant est né le 12 novembre, c'est un petit garçon. Tous les jours je le regarde devenir de plus en plus beau comme son père. Il a vraiment ton visage, Arti, mais il a mes yeux bruns. Je lui parle souvent de son père à Londres et il sourit en levant ses petites mains en l'air comme s'il comprenait tout. Je l'ai appelé Chaïm comme notre grand président Chaïm Weizmann. Un jour ton papa viendra nous rejoindre, je lui promets. Pourquoi tu ne viens pas, Arti ? Pourquoi tu n'écris pas ? Nous as-tu oubliés ?

Nous t'attendons avec tant d'impatience pour t'envelopper de notre amour. Mon bien-aimé, l'air est si bon et si pur ici après l'horrible smog de Londres que je suis sûre que ta santé s'améliorera aussitôt. Mon amie Rachel est enceinte elle aussi. Tu n'imagines pas comme c'est bon après un demi-siècle de mort d'être entouré de vie nouvelle. Tu te sentiras comme chez toi au milieu de ces *olim* venus des quatre coins du monde qui ont fait l'*aliya.* À Daniyyel, ils sont nombreux de Manchester et tout le monde parle anglais, même si ce qui se fait en ce moment, c'est réapprendre notre ancienne langue.

Il y a tant de choses de l'histoire de notre peuple dans cette terre rouge et ces pierres blanches qui couvrent le paysage comme les ossements de nos ancêtres que parfois je les imagine assis à côté de nous sur le flanc de la colline pour regarder le soleil se coucher et les premières étoiles apparaître à l'est. Après toutes ces souffrances, ils sont enfin en paix. Quand le vent murmure par-dessus les collines, c'est comme si les voix de nos morts chantaient le *kaddish.* Six millions d'âmes qui sont rentrées chez elles. Mon chéri, je me souviens encore de notre maison de Highbury et de nos soirées heureuses près du piano et mes yeux sont pleins de larmes. Pourquoi n'écris-tu pas ?

Avec tout mon amour,

Naomi.

J'ai lu et relu la lettre en attendant que la pluie se calme. Puis je l'ai repliée et remise dans le creux du fauteuil avec la photo. Qui était donc Naomi ? Ce devait être la jolie jeune femme aux yeux bruns – la mère du bébé. Mais en ce cas qui était la vieille dame qui se trouvait à Northmere House ? Quel rapport y avait-il entre les deux Naomi ?

La pluie ne semblait pas près de s'arrêter : l'eau ruisselait sur les fenêtres comme si on s'amusait à les arroser au jet. Ce déluge interminable avait un côté apocalyptique. Était-ce un des signes prophétiques de la fin des temps ? Ben saurait certainement ça. J'ai regardé ma montre. Il était trois heures, il serait bientôt rentré. J'ai fini par me résigner à me faire tremper et j'ai foncé à la maison.

En arrivant, je me suis séché les cheveux à la serviette, j'ai enfilé des vêtements secs et me suis attelée à l'ordinateur non sans culpabilité. Allez. On se concentre. La colle. « Le durcissement de l'adhésif est le passage de l'état liquide à l'état solide. » Quelquefois, la science du collage est d'une évidence accablante. Il était peut-être temps de se lancer dans un nouveau roman – un roman sur une vieille dame qui vit dans une énorme maison délabrée avec sept chats et un secret. J'ai chassé de mon esprit cette idée rebelle pour me forcer à me concentrer. C'était *Adhésifs dans le monde moderne* qui réglait les factures. Il y avait autre chose qui me tracassait. Ben semblait devoir rentrer plus tard que d'habitude.

Quand j'ai enfin entendu la clef dans la serrure, j'ai refermé mon ordinateur portable et je suis descendue l'accueillir. En arrivant dans l'entrée, je me suis arrêtée, le souffle coupé. Un inconnu se tenait là – un drôle de type chauve qui s'était introduit par effraction.

« Salut, m'man. » Il a esquissé un sourire embarrassé et suspendu sa veste mouillée. « Ne me regarde pas comme ça.

– Qu'est-ce ?… »

Tous ses cheveux, ses belles boucles brunes, avaient disparu. Son crâne pâle et bosselé était d'une nudité obscène.

« C'est très… »

Il m'a regardée dans les yeux. « Ne dis rien, m'man. »

J'ai mis ma main sur ma bouche. Nous avons éclaté de rire.

« Tu veux des Choco-Puff ? »

Il a fait non de la tête.

« Je ne sais pas pourquoi tu m'en achètes tout le temps. Papa aussi. Je déteste ça.

– Je croyais que tu aimais bien.

– Avant. Mais plus maintenant. Ça a un drôle de goût. Un peu métallique ?

– Qu'est-ce que tu veux alors ?

– Ne t'inquiète pas. Je m'en occupe. »

Il s'est fait un toast qu'il a tartiné d'un bon centimètre de beurre de cacahuètes, suivi d'une couche de confiture de fraises, le tout saupoudré de chocolat en poudre. Je pensais qu'il allait le monter dans sa chambre, mais il a pris une chaise et s'est assis à la table de la cuisine. Dehors la pluie giclait et gargouillait, débordant du caniveau. Je me faisais des idées ou on n'avait jamais vu des pluies aussi abondantes en février ? Il fallait que je pense à lui demander. Je me suis fait un thé. Depuis notre discussion liminale, Ben ne buvait que de l'eau.

« Et ça ne fait pas… un peu froid à la tête ? »

Il m'a lancé un regard de reproche. « Oui, mais quand

on pense que notre Seigneur a été crucifié, on relativise ? »

À entendre son ton interrogateur, j'avais l'impression qu'il était sur la défensive. J'ai été gagnée par la panique.

« Tu penses souvent à ça, Ben ? »

Il a pris son sac de lycéen, ouvert une poche intérieure à fermeture éclair et sorti un livre. J'ai eu un choc en reconnaissant la vieille bible scolaire de Rip – noire, avec une tranche dorée et le blason de son collège en page de garde. Il l'a ouvert à une page marquée avec un vieux ticket de bus. « Quand vous verrez… l'abomination de la désolation… (il trébuchait sur les termes empesés) … installée là où elle ne doit pas être, alors que ceux qui seront en Judée s'enfuient dans les montagnes, que celui qui sera sur la terrasse ne descende pas pour rentrer dans sa maison et prendre ses affaires, et que celui qui sera aux champs ne retourne pas en arrière pour prendre son manteau ! » Il lisait avec application en levant la tête de temps à autre pour s'assurer que j'écoutais. « Et alors on verra le Fils de l'homme venant dans des nuées avec grande puissance et gloire. »

Il s'est interrompu pour croquer dans son toast. Soudain, j'ai revu le ciel que j'avais contemplé du haut du bus. Ces nuages étincelants qui filaient à toute allure – c'est vrai qu'ils ressemblaient à des chars glorieux.

« Et alors il enverra les anges pour rassembler ses élus, des quatre vents, de l'extrémité de la terre à l'extrémité du ciel. » Voyant que je ne disais rien, il a ajouté : « Marc, chapitre 13 ? Versets 14 à 27 ?

– Ben… »

Dans le silence qui nous séparait, un adorable enfant aux cheveux bouclés était en voie de disparition. J'avais envie de le serrer dans mes bras. J'avais envie de retrouver mon petit garçon, de lui raconter des histoires de lapins et de blaireaux, mais ce n'était plus lui.

« Je ne dis pas que ce sont des foutaises, Ben. C'est un langage… d'une grande force. Mais tu ne crois pas que ça fait allusion à des événements qui se sont déroulés il y a longtemps ?

– L'abomination de la désolation, ça ne date pas d'il y a longtemps, m'man, c'est dans le futur – bientôt. Un cinglé va balancer une bombe nucléaire sur le mont du Temple à Jérusalem. Le lieu saint. Quand il est dit qu'il faut s'enfuir dans les collines, ne pas revenir chercher quoi que ce soit, même pas prendre son manteau. Le champignon atomique. Tout est là. » Il a pris le chocolat en poudre pour en saupoudrer encore sur son toast, puis il s'est léché les doigts avant de les passer dans le chocolat tombé sur le rebord de son assiette.

« Mais… » Comment peux-tu prendre tout ça au sérieux ? avais-je envie de lui demander. Alors je me suis rendu compte avec une pointe d'appréhension que Ben était loin d'être le seul et qu'en réalité c'était ma vision laïque du monde, si commode, qui était en recul face à la vague de croyance qui déferlait sur la planète.

« C'est Daniel qui l'a prédit en premier. Dans l'Ancien Testament ? Et puis Matthieu et Marc ont repris ses prédictions ? Ils n'avaient jamais entendu parler des armes nucléaires, mais quand on voit leur description… » Je ne lui connaissais pas cette voix craquelée, insistante.

« Mais c'est symbolique, tout ça. Tu n'es pas censé tout prendre au pied de la lettre, Ben. »

Il avait les yeux brillants de ferveur. Il s'est de nouveau léché les doigts.

« Oui, c'est ça. Symbolique ? Il faut interpréter les signes ? Il y en a partout dans le monde, des signes de la fin des temps ? Si tu sais quoi chercher ? »

Maintenant qu'il n'avait plus sa couronne de boucles brunes, le duvet sombre au-dessus de sa lèvre et sur son menton ressortait sur son teint pâle. On aurait dit un inconnu – un inconnu qui se faisait passer pour quelqu'un dont j'étais très proche.

« Mais ce sont des cinglés, Ben, les types qui dirigent ces sites. »

Je n'aurais pas dû lui montrer mon exaspération. Il a pris un ton gémissant, sur la défensive.

« Oui, d'accord, il y en a qui sont un peu allumés. Mais les grands qui dirigent le monde, ils savent tous ce qui va se passer ? George Bush et Tony Blair ? Pourquoi tu crois qu'ils passent leur temps à prier ensemble ? Pourquoi tu crois qu'ils sont complètement obsédés par le Moyen-Orient ? Pourquoi ça les fait tellement flipper que l'Iran se mette au nucléaire ? Eux, ils savent que c'est la prophétie du Second Avènement qui va se réaliser à notre époque ? Tu vois, quoi, on est la dernière génération ? »

Il a collé ensemble deux toasts pour se faire un sandwich et léché le beurre de cacahuète qui débordait sur la croûte.

« Tu veux savoir pourquoi l'Amérique soutient Israël ? Parce que dans la Bible il est dit que quand le peuple élu retournera sur sa Terre promise, comme ils ont fait en 1948, ça sera le début de la fin des temps. » Il a croqué dans son sandwich. « C'est les pauvres gens comme toi et papa qui seront les oubliés.

– Les oubliés de quoi ?

– L'enlèvement ? Le Second Avènement ? Quand les élus seront enlevés au ciel et tous les pauvres cons avec leur *Guardian* et leurs pancartes pacifistes seront livrés aux tribulations. » Un peu de confiture avait dégouliné sur le rebord de son assiette. Il l'a léchée. « Tim LaHaye, le copain de George Bush, a écrit un livre qui s'appelle *Les Survivants de l'Apocalypse*. Tout y est.

– Ce n'est pas parce que George Bush y croit que c'est vrai.

– Oui, mais peut-être qu'ils savent quelque chose que tu ne sais pas ? Peut-être qu'ils ont leurs sources d'information ? Le site a cinq millions d'abonnés ? » Il m'a lancé un regard où la colère se mêlait à la pitié. « Ne sois pas aussi aveugle, m'man. »

Puis il a avalé de l'eau, s'est levé brusquement en emportant son sac et sa bible, et il est monté à pas lourds dans sa chambre, son crâne chauve dodelinant à chaque marche.

Mon ventre s'est noué. J'ai fini mon thé et je suis allée dans ma chambre. Je me suis assise sur le lit avec un oreiller dans le dos, j'ai posé mon ordinateur sur mes genoux et je l'ai ouvert. Dans la lumière délavée qui filtrait par la fenêtre, le ciel bleu de mon écran de veille paraissait ridiculement optimiste. J'ai tapé *fin des temps* sur Google, comme Ben l'avait fait. Il y avait littéralement des millions d'entrées. J'en ai ouvert quelques-unes au hasard, suivi des liens, et brusquement, je me suis aperçue que j'avais plongé dans un effrayant monde parallèle dont je n'avais jamais soupçonné l'existence. Ben avait raison – il y avait des millions de gens qui creusaient la Bible et s'acharnaient à essayer de calculer la date de la fin du monde en suivant les indices du texte.

Au début, j'ai été vexée. Comment se faisait-il que je n'en avais jamais entendu parler dans le *Guardian* ? Ni sur Radio Four ? Pourquoi Rip ne m'en avait rien dit ? Puis j'ai commencé à avoir peur. Certains de ces sites portaient des noms bizarres, comme *letempsdelafin*, *apocalypsefindumonde*, *soyezprets*. Des millions des gens se préparaient bel et bien. Les prophéties de Daniel et Ézéchiel dans l'Ancien Testament, les quatre évangiles du Nouveau Testament et l'Apocalypse étaient cités à longueur de page par des individus qui écrivaient des blogs délirants proposant leur interprétation personnelle de ces prédictions et dans d'énormes sites complexes qui avaient des liens avec des dizaines d'organisations. Il y avait même des sites qui vendaient des produits estampillés « Fin des temps ». Il y avait un lien qui menait à un discours de George Bush : « Nous vivons une époque à part. » La formule était écrite en rouge et animée d'horribles flammèches aussi acérées que des lames de rasoir. Sur un autre site, un lien renvoyait mystérieusement à une page intitulée « Comment effacer les traces d'autobronzant ».

Seule dans la pénombre de ma chambre avec pour unique compagnie l'interminable ronronnement de mon ordinateur et ces sinistres fondamentalistes pour guides, je sentais les limites de la raison commencer à se dissoudre et des idées venues d'obscures régions irrationnelles s'infiltrer dans mon subconscient. Était-ce ce que Ben avait éprouvé ? J'ai repensé à mon rêve, à cet esprit malveillant, informe, et malgré moi j'ai frissonné. C'était un monde où tout n'était qu'illusion, une sorte de cauchemar où toutes les choses du quotidien comme les codes-barres étaient déformées par le prisme de la déraison et revêtaient un aspect inquiétant, alors que la guerre, la maladie, le terrorisme, le réchauffement climatique – les fléaux de notre époque – étaient allégrement brandis comme les signes du Second Avènement. Un homme qui disait s'appeler Jeremiah – sur son site il avait une petite barbiche bien soignée et une casquette à carreaux semblable à celle de Mrs. Shapiro – expliquait que la parabole du figuier – « Dès que sa ramure devient flexible et que ses feuilles poussent, vous comprenez que l'été est proche » – faisait référence aux changements de saison dus au réchauffement climatique qui étaient le signe de l'imminence de l'enlèvement. Augmentez le chauffage central et l'air conditionné ! Roulez en 4 × 4 ! Prenez l'avion ! Consommez ! À mesure que la Terre se réchauffera et que le figuier s'épanouira, les heureux, les élus, seront enlevés pour être expédiés au paradis ! Son petit sourire suffisant en disait long.

Comment se faisait-il que j'ignorais tout de ça ? J'ai repensé aux cours de religion de l'école primaire de Kippax, à Mrs. Rowbottom avec son cardigan mauve tricoté au point boule et sa broche en porcelaine rose, l'odeur des enfants tassés les uns contre les autres et Cœur de Lion, la mascotte de l'école, qui sommeillait dans sa cage, les caisses de petites bouteilles de lait gratuites de l'ère préthatchérienne qui attendaient à côté de la porte. On nous apprenait le pardon et la miséricorde. On nous apprenait la parabole du bon grain et de l'ivraie. J'avais même reçu une étoile d'or pour mon dessin du

Bon Samaritain. Maman l'avait fièrement collée sur le réfrigérateur, même si papa souscrivait à la théorie qui voulait que la religion soit l'opium des masses.

Un peu plus grands, nous avions discuté de la paille et de la poutre, et appris à réciter par cœur les Béatitudes et l'épître de saint Paul, la foi, l'espérance et la charité. Tout ça me semblait aussi édifiant que bénin. Le reste m'était parfaitement inconnu. Mrs. Rowbottom était-elle au courant ? En ce cas, ça ne semblait pas la perturber.

Le site de Jeremiah contenait un lien intitulé *Terre promise*, qui m'a conduite à une page entière de liens renvoyant à des sites chrétiens et juifs discutant de la promesse de Dieu faite aux juifs. Quand était-elle censée se réaliser ? Quand il plaira à Dieu, dans le futur prophétique ? Ou aujourd'hui, dans le Moyen-Orient actuel ? La reconstruction du troisième Temple de Jérusalem était-elle une métaphore d'une renaissance spirituelle ? Ou était-ce du concret ? Les cyber-querelles faisaient rage. J'ai repensé à autre chose que Ben m'avait dit. Lorsque le peuple élu reviendrait en Israël, c'est-à-dire en 1948, ce serait le commencement de la fin des temps. Brusquement, je me suis souvenue de la lettre que j'avais trouvée dans le tabouret du piano. *Notre Terre promise.* Elle datait de 1950. Quand je l'avais lue, au début, j'avais eu l'impression d'une voix surannée venue d'une autre époque. Maintenant, le passé, le présent et le futur se télescopaient dans une effroyable collision.

Et il n'y avait pas que les juifs et les chrétiens qui étaient préoccupés par le Second Avènement. Ben avait parlé du dernier imam. Google donnait plus d'un million de liens vers des sites annonçant le retour imminent de l'imam Al-Mahdi. On était loin des codes-barres du prince de Galles.

Tandis que je surfais d'un lien à l'autre, la lueur de mon écran d'ordinateur jetait une étrange lumière colorée sur les murs et le plafond. Je commençais à comprendre que Ben puisse être aussi ébranlé. Comparé à l'implacable inéluctabilité de cette machine à ravir les âmes, l'univers de notre petite famille semblait aussi pitoyable que futile. Dehors, la pénombre se muait en obscurité tandis que des rafales de pluie continuaient à marteler la vitre. Ah oui, la pluie. J'avais oublié de lui demander, pour la pluie.

30

La gouttière cassée

Samedi, quand je suis allée à Canaan House retrouver Mr. Ali, à qui j'avais donné rendez-vous pour qu'il jette un coup d'œil à la gouttière, il avait cessé de pleuvoir mais les trottoirs étaient toujours mouillés et de grosses gouttes tombaient des branches d'arbres. J'étais partie en avance car j'espérais le voir en tête à tête. Je voulais lui poser des questions sur Lydda. Je voulais qu'il me parle de l'islam et du dernier imam. Mais en arrivant à Totley Place, j'ai vu une camionnette rouge cabossée garée dans la ruelle qui menait à Canaan House, puis j'ai entendu des voix d'hommes dans le jardin ou plus exactement des cris. J'ai accéléré le pas. Les cris se sont intensifiés – je ne savais pas ce qu'ils criaient –, ce n'était pas en anglais en tout cas. Violetta a bondi à ma rencontre. Elle courait en rond en miaulant.

En approchant du portail, j'ai aperçu entre les arbres une vision terrifiante – Mr. Ali se balançait en l'air avec des allures de Tarzan grassouillet coiffé d'un bonnet rose et mauve. Il se raccrochait à un bout de gouttière en fonte qui s'était détaché du mur, s'exposant à une mort horrible. Je l'ai regardé, pétrifiée, essayer d'atteindre le rebord de la fenêtre du bout des orteils, en hurlant quelque chose dans une langue étrangère. Il n'était retenu que par un vieux crochet de métal rouillé d'un côté, et de l'autre par une branche de lierre qui était montée jusqu'au toit et s'était heureusement enroulée autour des cheminées. Au sol, empêtrés dans les ronces mouillées, deux jeunes hommes en djellaba blanche et chèche se débattaient avec une échelle en aluminium qui s'était désarticulée. Visiblement, c'est l'échelle qui l'emportait. Ils ont finalement réussi à remboîter les trois parties et brandi l'échelle en essayant d'attraper Mr. Ali, qui n'avait plus que la pointe d'un pied précairement posé sur le rebord de la fenêtre et le deuxième qui s'agitait dans l'autre sens. Mr. Ali a lancé un chapelet d'invectives. Je voyais le crochet céder lentement sous son poids et le lierre se détacher du mur. S'ils ne se bougeaient pas un peu, il allait atterrir une dizaine de mètres plus bas sur la terrasse de pierre qui se trouvait devant la maison. J'ai retenu mon souffle et soudain j'ai eu un déclic – mais quelle bande d'incapables, ces deux jeunes !

Finalement, ils ont réussi à mettre l'échelle sous Mr. Ali, mais elle était trop courte pour toucher terre. Du coup, l'un deux la hissait sous le pied qui battait l'air, tandis que l'autre essayait de la rallonger par en dessous en tirant sur les crochets qui bloquaient les barreaux, arrachant à Mr. Ali des hurlements de terreur à chaque secousse. Puis il a tiré trop fort et l'échelle s'est de nouveau disloquée. Assis sous le porche, Wonder Boy observait la scène en agitant fébrilement la queue, la mine féroce.

J'étais là, pétrifiée, au milieu de l'allée, me disant qu'il valait mieux ne pas m'en mêler. Je ne voulais surtout pas les distraire car je voyais bien qu'une seconde d'inattention pourrait être fatale. Mais alors qu'ils étaient presque parvenus à remettre l'échelle en état, celui qui était devant s'est déconcentré au moment où Wonder Boy a décidé de s'élancer. En s'écartant pour éviter le chat, il s'est pris le pied dans les ronces et a trébuché en avant en tenant l'échelle, dont le haut est venu percuter la fenêtre de la chambre à quelques centimètres de Mr. Ali, fracassant le bas du châssis. Une pluie d'éclats de verre a tinté sur les dalles.

Mr. Ali continuait à se balancer en hurlant, un pied sur le rebord de la fenêtre et l'autre fouettant l'air. Puis il m'a aperçue près du portail. Nos regards se sont croisés. Il était trop tard pour reculer. Il a apostrophé les deux jeunes qui se trouvaient en bas et ceux-ci se sont retournés, en criant et en me faisant des grands signes. Du coup, j'ai couru les aider. J'ai attrapé un bout de l'échelle, bien décidée à leur montrer que j'avais beau être une femme, je n'étais pas aussi empotée qu'eux. Mais elle était bien plus lourde que je l'imaginais. Alors que je titubais sous son poids, l'autre extrémité a brusquement pivoté, heurtant un des deux à la tête. Il a vacillé avant de partir à la renverse dans les buissons. Il ne bougeait plus. J'ai couru à son secours. Zut ! Est-ce que je l'avais tué ? Mr. Ali et l'autre jeune homme s'étaient tus, eux aussi. Wonder Boy, venu aux renseignements, a levé les yeux vers moi et j'ai cru apercevoir dans la fente de ses yeux jaunes une lueur… était-ce de respect ?

Au bout d'un moment, le jeune homme s'est extirpé des buissons, indemne, et à nous trois, nous avons réussi à allonger l'échelle au maximum et à l'appuyer solidement au mur, sous les pieds de Mr. Ali. Il est descendu en hurlant sur les deux autres – il écumait littéralement de rage. Mais dès que ses pieds ont touché le sol, il a semblé perdre toute son agressivité et s'est avachi par terre, la tête sur les genoux, en reprenant son souffle.

« C'est le travail pour le plus jeune, le plus la forme. Pas le monsieur mon âge qui excelle.

– Mais si, vous avez excellé, Mr. Ali. En restant si calme, lui ai-je répondu, bien que, pour être honnête, le calme ne fût pas le premier mot qui venait à l'esprit.

– Non, taille XXL, Mrs. George. » Il a croisé les bras sur son ventre de hamster. « Ma femme me donne trop manger. C'est pas bon pour grimper l'échelle. »

J'ai ri. « La prochaine fois, il faudra demander à un des deux autres de le faire. »

Il a secoué la tête avec un soupir mélancolique, mais n'a rien dit.

Les deux autres étaient inconfortablement perchés sur le triple bord de l'échelle. Ils étaient en train d'allumer des cigarettes qu'ils avaient sorties de leurs poches. Je me demandais pourquoi ils portaient ces tenues bizarres – ils ressemblaient davantage à des figurants de *Lawrence d'Arabie* qu'aux Palestiniens que je voyais à la télévision. Ils étaient plus jeunes que Mr. Ali, plus grands et d'une beauté saisissante, dans le genre œil noir étincelant et dents blanches tout aussi étincelantes. (Tss… tss… N'est-ce pas un stéréotype parfaitement déplacé ? Ressaisis-toi, Georgie. Tu pourrais être leur mère.)

« Bonjour, ai-je dit en souriant. Je m'appelle Georgie. »

Ils ont hoché la tête en me lançant un sourire.

Visiblement, ils ne parlaient pas un mot d'anglais. Mr. Ali s'est relevé péniblement.

« Permets-moi de présenter, Mrs. George. Lui, c'est mon neveu Ishmaïl. Il est complètement incapable. Lui, c'est son ami Nabeel. Lui aussi est complètement incapable. »

Les deux jeunes Incapables ont hoché la tête avec un sourire. « Quel malheur à mon âge d'avoir deux assistants incapables ! »

Puis il leur a parlé en arabe et, à voir la façon dont il me regardait, j'avais le vague sentiment qu'il leur expliquait que je n'étais guère plus douée qu'eux. Ils ont hoché poliment la tête dans ma direction en m'adressant un autre sourire.

Une fois leurs cigarettes finies et soigneusement écrasées par terre, ils ont remis l'échelle contre le mur et Nabeel l'a tenue par les montants pendant qu'Ishmaïl commençait à grimper en se prenant les pieds dans sa djellaba.

« Non, non, non ! » a hurlé Mr. Ali en se levant d'un bond, puis il a crié quelque chose en arabe. Il était évident, même pour moi, que l'échelle était trop courte et bien trop raide pour être sûre. « Il faut l'échelle plus grande. Je vous dis celle-là, il est bon à rien. »

Les Incapables ont hissé la bonne à rien sur la galerie de la camionnette en braillant et en soufflant comme des bœufs, puis ils se sont assis sous le porche et ont rallumé une cigarette. Ils se donnaient des coups avec un journal plié imprimé en arabe en riant comme des garnements. Mr. Ali leur a confisqué le journal.

« Cette maison, il a besoin beaucoup de travail », a-t-il soupiré. En s'asseyant par terre, il s'était fait une grosse tache humide sur le fond de son pantalon. « Je sais pas si je peux faire avec ces incapables.

– Mais si, j'en suis sûre, lui ai-je déclaré avec tout le calme que la situation me semblait exiger. Ce n'est pas pressé. Mrs. Shapiro devrait être absente un moment.

– Vous croyez ? Hmm. »

Il s'est interrompu pour me lancer un regard oblique. Les Incapables étaient toujours sous le porche, mais cette fois ils se chamaillaient en se poussant de la marche. Puis Moussorgski est apparu à la fenêtre cassée de la chambre (comment avait-il réussi à entrer ?) et s'est mis à miauler avec extase. Wonder Boy lui a répondu du jardin en poussant un miaulement hautain de satisfaction.

« Vous savez, Mrs. George, c'est dommage que la maison grande comme ça, elle reste vide. »

Mr. Ali a caressé sa barbe soignée en me regardant de nouveau d'un œil rêveur. « Lui, mon neveu Ishmaïl, il a pas la maison pour habiter. Il dorme par terre dans mon appartement. Il rend ma femme folle. L'autre incapable quelquefois il dorme là aussi. »

Je voyais ce qu'il voulait dire : moi aussi, ils me rendraient folle.

« C'est que… je ne sais pas ce que dirait Mrs. Shapiro… », ai-je commencé avant de songer subitement que ces deux-là étaient peut-être des incapables pour ce qui était de réparer une maison, mais qu'ils pouvaient s'avérer très utiles pour tenir à l'écart les Mrs. Goodney et autres Nick Wolfe. De plus, ils pouvaient nourrir les chats. « En ce cas, il faudrait que ce soit à la condition expresse qu'ils s'en aillent dès que Mrs. Shapiro revient.

– Pas le broblème. Même s'ils restent pas longtemps, c'est changer beaucoup pour ma femme. Comme ça elle peut nettoyer. »

Je me demandais ce qu'en penserait Mrs. Shapiro si je lui disais qu'ils étaient palestiniens.

« Je suis désolé qu'ils ont pas l'argent pour payer loyer. Mais ils rébareront la maison. Elle sera tout rébaré comme neuf. » En voyant ma tête, il a ajouté : « Je supervise, bien sûr. »

Sans doute aurais-je dû refuser immédiatement, mais Mr. Ali avait un côté peluche tellement irrésistible. Et puis je flairais une nouvelle histoire.

« C'est à Lydda que vous avez acquis vos connaissances en bâtiment, Mr. Ali ? »

Il a fait non de la tête.

« Non. On était chassés de Lydda. Vous savez pas qu'est-ce qui se passe là-bas ?

– Vous parlez de l'attentat terroriste ? J'en ai entendu parler, oui, ai-je répondu, très fière de moi.

– Ah, ça, tout le monde il sait ! » Il avait l'air contrarié. « Les terroristes qu'ils tuent les Israéliens innocents. Mais vous savez pourquoi ? Vous savez qu'est-ce qui se passe avant ? »

J'ai fait non de la tête. « Racontez-moi. »

Dans une trouée, au milieu des ronces, Wonder Boy et Moussorgski crachaient et se battaient à coups de griffes. Violetta rôdait à proximité en agitant la queue et poussant des espèces de petits couinements d'encouragement, même si, je ne savais pas trop lequel elle encourageait. Mr. Ali les a chassés en agitant son journal.

« En 1948, tous les Palestiniens ils étaient mis dehors de Lydda. Pas juste Lydda – beaucoup beaucoup les villes et les villages de notre pays ils étaient détruits. Pour faire la place pour les juifs. Les gens encore ils vivent dans camps de réfugiés. »

Brusquement, il s'est tu.

« Mais… mais vous avez appris le métier du bâtiment ? l'ai-je encouragé pour me rassurer en cherchant un côté positif à tous ces déplacements, toute cette histoire chargée de souvenirs d'injustices qui n'avaient pas été réparées.

– À Ramallah, je faisais études de l'ingénieur (il prononçait "inzénieur"). Ici, en Angleterre, je dois refaire nouveaux examens. Mais je suis vieux et le temps, il a tout lâché sur moi. Cet incapable (il a montré son neveu), il va faire les études de l'ingénieur aussi. Aéronautique.

– En aéronautique ? »

A priori, il fallait être plutôt calé pour ça. À l'idée de monter dans un avion conçu par Ishmaïl, j'ai eu comme une sensation d'étau dans la poitrine.

« Il a le bourse. » Il chuchotait fièrement. « L'autre,

je sais pas. Maintenant, tous les deux apprend l'anglais. Cours d'anglais de premier plan à côté d'ici – Metropolitan University, pas loin stade Arsenal. »

S'apercevant qu'il était question d'eux, les Incapables sont venus mettre leur grain de sel :

« Arsenal. Oui, merci. »

Effectivement, le cours d'anglais se devait d'être de premier plan, ai-je songé.

« Et pourquoi êtes-vous venu en Angleterre, Mr. Ali ? Votre famille n'était-elle pas restée là-bas ?

– Vous posez les questions difficiles, Mrs. George. »

Je voyais bien qu'il n'avait pas vraiment envie de parler, mais je comblais les lacunes de l'histoire.

« Je suis désolée. C'est une habitude du Yorkshire. Là d'où je viens, tout le monde se mêle des affaires de tout le monde. »

Il a hésité, avant de poursuivre : « Après mon plus jeune fils il est mort, je ne vois plus l'espoir. Pas le fin possible pour ce conflit. Tout ce je veux, c'est partir. J'ai un bon ami, un Anglais, il était professeur à la Friends School, à Ramallah. Il m'aidait venir ici.

– Votre fils est mort ?… »

Brusquement, ma curiosité me conduisait dans une voie plus sombre que je l'imaginais au départ.

« Il a eu le perforation de l'appendice. » Il fixait le sol

comme s'il y voyait le visage de son fils. « On était à Rantis, dans la famille de la femme. On voulait l'emmener dans l'hôpital de Tel-Aviv, mais on était retardés au *check-point*. Ma femme pleurait et suppliait les soldats – un soldat, c'était un garçon de dix-huit ans, mais il avait pouvoir de la vie et de la mort sur nous. Il jouait avec son pouvoir. Il disait on doit retourner à Ramallah. Quand on arrivait là-bas, il est trop tard. » Un éclat dur a traversé son regard. « Comment je peux pardonner ? Mon fils, il avait quatorze ans. »

Il a commencé à dessiner une carte sur le coin du journal.

« C'était il y a cinq ans. Maintenant, avec le mur c'est pire. Vous voyez. Ligne verte. Ligne du mur. » Il a tracé une autre ligne sinueuse. J'ai fixé la carte – ces serpentins déments –, saisie par un vague sentiment de panique. Les cartes. Ce n'était pas mon truc. Mais pourquoi serpentait-elle autant ? Et d'ailleurs, pourquoi cette ligne ?

« Alors vous avez voulu partir ?...

– Maintenant, ma fille est mariée avec cet Anglais. J'ai trois petits-enfants. » Il a esquissé un sourire. « Ils rendent ma femme folle. »

Je me suis dit que j'aimerais bien rencontrer sa femme un jour.

Les Incapables avaient fini leurs cigarettes et étaient retournés s'asseoir dans la camionnette. Ils devaient avoir un lecteur de CD dedans, car j'entendais des accents doux et mélancoliques de musique arabe qui s'élevaient incongrûment au-dessus de la pelouse détrempée et des ronces ruisselantes.

Mais sans doute tous les lieux ont-ils leur histoire de souffrances et de déplacements, me disais-je. Des gens arrivent, d'autres s'en vont. De nouvelles vies, de nouvelles communautés naissent au milieu des pierres laissées par les anciennes. À l'école nous avions appris l'histoire de Kippax, comment, en 1848, des mineurs d'Écosse et du pays de Galles avaient été recrutés comme briseurs de grèves afin de venir à bout du syndicat du comté de Durham – des affamés désespérés suçant la moelle d'autres affamés tout aussi désespérés. Quand le filon de Ledston Luck avait été ouvert, leurs petits-enfants et arrière-petits-enfants avaient été amenés du comté de Durham dans le Yorkshire et s'étaient installés à Kippax. Il y a des hommes qui façonnent des destinées, traçant des lignes sur des cartes et déplaçant les populations, et d'autres, comme mon père ou Mr. Ali, qui vivent leur vie dans les interstices des grands projets imaginés par d'autres, travaillant dur pour subvenir aux besoins de leur famille.

« Alors, qu'est-ce que vous dites, Mrs. George ? » Mr. Ali a interrompu le fil de mes pensées. « Ils restent et ils rébarent la maison ?

– Je ne sais pas », ai-je répondu mollement. Je compatissais avec le pauvre exilé et ses assistants aussi charmants qu'incapables, mais j'avais un devoir vis-à-vis de Mrs. Shapiro et l'histoire de l'échelle m'avait emplie d'appréhension. « Peut-être que si vous réparez d'abord la gouttière, ça me donnera le temps d'en parler à Mrs. Shapiro.

– Demain, a-t-il dit, on vient avec le nouveau gouttière et l'échelle plus grande. Vous verrez.

– Et euh… la fenêtre. Il faut la réparer aussi maintenant. »

31

Le durcisseur époxy

Parfois, quand j'essaie de comprendre ce qui se passe dans le monde, je me surprends à penser à la colle. Chaque adhésif interagit à sa manière avec les surfaces et l'environnement. Les uns durcissent à la lumière, les autres à la chaleur, d'autres encore par échange de particules subatomiques ou simplement avec le temps. Le secret d'un bon collage consiste à trouver l'adhésif le mieux adapté aux supports à assembler.

On sait par exemple que les acryliques durcissent rapidement et n'exigent pas autant de préparation de surface que les époxy, qui ont une force de cohésion élevée mais un temps de prise plus long. Les adhésifs époxy ont deux composants : l'adhésif lui-même et un agent de durcissement, qui accélère le processus. Vendredi, j'étais devant mon ordinateur, méditant cette profonde dualité philosophique, quand une idée subtile s'est fait jour dans mon esprit. Ce qu'il me fallait pour entrer en contact avec Mrs. Shapiro, c'était un agent de durcissement. Et quoi de plus dur que Mr. Wolfe ?

Saisie d'une brusque inspiration, j'ai cherché une carte dans le tiroir du bureau et j'ai écrit un petit mot à Mrs. Shapiro pour lui souhaiter un prompt rétablissement, ajoutant que je faisais de mon mieux pour lui rendre visite et lui recommandant de ne signer aucun papier sans m'en parler. Je lui ai dit que j'avais trouvé des ouvriers qui feraient des travaux dans la maison et resteraient peut-être sur place – j'avoue que je ne suis pas entrée dans les détails. Je lui ai dit que les chats allaient très bien et que Wonder Boy se languissait d'elle (ce qui était sans doute le cas, à sa façon brutale et égoïste). J'ai pris une enveloppe timbrée à mon adresse et une feuille de papier vierge, glissé le tout avec le petit mot dans une enveloppe que j'ai fermée. Puis je suis allée à l'agence Wolfe & Diabello. J'ai fait une petite reconnaissance dans le parking de derrière et constaté que Nick Wolfe était bien là, mais pas Mark Diabello.

Dans les locaux exigus, sa présence physique était écrasante. Il donnait l'impression de remplir toute la pièce en me repoussant contre le mur. Il m'a saluée en me broyant la main et m'a demandé ce qu'il pouvait me faire. (Soit il trouvait ça amusant, soit c'est son inconscient qui parlait.) J'ai pris mon ton le plus aimable et lui ai expliqué que Mrs. Shapiro souhaitait le voir. J'ai griffonné l'adresse de Northmere House sur un Post-It jaune, puis je lui ai tendu l'enveloppe en lui demandant d'en profiter pour lui donner ma carte s'il avait le temps d'y faire un tour.

« D'accord », m'a-t-il répondu.

Puis je suis rentrée à la maison et je me suis mise à

Adhésifs dans le monde moderne. L'article que je révisais traitait de l'importance d'une bonne conception du joint dans le collage. Même si l'on a une excellente colle, on peut se faire piéger par un joint mal conçu. Les joints bout à bout doivent être recouverts dans la mesure du possible, ou assemblés par un système type rainure et languette ou encore mortaise et tenon. On peut aussi choisir un joint hybride – je me rappelais la blague de Nathan – avec colle et vis. Il fallait toujours préparer la surface pour maximiser celle de collage. « L'atraction de surface, est augmantée en rendant rugeuse, les surfaces à coller. »

L'article avait été écrit par un jeune homme qui connaissait ses colles, mais semblait avoir un parfait mépris pour l'orthographe et la ponctuation. Qu'est-ce qu'on leur apprenait à l'école aujourd'hui ? Ben n'était pas plus doué.

Subitement, je me suis demandé comment s'était passée sa journée au lycée. En arrivant de Leeds, il avait eu du mal à s'adapter à sa nouvelle classe. En fait, je n'avais jamais rencontré aucun de ses amis, si ce n'est Spikey, l'étrange correspondant à moitié illettré dont j'avais surpris un échange sur le forum de discussion, à Noël. Si tant est qu'on puisse parler de rencontre. Je craignais qu'avec ses cheveux rasés et ses penchants religieux il ne devienne la cible des tyranneaux du lycée.

« Qu'est-ce qu'ils ont dit au lycée quand tu es arrivé avec ta nouvelle coiffure – ta non-coiffure ?

– Oh, rien. »

Sans ses boucles brunes, il n'avait plus le même visage. Il avait hérité ses cheveux bruns de mes gènes, mais avec ses sourcils arqués à l'allure vaguement hautaine et le bleu intense de ses yeux je voyais davantage sa ressemblance avec Rip.

« Les autres ne t'ont pas charrié ? »

Il a haussé les épaules. « Un peu, oui, mais je m'en fiche. Jésus a bien reçu des sarcasmes ? »

Oui, et regarde ce qui lui est arrivé… J'ai retenu ma langue et pris une voix empreinte de sollicitude maternelle : « Mais ce n'était pas trop… terrible ? Les gamins peuvent être très cruels.

– Bof. Tout ça, c'est terrestre. Ça me dérange pas. Ça me rapproche de notre Seigneur. »

Une fois son repas terminé, il a posé son couteau et sa fourchette, joint un instant les mains et fermé les yeux. Puis il a pris son sac et disparu en haut. J'aurais peut-être dû me réjouir qu'il ne vole pas de voiture ni ne prenne de drogues, mais il se dégageait de lui une telle intensité qu'on aurait dit une aura de martyr. J'ai été prise de culpabilité. Était-ce notre échec en tant que parents qui l'avait amené à se chercher une forme de certitude ? Parfois, j'avais l'impression de ne pas être assez adulte moi-même pour être parent – d'improviser au fur et à mesure avec seulement une petite longueur d'avance.

Rip n'avait pas ce genre d'incertitudes – il était toujours persuadé d'avoir raison et s'engageait à le prouver. C'est une des choses qui me plaisaient chez lui – son engagement. Oui, peut-être avais-je eu tort de ne pas m'intéresser davantage à son travail. Mais en quoi consistait-il exactement ? C'était une histoire de systèmes globaux de développement itératif. Ou de globalisation itérative de développement systématique. Ou peut-être encore de systèmes globalisants de développement itératif. Je comprenais tous les mots pris individuellement, mais, une fois accolés, ils me faisaient le même effet que les hydroxyles phénoliques. Il y avait de cela des années, j'avais noté ses explications en me disant que j'essaierais de comprendre quand j'aurais le temps, qu'un jour nous pourrions discuter de développement, de globalisation, de systèmes et autres. Il devait être quelque part dans le tiroir, au milieu du fatras de vieux élastiques et de stylos vides.

Sur un coup de tête, j'ai pris le téléphone et l'ai appelé. Une jeune femme a répondu – j'ai failli ne pas reconnaître sa voix.

« Stella ?

– Maman ? »

Le chagrin de son absence m'a frappée au dépourvu comme un coup de poing en pleine poitrine.

« Mais tu n'es pas censée être à la fac ? (Pourquoi allait-elle chez Rip et pas chez moi ?)

– Je... C'est la semaine de révision. Je suis juste venue voir... » J'ai deviné à son hésitation que c'était sans doute lié à sa vie amoureuse compliquée. « Tu veux parler à papa ? »

Sa voix douce et flûtée qui avait conservé des accents enfantins était empreinte d'une assurance d'adulte. Elle avait toujours été proche de son père. J'étais parfois jalouse de leur complicité.

« Oui… non. On pourrait parler, toi et moi ? On ne communique plus que par *mails* et sms.

– Et alors ? » Le ton était acerbe. Elle ne voulait pas que je la force à se sentir coupable.

« Écoute, je m'inquiète pour Ben. Tu n'as pas remarqué qu'il a changé ? »

Je me suis rappelé qu'elle n'avait pas encore vu sa nouvelle coupe de cheveux, mais ils étaient très proches, tous les deux. Ils avaient passé leur enfance à se disputer à longueur de temps tout en s'adorant, exactement comme Keir et moi.

« Il a toujours été un peu timbré, mon petit frère. »

Elle était si sûre de ses jugements.

« Mais, d'après toi, est-ce qu'il a l'air malheureux ?

– Il va bien, maman. Il est à fond dans la religion, c'est tout. Moi, c'était Leonardo DiCaprio quand j'étais petite.

– C'est justement ça : la religion. À seize ans, ce n'est pas normal.

– Je ne sais pas ce que tu as, maman. Il pourrait se piquer ou faucher des bagnoles, et toi, tu stresses sous prétexte qu'il lit la Bible. »

Peut-être avait-elle raison, peut-être que ce n'était qu'un truc de gamin. Mais ce côté intense, ce visage tendu, ces yeux dilatés avaient quelque chose de terrifiant.

« Il parle de la fin du monde comme si ça devait se produire d'un instant à l'autre.

– Oui, papa n'arrête pas de l'enquiquiner là-dessus, lui aussi. Ils ont eu une grosse dispute à Noël. Et puis grand-père s'en est mêlé.

– Je me demandais bien ce qui s'était passé.

– Ben s'est mis à délirer sur la religion.

– Qu'est-ce qu'il disait ?

– Il disait que le caractère sacré de Noël était traîné dans la boue de l'alcool et du consumérisme. Ils ont tous ri. Ben était furieux, il a voulu les faire taire.

– Le pauvre. » Je gardais un ton calme, mais au fond de moi je bouillais de rage.

« C'était dégoûtant. Grand-père l'a traité de tapette.

– Qu'est-ce qu'il a répondu ?

– Il a dit : "Je te pardonne, grand-père." » Elle a pouffé de rire. Moi aussi. Je voyais d'ici la tête de mon beau-père.

« Il a bien fait. »

Ben ne m'en avait pas parlé, pour éviter de me faire de la peine.

« Je suis contente qu'on discute. Tu as fini ta formation pédagogique ?

– Oui. À la fin, il y avait presque de quoi massacrer les

gamins. Je ne sais pas si c'est vraiment fait pour moi, l'enseignement. » Elle avait un ton légèrement plaintif que je reconnaissais bien. « Mais de toute façon je continue jusqu'à la fin et je verrai après. Ne t'inquiète pas pour Ben, maman. Ça ira. »

Quand j'ai raccroché, j'ai éprouvé un bien-être extraordinaire, comme si on m'avait ôté un sac de pierres des épaules. J'avais envie de courir dans la rue et de prendre tout le monde dans mes bras. Mais je me suis contentée de débarquer dans la chambre de Ben et de le prendre dans mes bras.

« Ça va, m'man ? » Il a levé la tête de l'ordinateur.

« Je viens de parler avec Stella.

– Qu'est-ce qu'elle dit ?

– Oh… elle a dit qu'elle n'était pas sûre de vouloir enseigner… que ce soit fait pour elle. »

Il m'a fixée longuement d'un regard intense.

« Il faut que tu te calmes, m'man. T'es encore agitée. »

32

PVC

Le samedi matin, alors que Ben venait de partir chez Rip, j'ai reçu un coup de fil de Mr. Ali :

« Vous pouvez venir voir, Mrs. George. La maison, il est tout rébarée. »

Quand je suis arrivée, ils m'attendaient tous – tous les trois, plus les chats. Les Incapables étaient en jean et casquette de base-ball. Je ne sais pas ce qu'ils avaient fait de leurs djellabas. Mr. Ali arborait un sourire de fierté.

« Vous voyez ? »

À l'étage, l'ancienne fenêtre victorienne qui avait volé en éclats avait été remplacée par une fenêtre à guillotine en PVC blanc flambant neuve – comme elle était un peu courte, le trou avait été muré par des parpaings. Une nouvelle gouttière également en PVC blanc courait tout le long du mur de la maison. Les ronces avaient été taillées pour laisser la place à une table et des chaises en PVC blanc et une vasque en PVC blanc était posée au milieu de la pelouse. Juste à côté, Wonder Boy trônait au milieu d'un tas de plumes en se léchant les babines d'un air satisfait.

« C'est… euh… très joli. » Je me suis forcée à sourire.

Les Incapables étaient rayonnants.

« Vous les laisse rester, ils rébarent tout pour vous, a dit Mr. Ali.

– Pas trop de réparations, peut-être. Juste l'essentiel. Juste poncer les boiseries, peut-être, et mettre une petite couche de peinture.

– Beinture, oui », a-t-il répété en hochant la tête avec enthousiasme. Puis il a dit quelque chose en arabe. Les Incapables ont également hoché la tête avec enthousiasme.

« Je vous appellerai. Il faut que je refasse faire des clefs », ai-je répondu pour gagner du temps, en me disant que Mrs. Shapiro serait peut-être de retour d'ici peu.

Mais le mercredi matin une lettre m'attendait sur le paillasson. J'ai reconnu mon écriture sur l'enveloppe. La lettre qu'elle contenait était écrite avec un gros feutre bleu – le genre dont maman se servait pour marquer ses cartes de bingo.

Très chère Georgine

Merci pour votre Carte et d'envoyer mon Nicky pour me réconforter en Prison. Il est absolument adorable ! Il venait avec le Champagne et les Roses blanches. Un vrai Gentleman ! Nous parlons pendant des Heures de Musique Poésie Philosophie le Temps passait trop vite comme l'Eau coulant sous un Pont et je demande toujours quelle importance si cela donne un Golf dans nos Âges tant que cela donne une Harmonie entre nos Âmes. C'était comme ça avec Artem il avait vingt ans de plus vieux que moi mais nous trouvons la Joie ensemble. Je me demande si je retrouverai jamais une Joie pareille avec un autre Homme sentir les bras d'un autre Homme autour de moi et la chaleur d'un bon Corps tout près du mien mieux que les Chats. Il a dit qu'il reviendra maintenant toutes les Heures traînent trop longtemps j'attends qu'il vienne et vous aussi ma chère Georgine. Comment j'échappais au Déportation et Emprisonnement dans toute ma Vie seulement pour le vivre maintenant seule dans mon vieil Âge. Ils veulent que je signais une Confession avant que je peux retourner dans mon Maison. Ils disent que je donnais le Pouvoir mais mon Nicky dit aussi que je dois rien signer alors je résiste avec courageuse. Je dois arrêter l'Infirmière vient bientôt avec le piqûre. Je vous prie aidez-moi.

Votre chère amie

Naomi Shapiro.

Je l'ai relue deux fois. Puis j'ai essayé de lire entre les lignes. Et j'ai fini par appeler Mr. Wolfe.

« Merci d'avoir déposé ma carte. Comment allait-elle ? Elle était dans un triste état à l'hôpital. J'étais étonnée qu'ils l'aient laissée sortir.

– Quelques bleus. Une plaie à la tête. Rien de sérieux. On a bien ri.

– J'ai l'impression qu'elle vous aime beaucoup. » J'essayais de lui extorquer des informations.

« Oui. Et vous savez, curieusement, je me suis attaché à elle. »

Il parlait avec désinvolture, comme si c'était quelque chose à quoi il s'était entraîné.

« Vous êtes au courant de cette confession qu'elle est censée signer ?

– Pardon ?

– Une histoire de pouvoir.

– Ah. Oui. Ils veulent qu'elle signe une procuration.

– Qu'est-ce que ça signifie ? » Ça ne me disait rien qui vaille.

« Ça signifie que la personne à laquelle elle signe ce pouvoir aurait la possibilité de signer des documents légaux en son nom.

– La vente d'une maison, par exemple ?

– Exact. »

Mon cœur s'est mis à battre à tout rompre. Une fois de plus, la situation semblait échapper à tout contrôle, mais j'ai conservé un ton calme.

« Qu'est-ce qu'on peut faire pour arrêter ça ?

– Je me le demande. »

Je ne sais pas ce qu'il avait en tête, mais, de toute évidence, il n'avait aucune intention de me mettre dans la confidence. Il fallait que je découvre ce qu'il savait sans trop en dire moi-même. Puis j'ai pensé à quelque chose qui le déstabiliserait.

« Elle vous a parlé de son fils ? Apparemment, il va venir d'Israël. Ça pourrait nous aider, non ? »

J'ai cru percevoir un silence interloqué à l'autre bout du fil.

« En effet. »

Il y avait autre chose que je voulais savoir.

« Au fait, vous n'avez pas eu de problèmes pour entrer ? Les mesures de sécurité ont l'air très strictes.

– Ça oui, on m'a dit qu'elle n'avait pas le droit de recevoir de visiteurs.

– Alors ?...

– Je leur ai juste dit d'arrêter de raconter n'importe quoi. »

C'est donc ça le secret, ai-je pensé.

Environ une heure plus tard, le téléphone a sonné. C'était Mark Diabello.

« Hello, Georgina. Je suis content de te trouver chez toi. Écoute, je crois avoir la réponse à ton dilemme.

– Quel dilemme ? » Je me suis efforcée de me rappeler notre dernière conversation. Une histoire aussi sombre qu'incompréhensible d'argent et d'immobilier.

« Comment éviter à Mrs. Shapiro d'être obligée de vendre si elle va en maison de retraite. Apparemment, la municipalité ne peut que constituer un droit réel sur la maison. C'est comme une hypothèque – la maison est vendue après le décès de la personne, et c'est là que la municipalité exige le remboursement de la dette. Le reliquat, si tant est qu'il y en ait, est reversé à la succession.

– Tu parles de la dette qui couvre les frais de la maison de retraite ? Mais on ne m'en a rien dit.

– Bien sûr que non, qu'est-ce que tu crois ?

– Mais elle n'a pas besoin d'être en maison de retraite, Mark. Elle est très bien chez elle. Elle aime son indépendance.

– Alors tu as intérêt à la ramener au plus vite chez elle. Ou trouver quelqu'un d'autre pour habiter chez elle en attendant qu'elle rentre. Dans ce genre de situations, les choses s'accélèrent parfois très vite. »

Dans toute cette saga de la maison, les choses s'étaient déjà accélérées bien trop vite à mon goût et il était de ceux qui poussaient à la roue.

« Et si on dînait ce soir pour en parler, ma chérie ? »

Il avait des accents sincères qui me donnaient mauvaise conscience. Mais je me suis armée de courage.

« Je ne peux pas. J'ai rendez-vous avec… quelqu'un. Et j'ai beaucoup de travail en ce moment… Quelque chose à écrire, me suis-je empressée d'ajouter.

– Tu es une femme très active, à ce que je vois. Ça me plaît. » Au bout du fil, il y a eu un soupir ou un grésillement. « En fait, moi aussi, j'écris un peu. Des poèmes.

– Ah oui ? » Je n'ai pas pu m'empêcher d'être intriguée. Le héros du premier *Cœur éclaté* était poète, lui aussi. « Tu me montreras ?

– Volontiers. Quand ?…

– Je t'appellerai. » J'ai raccroché.

J'avais rendez-vous avec Mr. Ali et les Incapables l'après-midi et je n'avais toujours pas fait faire le double des clefs. Je suis donc passée chez le cordonnier de Balls Pond Road avant d'aller à Totley Place. Le froid était revenu, un froid vicieux, mordant, avec un vent âpre qui agitait les branches dépouillées des arbres sur un ciel blême et projetait des tourbillons de déchets et de feuilles mortes contre mes jambes. Jusqu'ici au moins il ne pleuvait pas.

Je suis arrivée à Canaan House à deux heures tout juste passées. La camionnette rouge était déjà garée dehors et ils étaient tous les trois recroquevillés à l'avant, les Incapables tirant sur leurs cigarettes et Mr. Ali lisant son journal. La maison avait changé de manière stupéfiante, avec sa fenêtre en plastique blanc posée sur ses parpaings qui avait l'air de me lorgner d'un œil malade. Dès qu'ils m'ont vue, ils sont descendus d'un bond en parlant avec excitation en arabe et m'ont suivie dans l'allée avec leurs affaires entassées dans une bonne douzaine de cabas. De toute évidence, ils avaient l'intention de s'installer pour un moment. Il y avait des sacs de couchage, des livres, des vêtements, un lecteur de CD et même un vieux PC. Dans un des sacs, j'ai aperçu ce qui avait tout l'air d'être les djellabas – manifestement, ils n'y avaient pas encore renoncé. Je les ai fait monter au premier.

Pendant qu'ils défaisaient et rangeaient leurs affaires, j'ai fait faire le tour de la maison à Mr. Ali en lui montrant ce qu'il fallait réparer d'après moi : les carreaux manquants du porche, le loquet cassé de la porte, la lumière qui ne fonctionnait pas dans le salon et le papier peint décollé de la salle à manger, les robinets qui gouttaient dans la salle de bains et la cuisine, la cuvette fissurée des toilettes et les énormes interstices autour des portes et des fenêtres par lesquels le vent s'engouffrait. Je m'en étais tenue au plus évident.

« Hmm hmm, faisait-il en notant tout dans un carnet. Tout il sera rébaré bien, Mrs. George. »

C'était la première fois qu'il voyait tout l'intérieur de la maison. Il poussait des murmures d'appréciation tandis que ses petits yeux de hamster exploraient les pièces en détail. « Hmm, hmm. » Quand nous sommes montés au grenier, il a été estomaqué. « Là on peut faire le très beau appartement standing.

– Concentrons-nous sur l'essentiel pour l'instant », ai-je dit.

En redescendant dans le hall, il s'est arrêté de nouveau devant la photo de l'église de Lydda, les bras croisés. J'ai essayé de lire sur son visage, mais il se tenait de profil et je ne distinguais qu'une ombre de pli sur son front.

« Vous savez, juste à côté cette église il avait le mosquée. Le croix et le croissant à côté l'un l'autre en paix.

– Parlez-moi de Lydda. Votre famille y vit toujours ?

– Vous connaissez pas la Nakba ?

– La Nakba ? Qu'est-ce que c'est ?

– Hmm. Vous êtes complètement ignorante. » Il l'avait dit en soupirant, sur le même ton qu'il m'avait présenté les Incapables. « Dans mon pays on dit l'ignorance est le bain chaud où c'est confortable s'asseoir mais dangereux se coucher.

– Je suis désolée. Je vais faire du thé et vous allez m'expliquer. »

J'ai mis l'eau à chauffer, rincé deux des tasses les moins crasseuses sous le robinet de l'évier et mis dans chacune un sachet de *kräutertee.* Nous nous sommes installés sur les chaises en bois à la table de la cuisine. Heureusement, j'avais débarrassé les restes du dernier repas de Mrs. Shapiro. Il a bu son eau stagnante avec trois bonnes cuillères de sucre, et j'en ai fait de même

– manifestement, c'est ça le secret. Nous avons remué notre tisane, puis nous avons bu.

« Vous alliez me parler de votre famille, l'ai-je encouragé.

– Je vais vous dire comment ils ont quitté Lydda. Mais vous connaissez l'histoire – le mandat britannique en Palestine ?

– Un peu. Pas vraiment, en fait. »

Il a de nouveau soupiré.

« Mais vous avez entendu parler l'Holocauste ?

– Oui, ça je connais.

– Bien sûr, tout le monde il connaît le souffrance des juifs. » Il a reniflé d'un air agacé. « Juste le souffrance du peuple palestinien personne connaît.

– Mais je veux savoir, Mr. Ali. Si vous voulez bien me raconter. »

Cette histoire – je voyais bien qu'elle allait être plus compliquée qu'un roman de Miss Tempest. Mais elle me remuait.

Mr. Ali a soufflé sur sa tisane et avalé une gorgée, puis léché le bout de ses moustaches couvertes de liquide sucré.

« Vous savez, à la fin de la guerre, après ce qu'ils ont fait aux juifs, le monde entier il cherchait une patrie pour les juifs. Et les Anglais malins, ils disent : écoute, on va donner cette terre en Palestine. Une terre sans peuple, un peuple sans terre. Typique les Anglais, ils donnent quelque chose qui leur appartient pas. » Il a levé les yeux pour s'assurer que je lui prêtais toujours attention. Je l'ai encouragé d'un hochement de tête. « Cette terre, elle est pas déserte, Mrs. George. Des Palestiniens vivent là, ils cultivent notre terre depuis des générations. Maintenant ils disent qu'il faut donner la moitié aux juifs. Vous avez pas appris ça à l'école ?

– Non. » J'étais embarrassée par mon ignorance. La géographie, encore, j'avais une excuse. Mais j'avais pris l'option histoire. « En cours d'histoire, on apprenait les rois et les reines d'Angleterre. Henri VIII et ses six femmes.

– Six femmes ? Toutes en même temps ?

– Non. Il y en a deux qu'il a tuées et deux dont il a divorcé, et une qui est morte.

– Typique les Anglais. Comme avec nous. Quelques-uns tués. Quelques-uns envoyés en exil. Quelques-uns morts. » Mr. Ali a secoué la tête d'un air furieux, puis il s'est brûlé en buvant une gorgée de tisane et a aspiré de l'air pour se refroidir la langue.

« Mais c'était il y a longtemps.

– Non. 1948. Pareil que les Romains ont fait aux juifs, les juifs ont fait aux Palestiniens. Ils les ont chassés. On appelle ça la Nakba. Ça veut dire "Catastrophe" dans notre langue.

– Non, je disais qu'Henri VIII, c'était il y a longtemps.

– Avant les Romains ?

– Non, après les Romains, mais avant… Peu importe. » Je voyais sa mine perplexe. « Tout ça, c'est de l'histoire. »

Visiblement, ça n'a fait que l'exaspérer encore plus.

« Vous avez rien appris à l'école. Juste un homme avec six femmes. L'histoire, elle a pas les frontières, Mrs. George. Le passé s'enroule dans le présent qui s'enroule dans le futur. » Il gesticulait, les mains virevoltantes. « Les jeunes Israéliens aussi sont ignorants. À l'école, leurs professeurs disent que les juifs ils sont arrivés sur une terre déserte, mais pas comment cette terre est devenue déserte. »

J'ai repensé à la lettre du tabouret de piano. C'était en effet ce qu'elle disait – une terre aride et déserte.

« Alors c'était comme… les nazis et les juifs ?

– Non, pas comme nazis. Tss… tss…, a-t-il protesté avec véhémence. Il faut pas exagérer. Israéliens, ils veulent pas exterminer tout le peuple arabe, seulement les chasser de la terre.

– Mais les juifs aussi ont besoin d'une patrie, non ? »

Il a soupiré en esquissant une moue amère.

« Mais pourquoi en Palestine ? Le peuple palestinien, il a jamais fait le mal aux juifs. Pogroms, ghettos, camps de concentration – tout ça, c'est les Européens qui fait. Alors pourquoi se venger sur nous ?

– C'était leur terre, non ? Avant qu'ils soient chassés par les Romains ?

– Cette terre appartient à beaucoup les peuples. Tous les peuples nomades qui voyagent partout en suivant leurs moutons. Palestine, Liban, Syrie, Jordanie, Arabie, Mésopotamie. Qui peut savoir d'où venaient tous les gens ? »

J'ai eu un passage à vide. Tous ces endroits – j'avais du mal à reconstituer le puzzle. Il faudrait que j'aille regarder sur le Net.

« Ils vous diront les Palestiniens ils abandonnent leurs fermes et leurs maisons et ils fuient parce que leurs chefs leur demandent. Non, ils fuient à cause du terreur. L'État israélien, il était fait par les terroristes. Vous croyez les terroristes, c'est juste les Arabes fous ? » Mr. Ali n'avait plus rien d'un hamster.

« Excusez mon ignorance. À l'école on n'a appris que l'histoire britannique.

– Alors vous devez connaître déclaration Balfour ?

– Un peu. » Je n'osais pas avouer l'étendue de mes lacunes. « Il ne s'agissait pas de la partition du Moyen-Orient à la fin de la Première Guerre mondiale ? »

J'avais vu un jour *Lawrence d'Arabie* avec Peter O'Toole. Il était fantastique. Quels yeux ! Mais je n'avais jamais compris qui avait trahi qui et à propos de quoi. Je me souvenais du passage où il tombait de moto. C'était triste.

« Balfour, il a dit de satisfaire aux aspirations juives sans porter atteinte aux droits des Palestiniens. »

Ça me faisait vaguement penser au Projet de

développement. Il a avalé une gorgée d'eau stagnante avant de poursuivre :

« Mais les Palestiniens, il est encore dans les camps réfugiés. Ils ont perdu leurs terres, leurs champs, leurs vergers. Ils ont pas le travail, pas l'espoir. Alors ils restent dans les camps de réfugiés et ils rêvent de la vengeance. » Il avait une lueur de férocité inhabituelle dans le regard. « Ils ont pas les armes, alors ils utilisent leurs enfants comme les armes. »

J'ai remis de l'eau à chauffer en songeant à Ben. Comment avait-il atterri dans ce monde biblique épineux ?

« N'y a-t-il pas une prophétie, Mr. Ali ? Les juifs ne sont-ils pas censés reconstruire le Temple de Jérusalem, où le Messie viendra ? Le troisième Temple ?

– Leur livre dit qu'il doit reconstruire le Temple. Mais c'est plus possible, parce que sur ce site maintenant il a notre mosquée – le mosquée Al Aqsa. À côté le dôme du Rocher. Un des lieux pour nous les plus sacrés.

– Mais est-il vrai que les musulmans, eux aussi, attendent le dernier imam ? L'imam Al-Mahdi. Vous y croyez, Mr. Ali ? »

Il ne m'avait pas donné l'impression d'avoir des croyances excessives – hormis une croyance aussi excessive que fâcheuse dans le PVC blanc.

« Je réponds votre question. Surtout les chiites croient le retour d'Al-Mahdi. Je suis sunnite. » Il m'a lancé un regard intrigué. « Vous apprenez ça à l'école ?

– Non. Sur Internet. »

Ce que j'avais cru être un éclat de dureté dans son regard n'était qu'un effet de lumière et quand il s'est retourné vers moi, il avait un visage doux empreint de tristesse. J'ai pris mon souffle.

« En fait, c'est mon fils qui me l'a dit. Il a trouvé ça sur Internet. Des sites bizarres sur la fin des temps. L'Antéchrist. Armageddon. De grandes batailles, des armées immenses. L'abomination… allez savoir ce que c'est. Ça le préoccupe tellement… J'étais inquiète, c'est tout. Je voulais comprendre de quoi il s'agissait. »

La bouilloire a sifflé et j'ai refait du *kräutertee*. Mr. Ali a rajouté trois cuillères de sucre dans sa tasse et remué en me regardant d'un air grave.

« Mrs. George, les jeunes, il est prêt à croire n'importe quoi qui le conduit au paradis. Même mourir pour ça. Et il a toujours les gens pour les chuchoter que la mort est la porte de la vie.

– Vous voulez dire que ?… »

J'ai frissonné comme si j'avais un courant d'air glacé dans la nuque. J'ai soudain imaginé Ben – mon adorable Ben avec ses boucles brunes –, les yeux rayonnant de la foi du converti, son corps adolescent ligoté à la charge mortelle, esquissant un petit sourire ou une plaisanterie en disant adieu. Cette idée me donnait la nausée.

À l'étage, j'entendais les jeunes – ils avaient réussi à brancher le lecteur de CD et des tourbillons endiablés de musique discordante nous parvenaient en bas. Je les entendais piétiner comme s'ils dansaient, mais ils devaient seulement circuler là-haut. Ben a beau être très mince, quand il marche, on dirait un éléphant.

« N'inquiète pas pour votre fils, Mrs. George. Bientôt il grandit. Ishmaïl et Nabeel parlaient eux aussi comme ça quand ils vivaient sous l'occupation. Maintenant ils parlent du football. »

Brusquement, les bruits de piétinement se sont mués en un grondement dans l'escalier, et quelques secondes plus tard les Incapables ont surgi dans le hall. Ils ont dit quelque chose en arabe à Mr. Ali, qui m'a traduit leurs propos :

« Ils veulent dire merci. C'est une très bonne maison. »

Il avait de nouveau son regard pétillant.

« Il y a autre chose qu'ils doivent faire, ai-je dit. Ils doivent nourrir les chats. »

Je leur ai montré le placard de la cuisine où étaient rangées les boîtes. Ils ont hoché la tête d'un air enthousiaste.

« Et ils doivent nettoyer leurs saletés. »

Je les ai emmenés dans l'entrée et leur ai montré un petit dépôt que le Crotteur fantôme avait laissé à sa place habituelle. Je l'avais déjà remarqué, mais je n'avais pas eu le temps de l'enlever. Le plus grand – je crois que c'était Ishmaïl, le neveu de Mr. Ali – a frémi et s'est couvert la bouche et le nez. J'ai haussé les épaules en esquissant un sourire compatissant, mais au fond de moi je me disais : ce n'est rien, attends un peu de trouver une grosse crotte toute fraîche. L'autre, Nabeel, s'est mis à parler avec véhémence en arabe. Ils ont palabré comme ça pendant quelques minutes. Puis Ishmaïl est allé chercher un bout d'essuie-tout et s'est mis à nettoyer, mais il n'a réussi qu'à l'étaler encore plus. Mr. Ali a secoué la tête.

« Complètement incapable. »

Quoi qu'il en soit, la crotte a fini par être enlevée et, comme il était temps que j'y aille, j'ai sorti de ma poche le double des clefs que j'avais fait faire.

« Si quelqu'un vient, quelqu'un que vous ne connaissez pas, vous ne devez pas le laisser entrer. »

Mr. Ali a traduit en arabe et ils ont hoché la tête avec emphase.

« Pas entrer. Pas entrer. »

Ils ont fait le signe d'interdiction de passer. Je leur ai donné les clefs. Et je dois admettre que j'ai été saisie d'une soudaine appréhension. Au mieux, les réparations seraient effectuées de façon plus ou moins désastreuse et la maison serait recouverte de PVC blanc. Le pire, il valait mieux ne pas y penser. Qui étaient ces jeunes gens ? Je ne savais rien d'eux. C'étaient peut-être des immigrés clandestins. Ou des terroristes. Qui sait ? Mr. Ali était peut-être le chef d'une cellule terroriste. Un terroriste déguisé en hamster. Il a souri.

« N'inquiète pas, Mrs. George. Tout il sera rébaré bien pour vous. Je supervise. »

33

Avocats et fraises

Le samedi après-midi suivant, je suis allée faire mes grandes courses hebdomadaires au Sainsbury's d'Islington. Bien que le Sainsbury's de Dalston soit plus proche, celui-ci se trouve sur une ligne de bus directe.

Au bout de l'allée principale, j'ai aperçu une foule qui grouillait – c'était la responsable de l'étiquetage qui effectuait ses réductions – et, par habitude, je suis allée m'y joindre. En l'absence de Mrs. Shapiro, les choses se déroulaient avec plus d'élégance, tout juste une discrète bousculade de paniers quand il y avait une véritable aubaine. Une dame aidait la responsable de l'étiquetage en sortant des rayons les produits en passe d'être périmés ; elle les lui tendait un à un pour qu'elle les réétiquette en se plantant devant elle pour être sûre de pouvoir choisir en premier. Quel culot ! Même maman ne faisait pas ça. J'ai tout de même réussi à faire de bonnes affaires en dénichant des fromages à prix cassé et trois avocats dans une boîte plastique soldés à

79 pence, en parfait état, à part le couvercle légèrement cabossé. J'ai repensé à la lettre que j'avais trouvée dans le tabouret de piano à Canaan House – *avo-kado*, disait-elle. Sans doute avaient-ils été découverts depuis peu à l'époque. Maman disait *avocade*. Étant donné son aversion pour tout ce qui était exotique, j'avais été étonnée de voir qu'elle y avait pris goût. Elle les servait avec des crevettes décongelées inondées de mayonnaise. Même papa en mangeait.

Il y avait aussi des promotions dans les allées des produits frais. Des bananes légèrement tachées – elles avaient plus de goût – à 29 pence, deux filets d'oranges pour le prix d'un, des fraises emballées sous plastique importées de Dieu sait où, avec un bel aspect mais sans goût. Je me souvenais des fraises que papa faisait pousser sur la parcelle que lui allouait la mairie de Kippax – la fraîcheur, l'intensité de leur parfum, la caresse de l'été sur la langue, les limaces ici et là qui vous obligeaient à rester vigilant. Keir et moi, on y descendait après l'école pour en remplir un saladier pour le dîner, puis on se battait en chemin pour les manger.

Non, décidément, même à moitié prix ces fraises n'en valaient pas la peine. Où peut-on bien trouver des fraises début mars ? me demandais-je en sortant du magasin. Une jeune femme distribuait des prospectus près de l'entrée – j'avais dû la rater en arrivant. J'en ai pris un distraitement et je m'apprêtais à le fourrer avec mes courses quand les mots m'ont sauté aux yeux : BOYCOTTEZ LES PRODUITS D'ISRAËL.

En me voyant intéressée, elle m'a tendu une feuille attachée sur une écritoire.

« Vous voulez signer notre pétition ?

– De quoi s'agit-il ?

– Nous voulons que le gouvernement s'engage à cesser de servir des produits fabriqués en Israël au Parlement. Jusqu'à ce qu'Israël accepte la résolution 242 de l'ONU.

– Ce n'est pas un peu… » Je me suis interrompue. Le mot qui me venait à l'esprit était « inutile ». Elle avait l'air si solennel avec ses yeux clairs fixés sur moi.

« Ils poussent sur des terres volées. Irriguées par de l'eau volée, a-t-elle expliqué.

– Je sais, mais… » Mais quoi ? Mais je ne voulais pas y penser – je voulais rentrer chez moi avec mes provisions. « Mais c'est que tout ça s'est passé il y a si longtemps. C'était horrible, je sais. La Nabka. (Ou était-ce Nakba ?) Mais… pouvaient-ils faire autrement ?

– C'est des conneries ! » Puis elle s'est reprise. « Désolée, je ne devrais pas m'énerver comme ça. » Je me suis aperçue qu'elle était très jeune – à peine plus âgée que Ben. Elle avait des cheveux courts hérissés sur le crâne. « Mais ce n'est pas seulement quelque chose qui s'est passé il y a longtemps. Ça se passe encore aujourd'hui. Tous les jours. Ils volent des terres palestiniennes. Démolissent des maisons palestiniennes au bulldozer. Font venir des colons juifs. De Moscou, de New York, de Manchester. » Elle parlait très vite en hachant ses phrases comme si elle avait peur de perdre mon attention.

« Ce n'est pas possible. » Si c'était vrai, me disais-je, quelqu'un y mettrait un terme.

« C'est vrai. La Cour internationale de justice dit que c'est illégal. Mais l'Amérique les soutient. L'Angleterre aussi.

– Qui quitterait New York pour aller s'installer au milieu du désert ?

– Ils croient que cette terre leur a été donnée par Dieu. Pour créer un État israélien. Les gens qui étaient là avant eux, les Palestiniens, ils les ont chassés. Ceux qui restent, ils les ont emmurés. Ils leur ont donné quelques misérables petites réserves. Comme les Indiens d'Amérique. Les Aborigènes d'Australie. Ils se disent que s'ils leur rendent la vie suffisamment pénible, ils finiront par disparaître. Des gêneurs. Qui font obstacle. Au rêve de quelqu'un d'autre.

– Mais on ne peut pas remonter le temps ?

– Pourquoi ça ? Il suffit de revenir en 1967. Avant la guerre des Six Jours. Vous savez, la Ligne verte. Gaza et la Cisjordanie. »

Tout ça devenait un peu trop géographique pour moi. Quelle Ligne verte ? Mais elle était d'une sincérité désarmante. J'ai jeté un œil au tract. D'un côté, il y avait une carte rudimentaire où était tracée une fine ligne droite entre Israël et la Palestine, et une autre ligne, dessinée en vert, un peu plus à droite, qui montrait le territoire palestinien qui avait été occupé après la guerre des Six Jours. Il y avait un espace entre les deux lignes. Et une troisième ligne contorsionnée, hachurée en gris, qui serpentait à droite de la ligne verte. À droite c'est l'est, à gauche c'est l'ouest, me suis-je rappelé. La légende disait : *Ligne du mur de séparation.* Je me suis forcée à l'étudier en me souvenant de la carte que Mr. Ali avait dessinée et en me demandant pourquoi les cartes avaient soudain pris autant d'importance. Plus je la regardais, moins ça avait de sens.

J'ai retourné la feuille. De l'autre côté, il y avait des

photos de produits israéliens. Avocats, citrons, oranges, fraises. Au moins, je n'avais pas acheté les fraises.

« Mais s'ils sont en date limite de vente ? S'ils sont à prix réduits ?... »

Elle m'a fixée d'un regard solennel. « Vous vous rendez compte de la quantité d'eau qu'il faut pour faire pousser des fraises dans le désert ? Où croyez-vous qu'ils vont la chercher ? »

Elle a brusquement pivoté la tête et, en suivant son regard, j'ai vu une voiture de police qui se garait et deux policiers en sortir – un homme et une femme. Ils se sont dirigés vers nous. Ils avaient l'air très jeunes, eux aussi.

« Pourriez-vous aller ailleurs ? lui a dit le policier. Vous encombrez la voie publique.

– Absolument pas », ai-je répondu tout en voyant bien qu'il s'adressait à la jeune fille. Elle était en train de fourrer ses tracts et son écritoire dans un sac.

« Nous avons reçu une plainte, a expliqué la policière en s'excusant presque.

– Nous bavardons, ai-je dit. Des avocats. Nous avons bien le droit de bavarder sur le trottoir, non ? »

La policière a souri sans rien dire. Je me suis retournée vers la fille, mais elle avait disparu.

Je songeais encore au contenu de mes cabas à provisions en regagnant l'arrêt de bus d'Islington Green. Ce n'était jamais que le supermarché qui liquidait ses stocks, après tout. Ce serait du gaspillage de tout jeter. Non ? Qu'est-ce que maman aurait fait ? Je me souvenais d'un incident qui avait eu lieu pendant la dernière grève des mineurs. C'était durant l'hiver 1984. On avait du mal à trouver du bois de chauffage. J'avais rapporté à la maison un sac de charbon que j'avais acheté dans une station-service. Papa n'en avait pas voulu à la maison.

« Hors de question de brûler le charbon des jaunes, avait-il déclaré. Je préfère encore geler. »

Il l'avait mis dehors et déversé dans la poubelle. Le lendemain matin, quand j'avais sorti la poubelle, il n'était plus là. Maman n'avait rien dit, mais je m'étais toujours demandé si ce n'était pas elle qui l'avait retiré au milieu de la nuit. Il n'y a pas de petites économies.

Il y avait une longue file d'attente à l'arrêt de bus. Le soleil avait disparu, un vent glacé s'était levé et je commençais à avoir faim. J'ai fouillé dans mes sacs infamants et pris une banane mûre – au moins elles étaient à peu près correctes. J'ai remarqué un couple de dos devant une vitrine. L'homme était grand, blond, bien bâti. Il avait quelque chose de vaguement familier. Sa tête était légèrement disproportionnée par rapport à son corps. Brusquement, j'ai été choquée de reconnaître Rip. C'était la première fois que je remarquais qu'il avait vraiment une grosse tête. Magnifique, mais trop grosse. Comme le David de Michel-Ange. La femme était petite malgré ses talons hauts, avec un carré brun et du rouge à lèvres écarlate. J'ai écarquillé les yeux. Ottoline Walker. Qu'est-ce que c'était que cette histoire ? Où était Pete les Pectos ? Elle avait un manteau ajusté qui mettait ses formes en valeur. Je la voyais se refléter dans la devanture de la boutique. Ils se tenaient la main. Elle riait en levant le visage vers lui. La petite salope ! Il s'est penché et l'a embrassée.

Un son s'est élevé dans ma poitrine, s'amplifiant peu à peu avant de jaillir brusquement – « Aaah ! Yaaah ! » –, un hurlement suraigu qui me faisait mal à la gorge. Ils se sont retournés. Tout le monde s'est retourné. Je me suis ruée sur le trottoir. Attends ! *Inspirer – deux, trois…* Oh, et puis zut ! La banane est partie en avant, s'écrasant sur la figure d'Ottoline en une espèce de bouillie visqueuse. Elle s'est débattue, mais la banane que je tenais à la main n'arrêtait pas de tourner, s'enfonçant dans ses narines, étalant le rouge à lèvres écarlate autour de sa bouche, dessinant de petits plumets dans ses sourcils. Rip était bouche bée – avec son air de truite – O ! Puis il m'a agrippé le bras.

« Georgie ! Arrête ! Tu es folle ou quoi ! »

Question idiote.

« Aaah ! Yaaah ! »

Sur ce, elle s'est tournée vers moi, postillonnant.

« Qu'est-ce que j'ai fait pour mériter ça ? »

Ce ton… Ses parents avaient dû dépenser une fortune pour lui apprendre à parler comme ça. Quelle enfant gâtée ! Il suffisait de l'entendre pour savoir qu'elle avait l'habitude d'obtenir tout ce qu'elle voulait.

« Tu t'es dit que tu pouvais l'avoir, hein ? Tu n'as pas pensé une seconde à moi. À Ben, Stella et moi. Il est à nous, pas à toi.

– Comment ça ? »

Elle a un bout de banane qui lui pend au nez comme une grosse morve. Ça me fait rire.

« On n'était que des gêneurs qui faisaient obstacle à ton beau rêve. »

Cette fois, je ris comme une folle en me tenant les côtes devant tant de symétrie.

Puis – quel plaisir – Bouche de salope racle à deux mains la bouillie de sa figure et se met à l'étaler sur Rip, sur ses vêtements et ses cheveux. Et il crie : « Ottie, arrête ! Qu'est-ce qui te prend ? »

Et elle répond : « Et toi alors ? Tu m'as dit qu'il n'y avait pas de souci. Tu m'as dit que ça ne la dérangeait pas. Tu m'as menti. » Elle gémit. « Tu m'as dit qu'elle était partie avec un autre ! En Jaguar !

– C'est vrai. » Il fait un pas en arrière. « Vous êtes complètement cinglées. Toutes les deux ! » Il recule et se met à courir. Elle lui court après en titubant sur ses talons de salope. Et moi aussi, je cours. Comme j'ai mes baskets de vieille folle, je réussis presque à le rattraper. Je le poursuis dans la rue en esquivant les piétons ahuris.

« Aaah ! Yaaah ! »

Mais il court vite, Rip, il est en pleine forme et fonce en slalomant au milieu de la foule du samedi. Il nous distance toutes les deux.

Finalement, je suis obligée de renoncer. Je l'ai perdu de vue. J'ai le souffle court, la poitrine haletante, la gorge irritée à force de crier. J'ai la tête qui tourne. Tout se met à tourner. Je m'arrête pour reprendre mon souffle en baissant la tête jusqu'aux genoux. Puis je me redresse et je regarde autour de moi. Je l'ai perdue de vue, elle aussi. Elle a disparu quelque part dans son repaire de salope. Le souffle encore pantelant, je redescends Upper Street en direction du Green. À mi-chemin, sur le trottoir, je trébuche sur un escarpin en daim noir à talon aiguille. Je l'écarte du trottoir d'un coup de pied et il est aplati par un bus numéro 19.

Il y a moins d'affluence à l'arrêt de bus. Je cherche mes sacs à provisions sur le trottoir. Mais ils ont disparu. Quelqu'un les a pris. Les avocats des colons. Les oranges baignées de sang. Tout a disparu.

En fait, ça valait le coup, me disais-je en me servant un verre de vin dans la cuisine. Bon, d'accord, je m'étais ridiculisée et j'avais perdu mes courses hebdomadaires. Mais ça valait le coup, ne serait-ce que pour voir la morve de banane qui dégoulinait du nez de cette salope. Et l'autre avec sa bouche de truite – O ! Comme il courait !

Je n'avais pas le courage de retourner à Islington, alors j'ai fait quelques courses à Highbury Barn. En rentrant, j'ai vu le répondeur qui clignotait. Il y avait un message de Miss Baddiel. Elle s'excusait de ne pas m'avoir rappelée plus tôt. Elle avait à faire (et non « sur une affaire » !). C'était curieux qu'elle m'ait appelée un samedi, mais peut-être son message datait-il d'avant et je ne l'avais pas remarqué. Je l'ai rappelée aussitôt, mais elle n'était pas là. Le second message était de Nathan. Il voulait savoir si je voulais aller au Salon des adhésifs à Peterborough le lendemain. Je l'ai effacé. Je sais que je suis déprimée, mais pas à ce point. Je me suis servi un autre verre de vin et installée devant la télévision. *Casualty* allait bientôt commencer.

À mesure que mon euphorie s'estompait, j'ai vu que dans la bouteille il restait à peine de quoi remplir un verre, et que si je la finissais, il n'y aurait rien pour m'arrêter d'en descendre une autre le lendemain soir. Et le soir suivant. Et je serais bien partie pour devenir une mère indigne. J'ai été déçue par *Casualty* – ça n'arrêtait pas de crier et de se chamailler à tout bout de champ. Qu'était-il arrivé au drame héroïque de la vie et de la mort qui se jouait aux urgences ? Où était passé le sublime Kwame Kwei-Armah ? En repensant à l'esclandre auquel je m'étais livrée cet après-midi-là, j'ai eu vaguement honte. Franchement, c'est le genre de spectacle qu'il vaut mieux éviter. Ce n'est pas convenable, comme dit maman.

Puis j'ai songé à la perspective des trois jours sans Ben qui m'attendaient et je me suis dit qu'après tout ça ne me ferait pas de mal d'aller à un salon à Peterborough. Peut-être le père de Nathan savait-il se tenir quand il était sobre. Et plus j'y pensais, plus je me disais que les hommes petits pouvaient être incroyablement sexy. J'ai téléphoné à Nathan. Quand il a décroché (« Nathan Stein »), j'ai entendu dans le fond la célèbre musique du générique – lui aussi avait regardé *Casualty*.

34

L'exposition sur la colle

Nathan est passé me chercher à dix heures le lendemain matin. Je m'étais demandé quel genre de voiture il conduirait, mais s'il y avait bien quelque chose à quoi je ne m'attendais pas, c'était de le voir débarquer au volant d'un coupé sport décapotable, une Morgan bleu ciel. Il m'a saluée en me prenant dans ses bras. J'ai plié les genoux pour que nos joues soient à la même hauteur.

« Désolé, mon père n'a pas pu venir.

– Alors on est juste tous les deux. » Mon cœur a fait un bond.

« J'en ai bien peur. Tu vas pouvoir me supporter toute une journée ? (Si je peux ? !) Il faut mettre quelque chose de plus chaud. (J'avais déjà enfilé mon élégante veste grise sur mon haut décolleté.) Et un foulard ou autre chose. Autrement, tu vas avoir les cheveux qui volent. »

Je suis allée mettre mon duffel-coat marron boutonné jusqu'en haut et un foulard sur les oreilles.

« On ne bouge plus ! »

Nous avons remonté Holloway Road à toute allure jusqu'à l'embranchement de l'A1. J'avais le vent qui me fouettait le visage, les yeux qui me piquaient, les oreilles qui tintaient. Des magasins. Des maisons. Des arbres. Des immeubles. Des maisons. Des arbres. Zoum ! Impossible de parler. J'ai bien essayé de lancer une conversation, mais les mots se sont envolés. Tandis qu'il se concentrait sur la route, j'en étais réduite à regarder les mains de Nathan sur le volant et le levier de vitesses – il avait des mitaines de conduite en cuir – et son beau profil. Sa mâchoire couverte d'une discrète barbe grisonnante était crispée d'un air de défi. Une vraie tête de casse-cou. Et moi, c'était le ventre qui était crispé. Je me demandais si je préférais mourir sur le coup ou passer ma vie dans un fauteuil roulant.

Peterborough a brusquement surgi de la brume des Fens, dominée par les arches et les tours élégantes de sa cathédrale. C'était la première fois que je venais ici. Le centre d'exposition était une espèce de morne hangar tout en longueur situé aux abords de la ville. Le parking était presque désert. Nathan a garé la voiture près de l'entrée, coupé le contact, et s'est tourné vers moi avec un sourire plein de fossettes.

« Ça t'a plu, Georgia ? »

J'ai souri mollement. Je ne pouvais pas me résoudre à mentir, même à lui.

Le Salon en lui-même n'avait rien d'aussi palpitant

que le voyage. En gros, c'était un étalage de tubes et de fioles accompagnés de longs panneaux explicatifs et des exemples de collages, de matériaux, pour l'essentiel – du laminé collé sur du ciment, du verre collé sur du bois, de l'acier sur de l'acier. Nous étions quasiment les seuls visiteurs, à part un monsieur en survêtement noir et blanc qui se promenait en prenant des notes. Nos pas résonnaient dans la grande halle. Qu'est-ce que je m'imaginais ? Le plus intéressant était une voiture, une vieille Jaguar, dont le toit était collé à une plaque en métal arrimée à une chaîne accrochée au plafond, si bien qu'elle était suspendue en l'air et tournoyait lentement dès qu'on la touchait, en tenant par le seul pouvoir de l'adhésion.

« Waouh ! C'est hallucinant !

– Oui, il faudra que je m'en souvienne la prochaine fois que je veux suspendre ma voiture », a dit Nathan.

Soudain, j'ai eu une idée.

« Tu crois que je pourrais utiliser de la colle pour coller, mettons, un porte-brosses à dents sur des carreaux de salle de bains ?

– Absolument. Il y a une quantité d'adhésifs spécifiques. Cherche les marques où il y a "clou" dans le nom. Genre Sans clou, Adieu clou.

– Mais on ne met pas de clou dans une salle de bains. Il faut une chenille, non ? »

Il m'a lancé un sourire oblique. « À la place d'un cocon, tu veux dire ?

– Comment ça ?

– Ça s'appelle des chevilles, Georgia.

– Des chevilles ?

– Mais tu as raison sur une chose – elles sont en passe de devenir obsolètes. Aujourd'hui les adhésifs peuvent souvent remplir le même rôle. »

J'étais aux anges. Les chenilles appartenaient au passé !

Nathan se baladait avec un carnet en plissant le front de son air intelligent. Je restais à côté de lui, espérant qu'il me prenne la main ou m'enlace par l'épaule. Devais-je lui demander des nouvelles de son père ? Lui parler de *Casualty* ? J'ai toussoté.

« Tu as aimé ?...

– Hé, regarde ça, Georgia. »

Il s'était arrêté devant une photo exposée à côté des cyanoacrylates. C'était un gros plan cruel tout en couleur d'un derrière collé à un siège de toilettes en plastique bleu. L'angle de prise de vue était tel qu'on ne pouvait pas deviner s'il s'agissait d'un derrière d'homme ou de femme. Manifestement, elle avait été prise dans un hôpital : on distinguait dans le fond quelqu'un qui portait un masque et des gants chirurgicaux. Imaginez un peu si c'était vous – le seul fait, déjà, de se retrouver collé sur les toilettes et de devoir appeler à l'aide, et puis de voir débarquer des types avec des outils qui défoncent la porte, dévissent le siège et vous transportent en urgence à l'hôpital, puis ces gens qui passent des coups de fil pour savoir quel solvant utiliser… Dans une situation pareille, ils feraient appel à un expert comme Nathan. Et tout ce temps, vous seriez là à vous demander qui a pu mettre la colle ; en fait, vous pourriez probablement deviner. Vous seriez furax. Furax, mais impuissant. Sur ce, vous seriez photographié pour les archives médicales. On vous traiterait avec respect et dignité, mais dans votre dos ils seraient tous là à se tordre de rire.

Sur la légende de la photo, il était simplement écrit :

CYANOACRYLATE axp-36C
UNE BONNE BLAGUE !

« C'est pas vrai… », a soupiré Nathan.

En fait, ce n'était pas une mauvaise idée, me suis-je dit.

Le stand suivant était consacré à une exposition sur l'histoire de la colle. Il y avait des photos de gomme ou de résine suintant des arbres et d'hommes à la peau sombre qui la recueillait dans des gobelets. Il y avait un tableau représentant des maçons aztèques mélangeant du sang dans leurs mortiers. La légende disait que les structures aztèques étaient si robustes qu'elles pouvaient résister à un tremblement de terre. Il semblerait que le sang est relativement visqueux – davantage que l'eau.

J'ai essayé autre chose.

« Tu as l'air d'être très proche de ton père…, ai-je hasardé.

– Ah oui. Tati. » Il s'est tu. J'ai attendu la suite, mais il s'est contenté de poursuivre sa visite.

« Tu as toujours vécu avec lui ?

– Pas toujours. »

Je l'ai suivi sur le stand en l'effleurant l'air de rien quand il s'est arrêté au coin de l'exposition, mais, apparemment, il n'a rien remarqué.

« Mes parents habitent dans le Yorkshire, ai-je dit. Ils me manquent. Mais je ne pourrais pas vivre avec eux.

– Je ne suis pas sûr de pouvoir vivre avec Tati très longtemps. »

Je l'ai effleuré de nouveau, plus ouvertement cette fois. Mes intentions devaient être transparentes à présent. Il a ouvert son carnet et griffonné quelque chose.

« Ça pourrait faire un bon article pour *Adhésifs dans le monde moderne*, a-t-il suggéré. Une histoire de l'adhésion. "La colle : passé et présent". Qu'est-ce que tu en penses ? »

Peut-être que je ne l'attirais pas. Peut-être n'étais-je pas assez intelligente pour lui. Peut-être avait-il quelqu'un d'autre dans sa vie. J'étais déprimée à cette idée.

« Mmm. Bonne idée.

– Ou même "La colle : passé, présent et futur". »

Tandis qu'il parlait, sa barbe pétillait d'éclats argentés.

« Je ne pense pas que je pourrais me charger du futur. »

J'ai repensé à Mrs. Shapiro. Quand on voit un homme bien, il faut l'attraper vite. Fallait-il que je l'attrape ?

« On pourrait se contenter d'hypothèses. De la colle fabriquée à partir de sacs recyclés. À partir de sous-produits dérivés de la liposuccion. À partir de chats et de chiens errants. À partir d'immigrants sans papiers bouillis. D'exclus de la société fondus. » Il m'a glissé un sourire en biais. « Non ?

– Comme ce que tu m'as raconté des nazis qui utilisaient les juifs pour faire de la colle ?

– Et une excellente colle d'ailleurs. Maintenant les juifs essaient de faire de la colle avec les Palestiniens. Mais ça marche moins bien. » Il s'est mis à chuchoter. « Ils disent que c'est Dieu qui le leur a demandé. »

Je l'ai regardé fixement. Comment pouvait-il plaisanter là-dessus ? Il a vu mon regard.

« Désolé, ce n'est qu'une colle métaphorique. Un merdier gluant. Et je parle de l'État d'Israël, pas des juifs. Il ne faut pas confondre.

– Ah oui ? » Mais qu'est-ce qu'il racontait ? « Je ne suis pas sûre de comprendre.

– Je suis ce qu'on appelle un juif qui se hait. Un juif gay qui se hait. »

Ah ! Gay ! Ça expliquait tout. J'ai souri intérieurement,

soulagée qu'il me l'ait dit avant que je n'aie eu le temps de me ridiculiser complètement. Mais pourquoi se détestait-il ? Était-ce parce qu'il était gay ?

« Tu te détestes vraiment, Nathan ?

– Autant que la crème anglaise.

– J'adore ça, me suis-je empressée de le rassurer.

– Moi aussi. Surtout avec des œufs et de la vanille avec un peu de muscade.

– Alors pourquoi ?... » Peut-être était-ce sa taille. « Tu sais...

– Désolé, Georgia, je n'avais pas l'intention de t'infliger mes obsessions. La haine de soi n'est qu'une étiquette que collent les néosionistes à ceux qui ne sont pas d'accord avec eux. Soit on est antisémite, soit un juif pétri de haine de soi. »

Il m'a lancé son sourire de beau mec intelligent en remontant ses lunettes à monture d'écaille qui avaient glissé sur son magnifique nez. Gay. Quel dommage !

« Nous, on l'achetait en boîte. C'était de la Bird's. » Je m'entendais jacasser, comblant le silence. « Mais ils n'étaient pas antisémites, mes parents. Mon père est socialiste. Un jour, il a cogné sur un type qui avait traité de Rital le marchand du *fish and chips*. Ma mère est plus... plus anarchiste, disons. Elle est capable de cogner pour n'importe quoi sur n'importe qui. »

En disant ça, je repensais aux blagues qui fusaient à l'association des mineurs de Kippax. Tapette. Homo.

Pédale. Pédé. Autant de démonstrations quotidiennes de mépris qui étaient monnaie courante par chez nous. Papa n'était peut-être pas antisémite, mais je ne l'avais jamais entendu menacer de cogner qui que ce soit pour avoir employé ces mots-là. Maman de son côté avait un jour passé un savon à Keir qui avait traité un de ses professeurs de tantouse. « Il est très gentil, ton Mr. Armstrong, même s'il est hormosexuel. »

« Et ton père ?

– Oh, Tati s'est installé chez moi quand ma mère est morte, et Raoul est parti. Ça a fichu en l'air ma vie amoureuse.

– Il se montre grossier avec tes amis ?

– Oh, non. Il se contente de chanter. »

J'ai ri. « C'est sympa.

– Oui. Mais les lieder, on finit par s'en lasser. » Il s'est mis à chuchoter avec des airs de conspirateur. « Je passe mon temps à espérer qu'une gentille veuve vienne m'en débarrasser. »

Nous nous étions arrêtés devant une autre photo – c'était une petite fille aux mains collées. Elle pleurait, la bouche grande ouverte, les yeux plissés de douleur.

« Oh ! Comme il est dit dans le mode d'emploi, un des inconvénients du collage par adhésif est qu'il est généralement impossible de démonter sans détruire les composants », a observé Nathan d'un ton laconique.

C'est un aspect des adhésifs qui m'avait toujours perturbée en secret. Je regardais fixement. La fillette était dans une situation si désespérante que je compatissais de tout cœur avec elle.

« Je sais ce que c'est quand tu parles de haine de soi. Moi aussi, ça m'arrive de me détester.

– Vraiment ?

– Oui. Souvent, je me sens stupide. Ou impuissante. Ou méprisable. Ou j'aimerais être une autre. » J'avais de pitoyables trémolos dans la voix. « J'ai l'impression d'avoir gâché ma vie. »

Et si j'avais eu de la vraie crème anglaise aux œufs et à la vanille avec de la muscade quand j'étais petite au lieu de manger de la poudre instantanée de Bird's et des frites surgelées ? Aurais-je été différente, plus cohérente, plus spirituelle ? Aurais-je connu une grande réussite professionnelle, pondu une kyrielle de best-sellers ? Mon mari serait-il resté ? Le pire, c'est que j'étais lié à Rip ; au cyanoacrylate : un lien définitif. C'était le seul homme que j'aie réellement aimé et j'avais beau fulminer contre lui, je savais bien que je n'aimerais jamais personne autant que lui. J'avais les larmes aux yeux. Nathan m'a enlacée et m'a serrée amicalement.

« Ça peut faire des dégâts, la colle. »

J'ai posé la tête sur son épaule qui était juste à la bonne hauteur si je pliais légèrement les genoux, et j'ai laissé rouler de grosses larmes chaudes le long de mes joues. Nathan n'a rien dit. Il est resté là en me laissant pleurer. Au bout d'un moment, j'ai sorti de ma poche un mouchoir froissé roulé en boule et je me suis tamponné les yeux.

« J'ai quelque chose à te demander, Nathan.

– Vas-y.

– En rentrant, ça ne t'embêterait pas de conduire moins vite ? »

35

Usages de la superglue

Le lendemain au réveil, je débordais d'énergie. Il était tard – presque neuf heures – et des éclats de soleil s'infiltraient par intermittence sous l'élastique du slip noir. Mes larmes de la veille m'avaient revivifiée comme lorsqu'il a plu pendant la nuit et la découverte de toutes les possibilités qu'offrait la colle m'inspirait un regain d'enthousiasme pour mon travail. Je me suis installée sur mon lit et j'ai allumé mon ordinateur. L'article sur lequel je travaillais traitait des usages médicaux de la colle. Le cyanoacrylate (la superglue) avait été employé en urgence sur les champs de bataille du Vietnam pour refermer des plaies en attendant qu'elles puissent être correctement suturées. Et aujourd'hui un certain nombre d'entreprises essayaient de concevoir des adhésifs spécifiques susceptibles de remplacer les sutures. La cohésion à usage humain.

Il y avait deux difficultés techniques à surmonter, semblait-il. La première : maintenir les rebords de la plaie en contact suffisamment longtemps pour que le collage prenne. La seconde : effectuer la séparation sans arracher la chair.

Subitement, je me suis rappelée. Cyanoacrylate AXP-36C. J'ai cherché un bout de papier dans le tiroir de la table de chevet pour le noter avant d'oublier. J'imaginais la tête de Rip quand il s'apercevrait qu'il était collé. J'imaginais son derrière, le supplice que ce serait de s'arracher la chair en tentant de se libérer. Qui viendrait à sa rescousse ? Qui appellerait l'ambulance ? Ottoline Walker ? Ou serait-ce moi ? Est-ce que je me tordrais de rire ? Prodiguerais-je des soins délicats à son postérieur collé ? Quel éventail de possibilités !

J'ai mis momentanément de côté les usages médicaux des adhésifs et j'ai ouvert mon cahier.

Le Cœur éclaté
Chapitre 7

Un soir, alors que la famille Sinster ~~était~~ s'attablait devant le somptueux ~~repas~~ ~~dîner~~ souper servi dans la vaste salle à manger éclairée aux chandelles entourée de bois de cerf et d'autres dépouilles d'animaux, ~~ils entendirent~~ le ~~bruissement~~ ~~pincement~~ ~~tintement~~ son ~~vibrant~~ ~~poignant~~ ~~déchirant~~ (oh, et puis merde…) *mélodieux d'une mandoline ~~att~~assaillit leurs oreilles impatientes et quelques instants plus tard un grand et beau brun ténébreux ~~uniquement~~ vêtu (*"uniquement vêtu" – non, mais n'importe quoi !*) d'une cape en velours virevoltante entra dans le hall à grandes enjambées. Lorsqu'il eut fini de jouer, Mrs. Sinster lui jeta quelques pièces qu'elle avait sorties de sa bourse en soie et lui dit : « Oh,* *monsieur le joueur de mandoline, revenez, je vous en prie. Je suis fascinée par votre ~~grande mandoline~~ charmant folklore. »*

Pauvre Mrs. Sinclair – étais-je un peu injuste envers elle ? La première fois où j'avais rencontré les Sinclair, leur monde m'avait paru si étranger, si intimidant – régi par des règles et des préjugés voilés –, mais elle s'était réellement efforcée de me mettre à l'aise, m'initiant gentiment aux arcanes des ronds de serviette et des mots croisés du *Daily Telegraph*, et elle avait dû trouver sa belle-fille bien maussade et fort peu aimable. À l'époque, j'avais été exaspérée de voir qu'ils ne se rendaient pas compte à quel point ils étaient privilégiés. Exaspérée par la façon dont Mrs. Sinclair m'avait demandé à mi-voix si j'avais réellement rencontré Arthur Scargill ; je ne suis pas une grande fan de notre dirigeant syndicaliste avec sa mèche rabattue sur la calvitie, mais, à entendre les Sinclair, on aurait cru que c'était l'Antéchrist.

J'avais mis du temps à comprendre que les Sinclair avaient sans doute aussi peur de moi que j'avais peur d'eux. Bon d'accord, je n'avais peut-être pas facilité les choses en arborant un gros badge proclamant en caractères gras L'ENNEMI DE L'INTÉRIEUR la troisième fois où j'étais allée à Holtham. Ils devaient me voir comme l'émissaire d'une sinistre armée déterminée à renverser l'ordre, les convenances, les sports équestres et toutes les valeurs auxquelles ils étaient attachés. C'était peu de temps après la fin de la grève des mineurs et j'estimais qu'ils avaient besoin qu'on les secoue un peu – c'est du moins l'excuse que je me donnais. Rip avait tout fait pour que je l'enlève, mais voyant que j'insistais, il m'avait défendue vaillamment en tentant d'expliquer à ses parents déconcertés de quoi il s'agissait.

« Mais puisque c'est censé être une armée secrète, je ne comprends pas qu'elle porte un badge », avais-je entendu Mrs. Sinclair lui chuchoter.

Peut-être étais-je un peu dure avec Rip, aussi. Mais en amour comme dans les romans, tous les coups sont permis. J'ai persisté.

Surprise dans une situation compromettante avec le joueur de mandoline, Gina est chassée de Holty Towers. Elle proteste, disant qu'elle n'a fait que répondre aux aventures extraconjugales de Rick, et décide de se venger en lui collant le derrière au siège des toilettes. Le secret est de trouver le bon adhésif pour le support. Youpi ! Cela supposait de retourner au B&Q (dans l'unique but de faire des recherches, naturellement). L'ennui, c'est que je ne pouvais pas m'empêcher d'éprouver une vague compassion pour Rick. Après tout, ce n'était qu'un homme faible qui se berçait d'illusions et s'était laissé entraîner par cette sournoise soubrette espagnole boutonneuse, c'était plus fort que lui. Et Gina n'aurait jamais dû succomber à ce joueur de mandoline volage. Il y avait autre chose qui m'ennuyait. J'avais beau essayer d'imaginer le derrière de Rip collé au siège de toilettes, j'étais poursuivie par l'autre photo de l'exposition, l'image de la fillette essayant de décoller ses mains, les yeux plissés, grimaçant de douleur, son cri.

Je me suis extirpée du lit pour aller à la fenêtre et j'ai contemplé le jardin en étirant mes bras vers le haut et en faisant rouler mes épaules contractées par le froid et la tension que j'avais éprouvés en voiture la veille. Le sol était trempé et les feuilles du laurier scintillaient de gouttes de pluie captives, mais le soleil jouait avec les nuages, projetant de fugaces arcs-en-ciel. Au fond du jardin, une nappe vaporeuse de crocus mauves s'était répandue quasi du jour au lendemain. Les oiseaux travaillaient dur, sautillant par deux avec des touffes d'herbe dans le bec.

Puis j'ai aperçu Wonder Boy qui se glissait le long de la barrière en approchant furtivement des couples de merles. J'ai tapé sur la fenêtre et ils se sont envolés. Wonder Boy a levé la tête et m'a fixée longuement d'un regard réprobateur. J'ai eu une pointe de culpabilité. Bon, d'accord, ça faisait longtemps que j'aurais dû rendre visite à Mrs. Shapiro, voulais-je lui expliquer, mais ce n'était pas facile. L'appel à l'aide qu'elle m'avait envoyé était sur ma table de chevet – j'avais noté l'appellation de la colle sur l'enveloppe. Je regardais l'enveloppe avec le nom et l'adresse griffonnés dessus quand, subitement, j'ai eu une idée de génie.

36

La consultante en adhésion

Après le déjeuner, je me suis accoutrée d'une veste rouge qui avait appartenu à Stella – j'ai dû la laisser déboutonnée – assortie d'un foulard scintillant provenant d'un magasin de fripes, et j'ai tiré un bonnet de laine sur mes cheveux. J'ai mis du rouge à lèvres rouge vif et une vieille paire de lunettes de soleil en guise de camouflage, et je suis allée jusqu'à l'arrêt de bus de Balls Pond Road. Mais en fait, en arrivant à Northmere House, je me suis aperçue que mon déguisement était inutile car le cerbère de l'entrée avait changé.

« Je peux vous aider ? a-t-elle aboyé.

– Je viens voir Mrs. Lillian Brown. »

Elle a consulté sa liste. « Vous êtes de la famille ?

– Une cousine. Issue de germaine. » Ç'aurait pu être vrai.

« Signez là, je vous prie. Chambre 23. »

Elle a appuyé le bouton qui commandait la porte coulissante. Et j'ai pénétré dans l'univers feutré de la moquette rose, de l'air chimique aux relents douceâtres, des rangées de portes fermées que transperçait parfois l'écho sinistre d'une télévision qui braillait. À l'extrémité du couloir se trouvait la grande baie vitrée coulissante qui donnait sur la cour, avec son carré de pelouse et ses quatre bancs trempés par la pluie. Une sonnette hystérique retentissait dans le fond, rappelant au personnel absent que derrière une de ces portes fermées quelqu'un avait désespérément besoin d'aide.

J'ai frappé à la porte numéro 23. Comme il n'y avait pas de réponse, je l'ai poussée. Dans la petite chambre surchauffée, il régnait une odeur de mort effroyable. Le peu d'espace était accaparé par une énorme télévision qui braillait, si bien que j'ai mis un moment à remarquer la minuscule silhouette qui gisait immobile sur le lit.

« Mrs. Brown ? »

Elle n'a pas répondu. J'ai crié plus fort : « Mrs. Brown ? Lillian ? »

Je me suis approchée de son lit sur la pointe des pieds. Elle avait les yeux fermés. Sa main était agrippée à la sonnette au bout de son câble. J'étais incapable de dire si elle respirait.

Je suis sortie en laissant la porte se refermer derrière moi. J'avais le cœur qui cognait dans la poitrine. Une grosse dame en uniforme rose arrivait dans le couloir.

« Ici, ai-je dit.

– Vous êtes la nièce de Mrs. Brown ? » C'était à croire qu'elle n'entendait pas la sonnette.

« En fait, je…

– J'espère que vous ne faites pas passer des cigarettes en douce. » Elle me scrutait d'un œil féroce.

« Oh, non. Rien de ce genre.

– Parce que dans la dernière maison de retraite où j'ai travaillé, quelqu'un a donné une cigarette et des allumettes à une vieille dame et tout a brûlé.

– Oh, non ! Et il y a eu des blessés ?

– On a été sauvés par un chien.

– Ah oui ?

– Un bâtard, a-t-elle grogné. Et puis ils ont essayé de faire entrer une boîte de vitesses en douce.

– Une boîte de vitesses ? Pourquoi ça ?

– Aucune idée. En tout cas, la directrice s'en est débarrassée. Elle trouvait que ce n'était pas hygiénique. » Son visage s'est adouci un instant. « Quel dommage, vraiment, le pauvre vieux ! Enfin, il s'est vengé, a-t-elle ajouté en gloussant. En tout cas, ici c'est interdit. Nous avons des règles.

– Euh… je crois que cette dame a besoin d'aide… »

Mais elle avait déjà disparu dans le couloir. En regardant la porte se refermer derrière elle, j'ai remarqué qu'il y avait quelqu'un assis sur un des bancs, sous la pluie, une silhouette solitaire recroquevillée sur elle-même en robe de chambre bleu pâle et mules à pompons assorties qui tirait sur une cigarette. C'était la frappée.

J'ai tapé sur la fenêtre en lui faisant signe. Elle a levé les yeux et m'a fait un signe à son tour. Mais quand j'ai ouvert la baie vitrée pour la rejoindre dans la cour, elle a pris une mine renfrognée.

« Z'avez pas apporté mes clopes.

– Mais si, ai-je menti. Vous n'étiez pas là. »

Elle a reniflé comme si elle savait que c'était faux.

« Vous la cherchez ? Vot' copine ?

– Mrs. Shapiro ? Oui.

– L'est en isolement. L'a pas droit aux visites.

– Pourquoi ça ?

– L'est vilaine.

– Pourquoi ? Qu'est-ce qu'elle a fait ? »

Elle a écrasé sa cigarette dans l'allée et jeté le mégot au milieu de la pelouse, où il y en avait déjà toute une ribambelle.

« Ce qu'el' fait pas, plutôt. L'veut pas signer l'pouvoir, l'r'fuse. L'est cinglée, moi j'vous l'dis. La laisseront pas sortir tant qu'elle sign' pas.

– Vous savez dans quelle chambre elle est ? »

Il ne pleuvait presque plus. Elle a extirpé un paquet de cigarettes de la poche de sa robe de chambre et jeté un œil à l'intérieur. Il n'en restait plus que deux.

« Z'oublierez pas mes clopes la prochaine fois, hein ?

– Non, c'est promis. »

Elle a pris une cigarette et l'a gardée un moment aux lèvres en la savourant à l'avance, avant de sortir la boîte d'allumettes de l'autre poche.

« 27.

– Merci.

– Si l'est pas là, c'est qu'elle r'garde la télé dans la 23. C'est ma chambre. Ils viennent tous r'garder la télé.

– Il n'y a pas de salle de détente ?

– Mouais. Mais la télé l'est minab'. »

La chambre de Mrs. Shapiro était aussi petite que l'autre et tout aussi surchauffée, mais elle ne sentait pas la mort, tout juste une odeur écœurante, et il n'y avait pas de télévision. Elle avait une mine épouvantable. Elle était étendue sur son lit, tout habillée, les yeux fixés au plafond. Elle avait les cheveux hirsutes, emmêlés, sa raie grisonnante était désormais une véritable autoroute et sa peau flasque retombait en sillons jaunâtres creusés autour de la bouche et du menton.

« Mrs. Shapiro ?

– Georgine ? »

Elle s'est levée péniblement en titubant et m'a regardée fixement.

« Comment allez-vous ? » Je l'ai prise dans mes bras. Elle était aussi fragile qu'un oiseau. Un sac d'os.

– *Danken Got*, vous êtes là.

– Je suis désolée de ne pas être venue plus tôt. J'ai essayé, mais ils ne m'ont pas laissée entrer.

– Vous apportez des cigarettes ?

– Désolée. J'ai oublié.

– Ça fait rien. C'est bien que vous êtes venue, Georgine. Je veux pas mourir ici ! »

Elle s'est assise au bord du lit et a fondu en larmes, ses maigres épaules secouées par les sanglots. Elle paraissait si petite, si voûtée. Je me suis assise à côté d'elle en lui caressant le dos jusqu'à ce qu'elle cesse de pleurer et se mette à renifler. Je lui ai donné un mouchoir.

« Il faut qu'on vous ramène chez vous. Mais je ne sais pas comment.

– Trop les gardes ici. Comme le prison. » Elle s'est mouchée puis elle a déplié le mouchoir pour examiner la morve. Elle avait une horrible couleur verdâtre. « Comment ils vont, mes chers chats ?

– Ils vont bien. Ils vous attendent. J'ai installé des jeunes gens chez vous. Ils s'en occupent. Ils réparent la maison. » J'ai vu son air inquiet. « Ne vous faites pas de souci. Dès que vous serez prête à rentrer, ils s'en iront. »

L'odeur de la chambre me faisait défaillir. Je suis allée ouvrir la fenêtre. Un frémissement a parcouru l'air épais et surchauffé, et le bruit de la circulation sur Lea Bridge Road mêlé aux voix d'enfants qui jouaient non loin de là nous est parvenu. Mrs. Shapiro a respiré à pleins poumons et son regard s'est un peu éclairé.

« Merci, chérrie. » Elle m'a serré la main en me scrutant de ses yeux ridés. « Vous avez l'air mieux, Georgine. Joli rouge à lèvres. Joli foulard. Vous trouvez le nouveau mari ?

– Pas encore.

– Peut-être bientôt que je l'aurai le nouveau mari. » Elle a souri malicieusement en voyant mon air étonné. « Nicky dit qu'il veut marier *mit mir*.

– Mr. Wolfe ? »

J'ai suffoqué. La misérable crapule ! Je la revoyais tout en émoi dans la cuisine quand il l'amadouait au sherry.

« Je pensais qu'il sera le parfait mari pour vous, Georgine. Mais vous montrez pas beaucoup l'intérêt. Alors peut-être c'est l'occasion pour moi. » À présent, elle souriait coquettement d'un air charmeur. Elle avait manifestement repris du poil de la bête. « Qu'est-ce que vous pensez ? Est-ce que je dois marier mon Nicky ?

– Il sait quel âge vous avez ?

– Je lui disais que j'ai soixante et un ans. » Elle a surpris mon regard et s'est mise à pouffer de rire. « Vous trouvez je suis trop coquine, hein ?

– Vous êtes un peu coquine, Mrs. Shapiro.

– Pourquoi préparer pour le mort ? De toute façon, qu'il vous rattrapera assez tôt, hein ? Pourquoi pas profiter le moment qu'il passe ? » Elle a agité les mains comme des ailes d'oiseau. « Vous connaissez Goethe ? »

J'ai fait non de la tête. Puis je me suis rappelé un détail.

« C'est peut-être parce que… » Je me souvenais de son silence interloqué au bout du fil. « Je lui ai dit que vous aviez un fils. »

Un fils qui hériterait de ses biens. À moins, évidemment, qu'elle ne se remarie.

Elle m'a lancé un regard perçant. « Comment vous savez pour le fils ?

– C'est l'assistante sociale qui me l'a dit. Mrs. Goodney. »

Elle s'est tue. J'ai fait mine de regarder par la fenêtre. Allez, allez ! l'implorais-je en silence. Mais elle ne disait rien.

Au bout d'un moment, elle a soupiré. « *Ach*, cette femme. Tout ce qu'elle a dans sa tête, c'est comment me *shvindel*. Je lui disais que je l'ai un fils parce qu'elle veut je signe la procuration. Je disais que mon fils, il va revenir. Il aura la maison.

– Mais ce n'est pas votre fils, n'est-ce pas ? » lui ai-je répondu avec douceur.

Il y a eu un silence. « Pas le mien. Non.

– Alors qui était sa mère ? »

Elle a poussé un soupir. « Toute cette *megillah*, elle est trop longue pour vous. Vous allez endormir avant que je raconte.

– Racontez-moi tout de même.

– C'était l'autre. Naomi Shapiro. »

Peu à peu, je l'ai fait parler. En réalité, elle s'appelait Ella Wechsler, m'a-t-elle dit en prononçant ce nom avec précaution comme si elle n'était pas sûre qu'il lui appartenait. Elle était née à Hambourg en 1925. J'ai calculé qu'elle avait quatre-vingt-un ans. Sa famille était juive, mais du style panaché. Du *speck*, mais pas de saucisses. *Shabbat* et dimanche. Noël et Hanouka – non que ça ait changé quoi que ce soit pour les nazis, l'heure venue. Son père, Otto Wechsler, dirigeait une imprimerie prospère, sa mère, Hannah, était pianiste, ses deux grandes sœurs, Martina et Lisabet, étaient étudiantes. Leur maison, une grande villa de quatre étages dans le quartier Grindel, était un refuge peuplé de musiciens, d'artistes, de cœurs brisés, de rêveurs, de voyageurs sur le départ ou le retour, de quatre chats et d'une domestique allemande du nom de Dotty. Il y avait toujours du café *mit schlagsahne*, de la musique et des conversations animées. Elle a pouffé de rire.

« On était plus allemands que les Allemands. Je croyais c'était le vie normale. Je ne savais pas ce bonheur il était pas permis aux juifs, Georgine. Je ne savais pas que c'était que être juif avant que *Herr* Hitler il me disait. »

Mais à partir de 1938 le message de Hitler avait été clair – suffisamment clair pour que la famille comprenne qu'il fallait à tout prix quitter l'Allemagne avant que la situation ne s'aggrave.

« Vous voyez, à cette époque Hitler pensait juste comment chasser les juifs de l'Allemagne. Le projet des exterminations qu'il est venu après. »

Les Wechsler – Ella, Martina, Lisabet et leurs parents – avaient fui à Londres. Ella avait presque treize ans, Martina dix-sept et Lisabet vingt. En 1938, les Wechsler avaient réussi à quitter l'Allemagne moyennant un pot-de-vin, mais l'Angleterre ne les avait pas pour autant accueillis à bras ouverts. La loi sur les étrangers de 1905 stipulait qu'ils n'étaient autorisés à venir en Grande-Bretagne que s'ils avaient déjà l'assurance d'un travail.

« Même les Anglais qu'ils ne voulaient pas de nous. Trop les juifs qu'ils fuyaient le pogrom en Pologne, Russie, Ukraine. Tout le monde croyait c'était le grand sport que chasser les juifs. »

Par l'intermédiaire d'un cousin du côté de sa mère, Otto Wechsler avait réussi à trouver un travail dans une imprimerie sur Whitechapel Road – une énorme vieille presse Heidelberg qu'il était parvenu à ressusciter en la cajolant. Mr. Gribb, le propriétaire, était un veuf d'Elisavetgrad qui s'appelait à l'origine Gribovitch et qui avait changé de nom lorsque sa famille avait fui les pogroms en 1881. Hannah Wechsler était devenue sa gouvernante. Lisabet était employée dans une boulangerie.

Martina suivait des études d'infirmière. Ella allait au lycée juif de Stepney. Ils vivaient dans un minuscule deux-pièces juste au-dessus de l'imprimerie (« Tout ce qu'on touchait qu'il était noir avec l'encre »), au cœur de la communauté juive d'East End. Ils estimaient avoir de la chance.

Ils recevaient via la Suisse des lettres codées de leur famille qui leur décrivaient les conséquences des lois de Nuremberg, le port obligatoire de l'étoile jaune, la terreur de *Kristallnacht*, l'expropriation des commerçants, l'exclusion des professions libérales (le cousin Berndt chassé de son cabinet et réduit à balayer les feuilles du parc), les humiliations publiques, la multiplication des agressions odieuses dans les rues (l'oncle Frank conspué par une bande d'écoliers survoltés qui lui avaient cassé les dents de devant). Des actes que la morale individuelle aurait jugés répugnants devenaient amusants dès lors qu'ils étaient perpétrés sous les encouragements de la foule. Puis les déportations de masse avaient commencé et ils n'avaient plus reçu de lettres.

J'ai senti un frisson parcourir les épaules de Mrs. Shapiro, son souffle retenu. Nous étions toujours assises côte à côte sur le lit. Dehors, le jour tombait et le grondement de la circulation s'intensifiait avec le début de l'heure de pointe. Mais nous étions dans un autre monde.

« Parlez-moi d'Artem. Quand l'avez-vous rencontré ?

– En 1944 il arrivait à Londres. Au printemps. Les yeux du fou. Il demandait encore s'ils avaient vu sa sœur. »

Squelettique, infesté de poux, les yeux creux, il s'était

retrouvé sur les quais de Newcastle, débarquant d'un navire marchand britannique qui avait discrètement appareillé de Göteborg avec une cargaison de beurre et de roulements à billes. La Mission de la mer l'avait recueilli avant de l'envoyer, via les organisations de secours juif, à l'appartement de Whitechapel Road. Il était resté un an avec eux, aidant à l'imprimerie et dormant sur un lit de camp au fond de l'atelier. Il était habile de ses mains. Il était peu loquace – il parlait russe et quelques bribes d'allemand et d'anglais –, mais pour les filles son silence songeur et mystérieux en disait long. À ses heures perdues, il avait entrepris de fabriquer un violon. Lisabet, Martina et Ella le regardaient travailler à la scie à découper et à la colle en fredonnant entre ses dents, la tête penchée sur l'établi, une fine cigarette roulée aux lèvres. À l'époque, Ella avait dix-huit ans, Martina vingt-trois et Lisabet vingt-six. Elles étaient toutes un peu amoureuses de lui et un peu impressionnées.

« Il a fini le violon ?

– Oui. Dieu sait où il trouvait le cordes. Mais à l'époque à Petticoat Lane tu pouvais l'acheter tout que tu l'avais besoin. Quand il jouait, c'était comme les anges dans le paradis. Quelquefois *Mutti* ou moi, on accompagnait *mit* le piano. »

Je me souvenais de la partition du tabouret de piano. Delius. *Zwei braune Augen.* Ella Wechsler. Son nom était écrit sur la couverture du recueil de chansons, mais les yeux bruns appartenaient à une autre.

« Vous jouez encore du piano, Mrs. Shapiro ? Ella ? » Curieusement, j'avais le sentiment que ce nouveau nom ne convenait pas à la vieille dame pour laquelle je m'étais prise d'affection.

« Regarde mes mains, chérrrie. »

Elle les a tendues devant elle, osseuses, gonflées aux articulations, avec leur peau ridée couverte de taches brunes. Je les ai serrées entre les miennes pour les réchauffer. Elles étaient si froides.

« Et Naomi ? Qui était-ce ? »

J'avais un souvenir si clair des photos du doux visage en forme de cœur, de la masse de boucles brunes, des yeux espiègles. Mrs. Shapiro n'a pas répondu. Son regard était plongé au-delà de la fenêtre sombre. Quand elle a enfin ouvert la bouche, elle a simplement lâché : « Naomi Lowentahl. Elle était assez grande. »

Puis elle s'est de nouveau tue. Je n'ai rien dit. Je savais qu'elle finirait par me répondre.

« Oui, jolie. Toujours *mit* rouge à lèvres, joli *shmata.* Qui pensait qu'elle sera le genre qu'il va aller creuser la terre chez Israël ? » Sa bouche s'est contractée. Nouveau silence. Elle a retiré ses mains des miennes et s'est mise à triturer ses bagues. « Des gens il trouvait qu'elle était belle. Les yeux flambants. Oui, c'était comme si elle était en feu. Elle était amoureuse de Arti, bien sûr.

– Et lui ?... »

Elle a reniflé. « Oui. Et lui. »

Artem Shapiro et Naomi Lowentahl s'étaient mariés à la synagogue de Whitechapel en octobre 1945, après la fin de la guerre. Ella, Hannah et Otto Wechsler avaient assisté au mariage. Lisabet était dans le Dorset en lune de miel avec un aviateur juif polonais. Martina avait été tuée par un tir de V2 en juillet 1944, en rentrant du Chest Hospital à Bethnal Green – lors d'une des dernières offensives aériennes de la guerre. Mais Mr. Gribb avait préparé un vrai festin pour le jeune couple. Les gens étaient venus de tout Stepney pour avoir un bout de poulet.

Un petit coup sec sur la porte nous a fait toutes les deux sursauter. Puis, sans attendre de réponse, la dame en uniforme rose, la même que j'avais croisée un peu plus tôt, a débarqué dans la chambre.

« L'heure du dîner, Mrs. Shapiro. »

Elle m'a aperçue.

« Il faut que vous partiez, m'a-t-elle dit. Mrs. Shapiro n'a pas droit aux visites.

– Je ne suis pas en visite. Je suis consultante en adhésion.

– Oh ! » Ça l'a stoppée net. Elle m'a jaugée des pieds à la tête en s'efforçant de comprendre quel était mon statut. « Je croyais que vous étiez la nièce de Mrs. Brown. Il faudra prendre rendez-vous auprès de la directrice.

– Naturellement. » Je me suis levée et j'ai pris un ton très Mrs. Sinclair. « Auriez-vous l'amabilité de nous laisser, je vous prie ? Nous avons presque fini notre consultation.

– Je dois le signaler à la directrice. » Elle a secoué la tête. « On peut pas avoir des gens qui débarquent ici comme dans un moulin. »

Quand je me suis retrouvée seule avec elle, Mrs. Shapiro m'a agrippé les mains.

« Vous gardez mon secret, Georgine.

– Bien sûr.

– Qu'est-ce que je dois faire ?

– Ne signez rien. N'épousez pas Nicky.

– Mais si je suis mariée, qu'ils seront obligés me laisser rentrer, non ?

– Je vais essayer de vous faire sortir.

– Si je lui dis non, il arrêtera venir. C'est mieux je dis peut-être oui, peut-être non. » Elle m'a fait un clin d'œil.

« Vous êtes une coquine, Mrs. Shapiro. » J'ai ri. « Comment arrive-t-il à entrer ? La directrice ne l'en empêche pas ?

– Il disait que il est mon avocat.

– Ah ! Pas bête. Mais… »

En fait, j'ai pensé, ce qu'il lui fallait, c'était un véritable avocat.

Soudain, il y a eu un bruit de pas précipités et de voix dans le couloir. J'ai embrassé Mrs. Shapiro sur les joues et je lui ai dit rapidement au revoir à l'instant même où ils sont arrivés devant la porte. En premier, il y avait la dame en blouse rose, suivie d'une dame corpulente en cardigan vert et d'un vigile. La détermination leur congestionnait les traits. Mais avant même d'avoir pu dire quoi que ce soit, elles ont été interrompues par un cri épouvantable qui provenait du fond du couloir, devant la chambre 23. Je me suis précipitée – nous nous sommes tous précipités – et j'ai vu la frappée qui agitait les bras en hurlant : « Au s'cours ! Au s'cours ! Y a un cadav' là-d'dans ! »

Dans la confusion qui a suivi, ils m'ont tous oubliée. J'ai profité que quelqu'un entrait pour me faufiler en douce par la porte coulissante et j'ai marché tête baissée jusqu'à l'arrêt de bus de Lea Bridge Road. J'ai passé tout le trajet sur l'impériale du bus à imaginer un stratagème pour sortir Mrs. Shapiro de là.

37

Une balade au B&Q

Le lendemain matin, j'ai appelé Miss Baddiel. Étonnamment, elle a décroché aussitôt.

« Dieu merci, je vous ai enfin. C'est affreux. Mrs. Shapiro a été enlevée, ai-je bafouillé à toute vitesse. Je ne voulais pas compliquer les choses en mentionnant le cadavre.

– Chut. On se calme, Mrs. Sinclair. Allez, faites-moi plaisir, inspirez à fond. Retenez. Deux, trois, quatre. Expirez en soufflant. Deux, trois, quatre. Et relâchez.

Je me suis exécutée. Mon estomac s'est dénoué et mes poings serrés se sont décontractés.

« C'est parfait. Bien, vous disiez donc ?... »

J'ai essayé de lui expliquer que Mrs. Shapiro avait été enlevée et qu'elle était retenue contre son gré jusqu'à ce qu'elle accepte de signer une procuration pour sa maison. Je me suis abstenue d'accuser ouvertement Mrs. Goodney de vol, mais ce qui préoccupait davantage Miss Baddiel était que Mrs. Shapiro se soit vu dénier le droit de choisir librement son mode de vie.

« Un certain nombre de possibilités s'offre à elle. Si elle doit vivre chez elle, la maison doit être adaptée. On peut facilement installer un lit au rez-de-chaussée et transformer un salon en chambre. Le problème, souvent, c'est de créer une salle de bains en bas. Naturellement, on peut aussi installer un ascenseur. Et même un monte-escalier.

– Mmm. Oui. Bonne idée. J'ai des ouvriers sur place en ce moment, qui font des réparations dans la maison. Je pourrais leur demander…

– Parfait. »

J'ai essayé d'imaginer Mr. Ali et les Incapables installer un monte-escalier. Mmm. Non.

« Avant, il y avait des subventions pour ce genre de travaux, mais aujourd'hui, la plupart du temps, il faut malheureusement financer les travaux soi-même. Vous savez si elle a des fonds ? »

J'ai repensé aux reçus de dépôts-ventes que j'avais trouvés dans le tiroir de son secrétaire.

« Je ne suis pas sûre. Je lui demanderai. » À tous les coups, elle ne me le dirait pas. J'étais découragée. Je me voyais d'ici tenter de la convaincre de faire installer un monte-escalier.

« Et nous pourrions étendre son programme d'aide à domicile. Il me semble que ça avait bien marché ?

– Oui. C'était parfait. Formidable. »

Nous nous sommes donné rendez-vous à la maison vendredi. Je voulais prendre le temps de m'assurer que les Incapables avaient avancé et vérifier que c'était tout du moins habitable. Entre-temps, Miss Baddiel devait se rendre à Northmere House afin de contester les conditions de l'internement de Mrs. Shapiro.

« C'est une violation des droits de l'homme », m'a-t-elle glissé de sa voix de pêche sur le ton de la confidence.

Le mercredi après-midi, j'ai décidé de retourner à Northmere House pour rendre visite à Mrs. Shapiro. Je suis allée prendre le 56 à Balls Pond Road, et j'ai dû m'assoupir (sombré dans une rêverie, aurait dit Miss Tempest) pendant le trajet car, subitement, en regardant par la vitre, je me suis aperçue que nous étions déjà sur Lea Bridge Road et que j'avais loupé mon arrêt. Je me suis dépêchée d'appuyer sur la sonnette et je suis descendue à toute vitesse de l'impériale, et quand le bus s'est enfin arrêté, je me suis retrouvée devant un bâtiment orange et gris à l'air familier. Un autre magasin B&Q ! Ça devait être le destin.

Le B&Q était plus défraîchi que celui de Tottenham et quasiment désert, empreint d'un silence respectueux – on aurait dit un temple consacré à quelque étrange culte viril, me suis-je dit. Les hauts plafonds et les allées qui résonnaient, l'atmosphère de dévotion solennelle, les servants marchant tête basse, les obscurs objets de vénération, les mystères. À part moi, il n'y avait qu'une seule autre femme, une jeune caissière asiatique absolument ravissante avec un piercing brillant au nez. Elle m'a indiqué où se trouvaient les adhésifs avec des airs de prêtresse vaguement lasse : allée 29.

Cyanoacrylate AXP-36C. J'avais sorti de ma poche l'enveloppe froissée de Mrs. Brown et je me suis mise à regarder les étiquettes sur les emballages. C'était facile de faire la différence entre les colles PVA, époxy et acrylates, mais aucune n'avait cette formulation précise. Un certain nombre d'entre elles comportaient des avertissements sur les risques liés à un usage impropre. Je parcourais les emballages, cherchant ceux qui affichaient les mises en garde les plus sévères.

Au bout d'un moment, un type du genre viril m'a demandé si j'avais besoin d'aide. Je lui ai montré mon bout de papier. Il l'a étudié un moment d'un air perplexe, puis il m'a dit : « Et ça serait pour quoi, ma belle ? »

J'ai remarqué qu'il avait un tatouage du syndicat des mineurs du Kent sur le bras. C'est curieux, me suis-je dit, si je l'avais rencontré à la place de Mr. Ali, la première fois où je cherchais une serrure, le contact se serait établi sur une tout autre base et l'histoire n'aurait pas été la même.

« C'est pour... euh... juste, vous savez, un usage général. » J'ai souri mystérieusement et fourré un assortiment de superglues dans mon panier d'un air nonchalant.

Autre découverte que j'ai faite au passage, tout au bout de l'allée des adhésifs, c'est que le gaffeur n'avait rien à voir avec les gaffes. Moi qui croyais que ça servait à réparer les bourdes. En fait, c'était juste du ruban adhésif. Quelle déception !

Par simple intérêt, je suis allée jeter un coup d'œil aux sièges de toilettes. Malgré leurs noms exotiques – Chamonix, Valencia, Rossini – ils n'étaient pas follement excitants. Il n'y en avait pas de musical, ni même pourvu d'éclairage, comme tous ces sièges destinés à attirer les derrières curieux dont je voyais les pubs dans les journaux du dimanche. Il faudrait que je regarde sur Internet. Idéalement, il faudrait que je m'en achète un qui joue un air ridicule mais entraînant, style *Jingle Bells* ou *La Danse des canards*, qui ne s'arrête que lorsque la personne se lève – si tant est qu'elle se lève !

Je me suis subitement rappelé que j'avais l'intention de passer à Northmere House au retour, mais j'avais encore loupé l'arrêt. Ça attendrait un autre jour. De ma place préférée tout à l'avant du bus qui bringuebalait sur Lea Bridge Road, j'admirais les motifs changeants des nuages qui défilaient, mes courses sur les genoux, en proie à un agréable sentiment de contentement.

À Clapton, un groupe de collégiens hilares est monté en se bousculant. Je n'ai pas tout de suite remarqué qu'ils portaient une petite *kippa*. Ils se sont rués sur l'impériale et se sont jetés à quatre sur l'autre place de devant, en se cognant avec leurs sacs à dos et en se poussant. Le récit de Mrs. Shapiro était encore présent à mon esprit et j'avais envie de leur parler, de les interroger sur leurs parents et leurs grands-parents – les pays qu'ils avaient quittés, les voyages qu'ils avaient accomplis. Mais pourquoi faudrait-il qu'ils se soucient de toutes ces histoires douloureuses ? Ces jeunes n'avaient pas l'air d'exilés. Ils se moquaient d'une de leurs enseignantes qui avait été apparemment aperçue à un concert de Westlife avec une robe qui en dévoilait trop. Laissons-les tranquilles.

Laissons-les être heureux. Dans le fracas du bus qui passait entre les cimes des arbres, j'ai fermé les yeux et senti à travers mes paupières la lumière printanière étincelante qui jouait sur mon visage : ombre-lumière-ombre-lumière-ombre-lumière. Quand je suis descendue à Balls Pond Road, quelques arrêts plus loin, j'entendais encore leurs éclats de rire alors que le bus s'éloignait. Laissons-les être heureux tant qu'ils le peuvent.

Au détour de ma rue, j'ai vu une voiture garée devant chez moi. Une voiture noire. Une Jaguar. Je me suis arrêtée. M'attendait-il depuis longtemps ? Depuis la débâcle avec Nathan, je ressentais une sorte de vide au fond de moi. Et là, soudain, les battements de mon cœur se sont accélérés, à mi-chemin entre la panique et le plaisir. Ou peut-être étais-je inéluctablement attirée. J'ai avancé en me demandant ce que j'allais dire. Quand je me suis approchée, la portière côté conducteur s'est ouverte et il a déroulé sur le trottoir son grand corps de loup affamé, un bouquet de fleurs à la main – des iris bleus. Mon cœur a bondi dans ma poitrine.

« Tu fais un peu de bricolage, Georgina ? » Il examinait d'un œil intéressé le sac du B&Q. « Tu as un moment ? C'est au sujet de Canaan House. Il y a… euh… du nouveau, il faut que je te parle.

– Du nouveau ? »

J'ai regardé ma montre. Il était trois heures pile.

« Rapidement alors. Ben va bientôt rentrer. »

J'ai remarqué qu'il avait une pochette blanche fraîchement repassée à son veston et malgré toute ma détermination un frisson m'a parcourue à la manière d'un réflexe de Pavlov.

« J'ai pensé qu'il fallait que tu saches. Mon collègue, Nick Wolfe. Tu avais raison. Ses intentions ne sont pas honorables. Pas du tout honorables.

– Entre, c'est mieux. »

Il m'a suivie à l'intérieur de la maison. En allant à la cuisine, j'ai fourré le sac du B&Q au fond d'un placard du bureau en mezzanine, puis j'ai mis de l'eau à chauffer. J'ai disposé les fleurs dans un vase. Elles me faisaient penser à la cuvette des toilettes de Mrs. Shapiro. Il restait planté juste à côté de moi à me regarder. Je sentais la chaleur de son corps à travers le centimètre d'air qui nous séparait et cette agréable sensation dans la région pelvienne – c'était une visite surprise de la Dépravée.

« Raconte, lui ai-je dit.

– Oui. Nick. Il… Comment dire ?… Il est devenu obsédé par Canaan House. Il a pris un architecte. Il lui a demandé des plans pour en faire une résidence protégée. Des appartements de luxe. De très haut standing. Avec suite de luxe, salle de gym en sous-sol. Jardin à la japonaise avec cailloux et fontaine en pierre. La totale. Plus six studios. »

J'ai respiré à fond. Je sentais le savon chic et, en dessous, le chlore.

« D'accord. Et qu'est-ce qu'il a l'intention de faire de Mrs. Shapiro ?

– Il a l'intention de l'épouser. »

Il a lâché son scoop avec un léger haussement de sourcils. J'ai fait mine d'être choquée, mais je souriais intérieurement.

« Apparemment, ils sont devenus très amis, et un jour il lui a demandé son âge. Elle lui a annoncé qu'elle avait soixante et un ans. Ça a éveillé ses soupçons, et du coup il a jeté un œil en douce à son dossier médical dans la maison de retraite. Ils avaient mis quatre-vingt-seize ans.

– Non, vraiment ? » J'ai feint la surprise.

« Il s'est dit qu'à cet âge son espérance de vie… Comment dire ?… Laissait à désirer. Un ou deux ans, tout au plus. Il s'est dit qu'il était sur un bon coup.

– Il vous a dit qu'elle avait un fils ?

– Il y a vaguement fait allusion. C'est bien pour ça qu'il est pressé de lui mettre la bague au doigt. S'ils sont mariés, il héritera de tout quand elle passera l'arme à gauche. À moins qu'elle n'ait fait un testament, évidemment.

– Le fils est censé venir d'Israël. Manifestement, lui aussi pense être sur un bon coup. Mais je ne sais pas si c'est vraiment son fils. Son mari avait déjà été marié avant, tu sais. »

Avant quoi ? C'est ce que j'avais du mal à comprendre. Si Ella Wechsler avait épousé Artem Shapiro, elle serait devenue Ella Shapiro. Mais pourquoi avait-elle renoncé à son prénom d'Ella pour prendre celui de Naomi ? Pourquoi quelqu'un irait-il changer et de nom et de prénom ?

« Si elle n'était pas mariée avec lui, ai-je réfléchi à voix haute, si elle vivait juste avec lui…

– Mmm. C'est juste. Aurait-elle tout de même des droits sur la maison ? » Aux paillettes d'or qui jouaient dans ses yeux, je voyais bien qu'il cogitait.

« Qu'est-ce que ça change de savoir qui était marié avec qui ? Si elle a vécu tant d'années avec lui, la maison doit être à elle, non ?

– Ça dépend de la manière dont l'acte de propriété a été rédigé. » Il remuait le sucre dans son café en faisant tinter la cuillère contre la porcelaine et en me regardant de ses yeux bigarrés. Je me sentais fondre au-dedans de moi. « Ce serait intéressant d'aller jeter un œil, Georgina. Tu ne saurais pas où il se trouve, par hasard ? »

Il devait être parmi les liasses de papiers entreposés au grenier. « Je n'ai aucune idée », lui ai-je répondu en pressant mon sachet de thé d'une main lascive avant de le retirer d'un petit coup de cuillère provocateur.

« On peut peut-être se renseigner au cadastre », a-t-il murmuré.

Il a fini son café, puis il est allé s'appuyer au chambranle de la porte avec un sourire énigmatique. « Tu viens… ? »

Il est passé en premier et je l'ai suivi.

« Tu m'avais dit que tu me montrerais tes poèmes », lui ai-je lancé pour le taquiner. Mais, à mon grand étonnement, il a extirpé une mince enveloppe de la poche de son veston – la poche intérieure et non celle du mouchoir.

« J'ai écrit celui-là exprès pour toi, Georgina. »

L'enveloppe était tiède et épousait la forme de son corps. Je l'ai ouverte avec curiosité pendant qu'il me déshabillait. Elle contenait un poème rédigé sur du papier crème d'une écriture trapue pleine d'assurance :

J'errais par les rues de la ville,
Mon cœur ployant sous le souci,
Lorsque soudain là je vous vis,
Les cheveux irisés de pluie.

Douce sainte Georgina, vous qui
Tel le dragon mon cœur percît,
Dites-moi que vous m'aimez, moi qui
Jamais ne vous quitterai.

Je n'ai pas pu m'empêcher d'esquisser une grimace, que je me suis empressée de masquer en l'embrassant d'un air confus.

« Mmm. Très joli, lui ai-je dit.

– Je suis content que ça te plaise, ma chérie. Tu as les ?...

– Les ?... »

J'ai cherché les accessoires infamants dans mon tiroir et je les ai enfilés. Il a vérifié le slip. Resserré les menottes. Heureusement qu'il y a les têtes de lit à lattes d'Ikea. Que ferait-on sans elles ? a songé la Dépravée avec un soupir en se renversant sur les oreillers. Mais le poème – ces abominables vers de mirliton – s'agitait dans ma tête avec un bruit de ferraille. J'ai essayé de m'abandonner à la dépravation, mais il n'y avait rien à faire. « Douce sainte Georgina... Dites-moi que vous m'aimez... » Quand je pense que j'avais rêvé d'une escorte de poètes gigolos ! Finalement, j'ai été obligée de simuler. Après, j'étais là entre ses bras, en sueur, tendue, tandis qu'il me caressait les cheveux et me faisait le truc de la pochette, quand subitement, je me suis souvenue de la première nuit que j'avais passée avec Rip dans son appartement sous les toits de Chapeltown. Nous étions restés allongés sous les draps froissés à contempler la lueur des bougies qui dansaient sur le plafond mansardé et il avait pris sur son étagère un livre fatigué et m'avait lu *Le Lever du soleil* de John Donne : « Elle est tous les États et moi tous les princes. Il n'est rien d'autre. »

Qu'était devenu le Rip de cette époque – non pas le façonneur de destin toujours pressé, obsédé par son Programme de développement, mais l'autre Rip, aussi exubérant qu'un chiot, curieux, drôle, passionné, idéaliste, qui lisait Donne et Marvell quand on faisait l'amour et m'apportait des toasts tartinés de Marmite le matin ? Qu'était-il devenu ? Subitement, une douleur aussi violente que l'annonce d'un deuil m'a frappée en plein cœur, me faisant tressaillir. Qu'est-ce que je faisais ici ? Pourquoi étais-je au lit avec cet homme ?

« Pourquoi ce “vous” ? lui ai-je demandé.

– Ça ne te plaît pas ?

– Si, si, mais... ça fait un peu désuet.

– Je trouve... Comment dire ?... Que tu as un côté très désuet, Georgina. » Il a passé un doigt sur ma joue. « Je peux le changer si ça ne te plaît pas, ma chérie. »

L'ennui, c'est que je le voulais pervers et brutal. Je ne voulais pas de toute cette guimauve. Et encore moins du poème.

« Non, laisse. C'est très bien comme ça. Mais… c'est "perçâtes" et pas "percît". »

J'ai tout de suite regretté d'avoir dit ça. Je ne voulais pas le rabaisser – c'était juste mon diplôme de lettres qui refaisait surface au mauvais moment.

« Perçâtes ? » Il avait l'air totalement effondré.

« Mais c'est très bien comme ça. C'est romantique. Ne change rien, s'il te plaît ! »

Il s'était déjà redressé et renfilait ses vêtements soigneusement pliés.

« Mark, tu as oublié…

– Perçâtes ! »

La porte s'est refermée avec un léger déclic. Il était parti.

Je suis restée là un moment à songer au poème. Ce n'était pas seulement ce côté archaïque qui m'ennuyait, c'était la métaphore saugrenue de saint George et du dragon, et ce dernier vers rogné, comme une dent cassée. Il aurait pu trouver deux syllabes pour le rafistoler. Subitement, une scène m'est revenue en mémoire, me prenant au dépourvu : c'était la première fois que j'allais passer Noël à Holtham avec Rip. Pendant que je conduisais, Rip avait glissé sa main entre mes cuisses et m'avait lu *Nocturne pour la Sainte-Lucie* de Donne tandis que nous traversions l'âpre paysage hivernal des Pennines couvert d'un tapis de fougères brunies sous lesquelles de jeunes pousses perçaient déjà de la tourbe noire gorgée d'humidité. « Je suis chose morte en laquelle l'Amour a pratiqué une alchimie nouvelle. » J'avais été submergée par une telle passion que nous avions dû nous arrêter sur une aire de stationnement. Ce n'est pas facile de faire l'amour dans une Mini, mais je revois nos corps imbriqués comme les deux coques d'un bivalve.

À ce seul souvenir j'ai été soudain envahie par une immense nostalgie – nostalgie de son corps, de son esprit vif. Malgré cette assurance frisant l'arrogance qui caractérisait les Sinclair, malgré le Programme de développement et les destins à façonner, malgré le laisser-aller dans les tâches de bricolage et son irritante manie du BlackBerry, malgré même Bouche de salope, il demeurait toujours le père de Ben et Stella. Et il demeurait l'homme que j'aimais. Il était peut-être temps d'arrêter de coucher à droite et à gauche et d'essayer de recoller mon couple.

Sur ce, la porte d'entrée a claqué. Ça devait être Ben qui rentrait. Je me suis assise ou, plus exactement, j'ai essayé de m'asseoir, mais mes poignets étaient restés fermement attachés à la tête de lit. J'ai tiré. Ça n'a rien donné. Agacée, j'ai tiré plus fort, mais le velcro tenait bon.

« M'man ? a lancé Ben de la cuisine.

– Hello, mon grand. Je finis un truc. J'en ai pour une minute. »

Bon sang ! Ce n'était que du velcro. Mais il était fixé de telle sorte à mes poignets que plus je tirais, plus ça forçait sur la couture. J'ai essayé de faire passer mes mains dans les boucles, mais il n'y avait pas de mou. J'entendais le scritch-scritch des attaches velcro tendues. Puis le frottement s'est arrêté. J'avais les articulations des pouces toujours coincées, les poignets qui commençaient à me faire mal, les bras endoloris, le cœur battant. Pas de panique. *On inspire – deux, trois, quatre. On expire – deux, trois, quatre.*

« Tu veux du thé, m'man ?

– Merci, je veux bien. NON ! Non, ça va. Mets l'eau à chauffer. J'arrive. »

Puis j'ai essayé avec les dents. Je me suis aperçue qu'en m'étirant et en me contorsionnant, j'arrivais à avancer la bouche à deux ou trois centimètres de mon poignet gauche. Un centimètre et demi, peut-être. Mais pas plus. J'ai essayé de l'autre côté. C'était pire. Mes bras n'étaient pas assez longs. À moins qu'ils ne soient trop longs. J'ai réattaqué du côté gauche. Je me suis étirée au maximum. J'arrivais même à toucher le velcro du bout de la langue, mais je ne réussissais pas à l'attraper avec les dents. Soudain, j'ai eu l'impression que mon épaule allait lâcher et j'ai renoncé. Épuisée, je me suis rallongée sur les oreillers et j'ai passé en revue les diverses solutions possibles. En fait, je n'avais pas d'alternative. La seule solution était d'appeler Ben à l'aide. Mais, en fait, elle n'était pas envisageable. Je préférais encore mourir. Puis j'ai eu une autre sensation désagréable. J'avais besoin de faire pipi.

« Ça bout !

– OK ! Merci ! »

Je pouvais toujours dire à Ben que c'était un accident. Oui. Je pouvais lui raconter que j'avais tenté une expérience. Joué un jeu. Répété un spectacle. Ça peut arriver. L'ennui, c'est que la couette était enroulée autour de mes genoux et que j'avais encore le slip rouge. Et rien d'autre. Je n'avais pas d'autre solution que me remettre à tirer. Chaque petit scritch-scritch était une attache qui se défaisait, me disais-je. Vas-y lentement. Oublie ta vessie. Concentre-toi sur les poignets. Concentre-toi sur un poignet à la fois. Apparemment, j'avais plus de force dans le poignet droit. Je me suis aperçue que si je bougeais l'articulation du pouce tout en abaissant et en relevant les doigts, je pouvais accélérer le frottement. Scritch-scritch-scritch. Scritch-scritch-scritch. Plus j'y allais doucement, plus le frottement s'intensifiait. Je pouvais remuer le pouce droit à présent. Je pouvais le plier dans ma paume et le faire glisser… glisser… oui, ça y était. Ma main droite était libre. J'ai délivré ma main gauche. Puis j'ai attrapé ma robe de chambre et j'ai foncé aux toilettes.

« Ça va, m'man ?

– Oui. Laisse chauffer l'eau. »

Deux minutes plus tard, j'entrais nonchalamment dans la cuisine en jean et pull, un sourire insouciant aux lèvres. J'ai versé l'eau chaude sur le sachet.

« Merci, Ben. Juste un truc que j'avais à finir pour aujourd'hui. »

Il m'a examinée avec curiosité. J'ai mis mes mains dans le dos pour qu'il ne voie pas les marques que j'avais aux poignets.

« Tu es sûre que ça va, m'man ? Tu es un peu… rouge.

– Rouge ? » Je suis devenue cramoisie.

« Tu t'es battue ?

– Non. Pas exactement. Pourquoi ça ?

– T'as l'air… j'sais pas… pas normale. »

Ce n'est qu'en retournant aux toilettes avant de me coucher que j'ai aperçu le slip bordé de dentelle rouge qui gisait en boule par terre. Ben l'avait-il remarqué quand il était monté ? Fallait-il que je dise quoi que ce soit ? Raconter qu'il appartenait à Stella ? (Honte à toi, Georgie !) Ou valait-il mieux que je me taise ? C'est ce que j'ai fait.

38

Sans remparts

Ben et moi avions pris l'habitude de dîner parfois devant la cheminée à gaz du salon, avec la télévision allumée dans le fond – une coutume agréable de Kippax que nous avions adoptée depuis que nous étions seuls tous les deux. Jeudi, nous étions donc là, l'assiette en équilibre sur les genoux, à regarder les informations de dix-neuf heures, avec leur lot quotidien de mauvaises nouvelles et de bêtises en tout genre. J'allais changer de chaîne quand il y a eu un sujet sur le bouclier nucléaire de défense anti-missile que les Américains voulaient installer en Pologne pour intercepter d'éventuels missiles iraniens. Je sais bien que mes notions de géographie sont un peu chancelantes, mais ne se trompaient-ils pas de continent ? Puis je me suis aperçue que Ben était devenu très silencieux.

« Il n'y a pas de quoi s'inquiéter, ai-je dit. De toute façon, je suis sûre que ça ne marchera pas. »

Ben avait les yeux rivés sur l'écran.

« C'est la prophétie. Gog et Magog. » Il chuchotait presque. « Ils se préparent pour les missiles.

– Quels missiles ? »

Ben a posé son assiette, s'est laissé glisser au bas du canapé et s'est mis à genoux devant moi.

« M'man, je t'en supplie. Ouvre ton cœur à Jésus. »

Il m'a tendu les mains en geste de prière ou de supplication – mon pauvre enfant coupé en deux. Je les ai prises – elles étaient tremblantes. Je savais que tout ce que je pourrais dire ne servirait à rien, et je me suis contentée de serrer ses mains entre les miennes. Puis il a fermé les yeux et s'est mis à parler – ou à psalmodier, plutôt – de sa voix de crécelle aux intonations montantes :

« Ézéchiel 38 ? Ainsi parle le Seigneur Yahvé ? Je me déclare contre toi, Gog, prince, chef de Méshek et de Tubal. Je te ferai faire demi-tour, je mettrai des crocs à tes mâchoires et je te ferai sortir avec toute ton armée, chevaux et cavaliers ? Perses, Éthiopiens et Libyens seront avec eux ? Gomer et toutes ses troupes, Bet-Togarma, à l'extrême nord, et toutes ses troupes ? Tous parfaitement équipés, troupe nombreuse, tous portant écus et boucliers et sachant manier l'épée ? »

Ça me faisait penser à l'affiche du *Seigneur des anneaux* dans sa chambre : les Orcs avec leur dentition de *subprime*, les grandes armées exotiques retouchées à l'ordinateur marchant sur le champ de bataille. J'aurais mis le tout sur l'imagination adolescente, n'avait été la suite :

« Ce sera à la fin des jours que je t'amènerai contre mon pays ? Tu viendras vers le pays dont les habitants ont échappé à l'épée et ont été rassemblés, parmi une multitude de peuples, sur les montagnes d'Israël, qui furent longtemps une ruine ? Depuis qu'ils ont été séparés des autres peuples, ils habitent tous en sécurité ? Ils habitent tous des villes sans remparts, ils n'ont ni verrous ni portes ? »

Il avait la voix tremblotante.

« Oh, Ben… » J'ai serré ses mains. Des bribes de phrases de la lettre que Naomi avait envoyée d'Israël – la lettre que j'avais trouvée dans le tabouret de piano et que j'avais si souvent relue – me revenaient soudain en mémoire. *Notre lieu de refuge… de terre aride… où notre peuple venu de tous les pays où nous étions des exilés s'est rassemblé… un pays sans barbelés.* Mais Mr. Ali m'avait dit qu'à présent il y avait des murs, et puis des postes de contrôle et des barbelés.

« Je ferai tomber la pluie torrentielle, des grêlons, du feu et du soufre sur lui. » Ben avait toujours les yeux fermés. Puis il m'a regardée. « Accepte Jésus, m'man ? Avant qu'il ne soit trop tard ?

– D'accord, Ben. D'accord. »

Il était pâle et tremblant.

« Mais tu n'y crois pas, hein ? » Il a secoué son crâne rasé – à présent couvert d'une ombre de cheveux bruns – en un mouvement de frustration ou de désespoir.

« C'est que…

– Tu dis ça pour me faire plaisir, hein ? » Ses yeux limpides étaient emplis de larmes refoulées. « À quoi bon ? À quoi bon être sauvé si tout le monde… tous ceux qu'on aime vraiment sont condamnés ? »

La télévision continuait à jacasser dans le fond et j'ai attrapé la télécommande pour l'éteindre – éteindre ce flot terrifiant de folie qui continuait à se déverser dans le petit monde que nous nous étions créé au coin de feu.

« Viens ici. » Je l'ai hissé sur le canapé à côté de moi et je l'ai enlacé par les épaules pour le serrer contre moi. « Tout ça, ce sont des mots, du bluff. Ça passera. »

J'avais parlé avec une conviction que je n'éprouvais pas, car je tenais à faire bonne figure face à Ben, mais une part de moi-même ne pouvait s'empêcher d'être effrayée. Ma raison avait beau rejeter les délires des prophètes, sous mon cerveau se dissimulait une caverne obscure peuplée de monstres endormis, de craintes et de cauchemars enchaînés depuis l'enfance, qui conservaient cependant le pouvoir d'instiller la peur. Nous sommes restés là côte à côte, main dans la main, à écouter le silence qui envahissait le salon. Il s'était remis à pleuvoir, à petites gouttes cette fois, et non plus à torrents. La respiration de Ben se calmait peu à peu. Il avait les mains glacées.

Soudain, dans la rue, nous avons entendu une voiture se garer, une gerbe d'eau gicler sous des pneus, un moteur diesel au ralenti, des pas dans l'allée, des coups à la porte. Nous avons échangé un regard. On a frappé plus fort, puis une voix d'homme – une voix inconnue – a lancé : « Il y a quelqu'un ? »

Je me suis levée et j'ai ouvert la porte. Je n'avais jamais vu l'homme qui se tenait sur le seuil, un type corpulent au teint basané. Puis j'ai compris que ce devait être le chauffeur du taxi qui s'était garé devant la maison. Sur ce, la portière du taxi s'est ouverte et Mrs. Shapiro est descendue péniblement.

« Georgine ! s'est-elle exclamée. Je vous prie, aidez-moi ! Vous avez l'argent pour le taxi ?

– Bien sûr. Combien ?

– 54 livres », a répondu le chauffeur du taxi. Il ne souriait pas.

« Ce n'est pas ?…

– Ça devrait être plus. Ça fait des heures qu'on tourne en rond. »

Je suis allée regarder dans mon portefeuille. J'avais 40 livres et un peu de monnaie.

« Ben, tu as quelque chose ?

– Je vais voir. »

Il est monté. Je me suis rappelé que j'avais un peu de monnaie dans mon duffel-coat. Et quelques livres que j'avais glissées dans une enveloppe d'association caritative dans l'entrée. Ben est redescendu avec un billet de 5. Mrs. Shapiro a pêché une pièce de 1 livre dans la doublure de son manteau d'astrakan. À nous trois, nous avons réussi à rassembler 52,73 livres. Le chauffeur de taxi les a prises en ronchonnant et a marmonné quelque chose avant de disparaître.

« Entrez, entrez, ai-je dit à Mrs. Shapiro.

– Merci. Il a les gens qui habitent dans mon maison. Il veut pas que j'entre. »

Au moment où elle franchissait le seuil, Wonder Boy a surgi dans l'obscurité et s'est faufilé le long de ses jambes.

Elle s'est assise au coin du feu en serrant le mug de thé que Ben lui avait apporté sur un plateau avec des biscuits au chocolat.

« Merci, jeune homme. Charmante. Je suis Mrs. Shapiro. Je vous prie, prenez le biscuit. »

Wonder Boy s'est étiré devant le feu et a entrepris de se frotter contre les pantoufles du *Roi Lion* en produisant l'espèce de grognement râpeux qui lui tenait lieu de ronronnement. Entre deux gorgées de thé, Mrs. Shapiro a entrepris de nous faire le récit de son évasion, la bouche pleine de miettes de biscuit.

Après la découverte du cadavre, la frappée avait définitivement perdu les pédales.

« Folle. Le cerveau complètement pourri. »

Non contente de traîner dans les couloirs en tapant des cigarettes aux visiteurs, elle agrémentait son boniment d'une invitation :

« J'vous mont' le cadav' si vous m'filez un' clope. »

Ça contrariait le personnel – il craignait que ça donne une mauvaise image de l'institution. De temps à autre, pour les énerver, elle se précipitait dans le couloir en hurlant : « Au s'cours ! Au s'cours ! Y a un cadav' là-d'dans ! » La situation était devenue critique le jour où des proches venus visiter les lieux en compagnie de leur vieille mère avaient été accostés par la frappée, qui avait réussi à les convaincre (c'étaient tous des fumeurs) qu'on trouvait des cadavres quasiment tous les jours. La responsable chargée de la visite avait perdu patience et tenté de la repousser dans sa chambre.

« Mais elle battait comme le tigre. Elle grattait et griffait avec le mains. »

Finalement, on avait dû appeler la sécurité. Puis la directrice était arrivée en cardigan vert avec une ampoule de sédatif et une seringue, mais la frappée avait continué à se débattre en hurlant : « Au s'cours ! Au s'cours ! Y vont m'tuer ! »

La famille, ébranlée par une telle violence, avait essayé d'appeler la police sur un portable. Tous les pensionnaires – du moins ceux qui tenaient debout – s'étaient rassemblés dans le couloir pour acclamer la frappée. Dans le tohu-bohu, Mrs. Shapiro avait réussi à se faufiler dans le hall sans se faire remarquer, puis à franchir la porte de sortie, et s'était retrouvée sur Lea Bridge Road, où un taxi qui passait par là l'avait emmenée en lieu sûr.

« Et me voilà, mes chérrris ! s'est-elle exclamée, les joues enflammées par le récit de ses aventures. Seul problème c'est que les personnes habitent dans mon maison. Il faut le chasser tout de suite ! »

Elle a posé son mug vide et s'est levée. J'ai essayé de la persuader de rester manger un morceau et lui ai même proposé de dormir à la maison, mais elle était impatiente de rentrer chez elle. Wonder Boy avait cessé de ronronner et fouettait le sol de sa queue.

Nous nous sommes mis en route, Mrs. Shapiro en tête – c'était étonnant comme elle marchait vite avec les pantoufles du *Roi Lion* –, Ben et moi à la traîne, et Wonder Boy fermant le cortège. La nuit était tombée, il faisait froid et l'air était encore humide après la pluie. Quand nous sommes arrivés à Totley Place, deux des autres chats ont surgi des buissons et se sont joints à nous. Violetta nous attendait sous le porche, saluant le retour de Mrs. Shapiro avec des débordements de joie extatique. Wonder Boy a craché, lui a donné des coups de patte et l'a envoyée sur les roses.

Plusieurs fenêtres étaient éclairées, ce qui était étonnant en soi, car je n'avais jamais vu Canaan House aussi illuminée. J'ai remarqué que la porte d'entrée avait été repeinte en jaune et les carreaux du porche remplacés par de banals carreaux de salle de bains. Tandis que Mrs. Shapiro cherchait ses clefs au fond de son sac, j'ai sonné.

C'est Ishmaïl, le neveu de Mr. Ali, qui est venu ouvrir. Il m'a aussitôt reconnue et nous a invités à entrer avec un grand sourire.

« Bienvenue ! Bienvenue ! »

Il avait appris un autre mot. L'intérieur de la maison avait également été repeint en blanc et jaune. C'était plus lumineux et plus propre, et ça sentait bien meilleur. J'ai vu que Mrs. Shapiro regardait autour d'elle et essayé de déchiffrer son expression. Elle avait l'air relativement contente.

« Vous avez beaucoup travaillé, ai-je dit à Ishmaïl.

Voici Mrs. Shapiro. C'est la propriétaire de la maison. Elle est de retour et vous devez partir, j'en ai bien peur. C'est ce qui était convenu. Vous vous rappelez ? »

Il a souri et hoché la tête sans comprendre. Il n'avait manifestement aucune idée de ce que je racontais. J'ai réessayé en parlant plus fort et en gesticulant :

« Cette dame – habite ici – rentrée – vous devez partir – partir maintenant. » J'ai montré Mrs. Shapiro en faisant le geste de le chasser.

« Oui, oui. » Il a souri en hochant la tête.

Puis Nabeel est apparu sur la scène et s'est joint aux sourires et aux hochements de tête en offrant les trois mots d'anglais qu'il possédait :

« Bonjour. S'il vous plaît. Bienvenue. Bonjour. S'il vous plaît. Bienvenue.

– Bonjour. Oui, s'il vous plaît. Bienvenue », a répété Ishmaïl.

J'ai repris mes gesticulations. Ils souriaient en hochant la tête.

« Bonjour. Oui. S'il vous plaît. »

On tournait en rond.

Sur ce, Ishmaïl – il faut lui reconnaître une certaine intelligence – a sorti son portable et composé un numéro, puis s'est mis à parler en arabe à son interlocuteur. Au bout d'un moment, il m'a passé le téléphone. C'était Mr. Ali.

« Il faut leur dire de partir, ai-je expliqué. Maintenant que Mrs. Shapiro est de retour, ils ne peuvent pas rester. Vous avez promis – vous vous rappelez ? Je suis vraiment désolée. Je pensais qu'on serait prévenus, mais… » Je commençais à devenir hystérique.

J'ai repassé le téléphone à Ishmaïl. Il a écouté quelques instants, puis lâché un flot de paroles en arabe, puis écouté de nouveau, avant de me repasser le téléphone.

« Ce soir trop tard. J'ai pas le camionnette. » Il avait la voix faible et craquelée. « Laisse-les rester ce soir, s'il vous plaît. Demain, je viens avec camionnette.

– D'accord, ai-je répondu. Juste ce soir. Je vais parler à Mrs. Shapiro. Mr. Ali, merci pour le travail que vous avez fait – la peinture –, c'est magnifique.

– Vous aimez ce couleur jaune ?

– Beaucoup.

– Je savais vous allez aimer. » Il avait l'air content.

Cette conversation à trois avait fait perdre patience à Mrs. Shapiro, qui s'était volatilisée. Ben et Nabeel avaient disparu dans le bureau, où une télévision avait été équipée d'une antenne intérieure. Ils regardaient le football côte à côte en souriant, poussant des acclamations dès qu'un but était marqué. Le doigt pointé sur lui-même, Nabeel a lancé : « Bonjour ! S'il vous plaît ! Arsenal ! » À son tour, Ben a pointé le doigt sur lui-même et répondu : « Bonjour, Leeds United ! »

J'ai trouvé Mrs. Shapiro dans sa chambre. Elle était

pelotonnée dans son lit avec Wonder Boy, Violetta, Moussorgski et un des petits du landau. Wonder Boy s'était même glissé avec elle sous les draps. Ils ronronnaient tous et Mrs. Shapiro ronflait.

39

Rénovations

Le lendemain matin, je me suis réveillée avec l'impression que j'avais quelque chose d'important à faire, mais j'étais incapable de me rappeler quoi. La veille, j'étais partie en laissant Mrs. Shapiro endormie, et je me disais qu'il fallait peut-être que je repasse chez elle pour vérifier que tout allait bien. Puis le téléphone avait sonné. C'était Miss Baddiel qui me rappelait notre rendez-vous. Après avoir raccroché, j'ai eu subitement une idée. J'ai repris le téléphone et j'ai appelé Nathan :

« Je me demande si tu pourrais nous donner quelques conseils. Sur l'utilisation des adhésifs dans les rénovations. Ce matin. Onze heures. » Je lui ai donné l'adresse.

« Super. J'apporterai le kit de démonstration de bricolage.

– Amène également ton père. »

En raccrochant, j'ai souri. Moi aussi, je savais jouer les entremetteuses.

J'y suis allée un peu en avance pour m'assurer que tout était impeccable pour l'arrivée de Miss Baddiel et superviser le départ des Incapables – j'espérais qu'ils auraient fait leurs bagages et seraient prêts à partir. Quand j'ai sonné, vers dix heures et demie, c'est Ishmaïl qui est venu m'ouvrir en me priant d'entrer. Il faisait bon, la maison sentait le feu de bois, le café fraîchement passé et les cigarettes. Je l'ai suivi jusqu'au bureau au fond de la maison, où un feu avait été allumé dans la cheminée. Ils brûlaient des liasses de papiers et des vieux bouts de bois – dont certaines planches qui avaient été enlevées des fenêtres. La télévision était allumée et ils avaient traîné du salon un canapé encore drapé de blanc. Mrs. Shapiro était assise sur le canapé en compagnie de Nabeel. Ils fumaient et buvaient du café servi dans la cafetière en argent en regardant à la télévision *Le Chien des Baskerville* en noir et blanc. Mrs. Shapiro portait sa robe de chambre rose et ses pantoufles du *Roi Lion.* Violetta était roulée en boule sur ses genoux, Moussorgski sur les genoux de Nabeel, et Wonder Boy était étalé sur le tapis devant le feu. La scène était empreinte d'une douce décadence.

« Georgine ! Chérrrie ! » Elle s'est retournée en tapotant la place vide au bout du canapé. « Venez boire le café *mit uns.*

– Tout à l'heure peut-être. Il faut se préparer. L'assistante sociale va passer.

– Pourquoi j'ai besoin l'assistant social ? » Elle a reniflé. « Je l'ai mes jeunes hommes.

– Mais ils vont rentrer chez eux, Mrs. Shapiro. Ils doivent partir. »

Sur l'écran, le chien s'est mis à gronder sauvagement. Wonder Boy a dressé les oreilles en faisant tournoyer sa queue. Mrs. Shapiro a agrippé ma main.

« Ce chien est le monstre. Pareil comme le directrice de Nightmare House. Grrahh ! Je retournera pas là-bas. Jamais.

– Non, certainement pas. Mais cette assistante sociale est très gentille. Elle va faire en sorte que vous puissiez rester chez vous. C'est Miss Baddiel. Vous l'avez déjà rencontrée. Vous vous souvenez ?

– Je souviens. Pas juive. Trop grasse. »

Elle avait perdu tout intérêt pour notre conversation et regardait le chien féroce courir à travers la lande obscure.

Ishmaïl m'a mis une tasse de café dans les mains. Il était serré, noir et amer. Il m'a tendu le sucrier et bien que je ne prenne pas de sucre d'habitude, j'en ai rajouté deux bonnes cuillères. J'ai refusé la cigarette qu'il m'offrait, mais Mrs. Shapiro en a pris une qu'elle a allumée avec l'extrémité de celle qui fumait encore dans le cendrier posé à ses pieds.

« C'est quoi, cette soulier marron ? » m'a-t-elle demandé en toussotant.

Je m'apprêtais à lui expliquer le rôle des souliers noirs et marron dans l'intrigue quand on a sonné à la porte.

Les trois autres étaient si captivés par le suspense que je suis allée ouvrir. Miss Baddiel se tenait sur le pas de la porte. Elle était vêtue d'un manteau de soie flottant bleu lagon et ses cheveux couleur de miel étaient attachés en une natte souple. Juste derrière elle, sous le porche, se trouvait Nathan, qui portait une très grosse mallette sous le bras, et le *Tati* de Nathan, très fringant en chemise et cravate. Visiblement, ils avaient déjà fait connaissance.

« Nathan est venu nous conseiller sur les adhésifs, ai-je dit. Au cas où il y aurait des réparations urgentes à effectuer.

– Paaarfait. » Elle m'a suivie jusqu'au bureau en humant l'air et en regardant autour d'elle, appréciant d'un coup d'œil toutes les rénovations. « Très bien. »

C'est à peine si Mrs. Shapiro a levé un œil quand nous sommes entrés dans le bureau ; elle avait le regard rivé sur le flamboyant Basil Rathbone, mais Ishmaïl s'est levé d'un bond avec une politesse impeccable et a offert son coin du canapé à Miss Baddiel.

« Bonjour, Mrs. Shapiro. » Elle s'est penchée vers la vieille dame. « Comment allez-vous ? J'ai cru comprendre que vous aviez eu des mésaventures.

– Chhhuut ! a fait Mrs. Shapiro, le doigt sur la bouche. Le chien il tue. »

Près d'une demi-heure plus tard, alors que le générique défilait, elle s'est tournée vers nous et d'une voix éraillée nous a dit : « J'ai vu ce film déjà. *Mit* Arti. Quand on était toujours amoureux. Avant que le maladie il l'emporte. Il a tellement longtemps. Où passaient toutes les années ? »

Elle avait des larmes au coin de l'œil. Miss Baddiel s'est penchée et l'a serrée entre ses bras grassouillets. Puis elle a pêché un mouchoir parfumé à la vanille au fond de son sac.

« Tout va bien maintenant. Laissez-vous aller. Respirez à fond. Retenez. Soufflez. Voilà. Parfait. »

Violetta a étiré les pattes et frotté sa tête contre les cuisses de Mrs. Shapiro. Tati a mis un morceau de bois – qui ressemblait fâcheusement à un pied de chaise ancienne – dans le feu et caressé Wonder Boy, qui a roulé sur le dos en écartant les pattes avec abandon et commencé à ronronner. Nous avons échangé un sourire avec Nathan. Nabeel est allé refaire du café. Ishmaïl a proposé des Camel à tout le monde.

« Vous êtes son aidant ? lui a demandé Miss Baddiel.

– Bonjour. Oui. S'il vous plaît », lui a-t-il lancé de toutes ses belles dents.

Elle a sorti son calepin avec les chiots labradors et noté quelque chose. Puis Nabeel est revenu de la cuisine avec une cafetière fumante et des tasses propres.

« Et vous ? Vous êtes également un aidant ?

– Bonjour. Oui. Bienvenue !

– Eh bien, vous avez peut-être le droit de demander l'allocation aux aidants, a-t-elle déclaré. L'un de vous. L'allocation aux aidants peut être versée si vous passez au moins trente-cinq heures par semaine à vous occuper de quelqu'un qui reçoit l'allocation d'assistance. Vous recevez l'allocation d'assistance, Mrs. Shapiro ?

– Pourquoi j'ai besoin de l'assistant ? » a rétorqué Mrs. Shapiro. Elle continuait à renifler.

« Vous savez (Miss Baddiel lui a tendu un autre mouchoir), après tout ce que vous avez vécu, Mrs. Shapiro, je crois que vous méritez un peu d'aide. Mais, bien sûr, c'est à vous de décider. »

Un chat tigré tout efflanqué a sauté sur ses genoux. Elle l'a caressé avec ses petites chipolatas et il s'est mis à ronronner si fort qu'il a commencé à baver, l'obligeant à sortir un autre mouchoir. Le Tati de Nathan observait la scène d'un air si solennel que j'ai bien cru qu'elle allait devoir lui passer un mouchoir, à lui aussi.

Puis on a de nouveau sonné à la porte. Ishmaïl, qui était déjà debout, est allé ouvrir. Je l'ai entendu parler avec animation, puis une autre voix lui a répondu plus calmement. Quelques instants plus tard, Mr. Ali nous a rejoints dans le bureau. Ils continuaient à se disputer en arabe. Nabeel s'est joint à eux. Mr. Ali s'est tourné vers Mrs. Shapiro.

« Ils disent qu'il veut rester ici. Ils disent qu'il peut beindre tout le maison et rébarer et aider de nettoyer. Je supervise, bien sûr. Vous payez juste les matériaux. »

Une lueur fugace a traversé le regard de Mrs. Shapiro. Elle n'a rien dit.

« Vous savez, dans notre culture on a le grand respect pour les anciens, a insisté Mr. Ali. Mais je crois peut-être vous aimez pas avoir les jeunes hommes dedans votre maison, Mrs. Naomi ? »

Tout le monde avait les yeux braqués sur Mrs. Shapiro.

Elle a regardé autour d'elle d'un air circonspect. Elle avait encore l'œil humide, mais ses joues enfiévrées trahissaient son excitation, à moins que ce ne soit l'excès de café trop fort, et je voyais sa bouche agitée d'un tic tandis qu'elle pesait le pour et le contre des différentes options qui s'offraient à elle.

« Je sais pas. Je sais pas. » Elle a mis une main sur son front d'un geste théâtral et passé l'autre sur le ventre hirsute de Wonder Boy. « Wonder Boy, qu'est-ce que tu penses ? » Wonder Boy a ronronné avec extase. « D'accord. On essaie. »

Il y a eu un soupir de soulagement général.

Mr. Ali nous a fait faire le tour de la maison pour nous montrer ses aménagements. Le hall lugubre était bien plus lumineux avec sa couche de peinture blanche et les carreaux branlants au sol avaient été remplacés par des carreaux blancs brillants de salle de bains. En montant l'escalier, je me suis aperçue à mon grand désarroi que la magnifique vieille rampe et ses balustres en acajou avaient été peints en laque jaune assortie à la porte d'entrée, mais cela n'avait pas l'air de déranger Mrs. Shapiro.

Cependant le changement le plus spectaculaire était dans la salle de bains. Les carreaux blancs fendus et ébréchés d'origine avaient été conservés sur les murs, mais une toute nouvelle salle de bains avait été installée. Enfin, elle n'était pas exactement nouvelle : on avait l'impression d'une salle de bains des années soixante provenant d'une maison en rénovation – de deux maisons, plus exactement. Il y avait un grand lavabo rose assorti de toilettes roses avec un siège en plastique également rose, et sous la fenêtre une baignoire vert avocat munie d'une barre en chrome. Le parquet pourri sous le lavabo avait été rafistolé, et un bout de lino à motifs de mosaïque bleu et blanc couvrait tout le sol. Aux yeux d'un daltonien, ç'aurait été très joli.

En parcourant la pièce du regard, je suis tombée sur un porte-brosses à dents en porcelaine fixé au mur au-dessus du lavabo. Je me suis penchée pour l'examiner discrètement pendant qu'ils étaient tous là à s'extasier sur la baignoire. C'était bien le même. Il était légèrement ébréché sur le côté – ce devait être quand je l'avais jeté dans la benne. Il était assez élégant, avec une belle ligne, style scandinave. Mais quand on y pense, ce n'était qu'un porte-brosses à dents. Et dire que j'avais fait toute une histoire pour ça !

Sur ce, Mr. Ali a ouvert et fermé les robinets pour prouver qu'ils fonctionnaient tous. Quand il a tiré la chasse d'eau, un nuage de vapeur s'est élevé. Il a fixé la cuvette des toilettes d'un air perplexe.

« Petite erreur. Peut-être le mauvais conduite. Rébaré très vite.

– Mais l'eau chaude, elle est beaucoup mieux ! s'est écriée Mrs. Shapiro. Vous êtes le malin petite *knödel*, Mr. Ali. »

Il a fait un large sourire. « Couleur vous aimez ?

– Le rose est joli, a-t-elle dit. Mieux que le vert.

– Très joli, ai-je renchéri.

– Très joli, a acquiescé Miss Baddiel, qui avait vu – et humé – la salle de bains d'origine.

– On est en train de mettre au point un adhésif souple pour carrelage spécial anti-fissures, a déclaré Nathan en sortant un tube de son kit de démonstration. Si vous envisagez de remplacer les carreaux. »

Le Tati de Nathan s'est éclairci la gorge, puis il a entonné un couplet de l'air du toréador de *Carmen* qui a résonné dans la pièce exiguë.

« Excellente acoustique ! » a-t-il lancé. Tout le monde a applaudi, à part Nathan.

Les Incapables partageaient la chambre à la fenêtre en PVC blanc. Les parpaings avaient été enduits de plâtre et le fait est que de l'intérieur ce n'était pas si mal. Les murs étaient repeints en blanc et les lits soigneusement faits et agrémentés des rideaux de velours bordeaux en guise de couvre-lits. Le long du mur étaient alignés leurs chaussures, leurs vêtements pliés et leurs grands sacs. J'ai surpris le regard de Nathan.

« C'est absolument impeccable », s'est-il contenté de dire.

La chambre de Mrs. Shapiro était intacte, avec son papier peint fauve décoloré parsemé de petites fleurs quelconques barbouillées d'un taupe couleur de vase.

« On va le beindre juste après. Quelle couleur vous voulez ? » a demandé Mr. Ali.

Elle a appuyé les doigts sur le front en s'efforçant de visualiser sa nouvelle chambre.

« Et l'appartement du dernier étage ? ai-je chuchoté à Mr. Ali. Vous avez commencé là-haut ?

– Pas encore. On débarrasse encore le saleté. Les garçons brûlent. Mais doucement.

– Ils brûlent tous les papiers ? » J'ai imaginé d'inestimables archives historiques partant en fumée. « Mrs. Shapiro ? Vous n'avez pas des affaires là-haut ?

– C'est toute le saleté qu'il appartenait les occupants d'avant, a-t-elle répondu d'un ton dédaigneux. Avant, c'était l'espèce de personnes religieuses que l'habitait ici. Orsodoxes ou ketoliques, je sais pas. Ils laissaient derrière tout le saleté et ils enfuyaient.

– Ils se sont enfuis ?

– Dans le bombardement. Ils enfuyaient et tout laissé derrière. Oui, eau de Nil.

– Mais qui ?...

– Eau de Nil qu'il est le couleur très charmante pour le chambre, n'est-ce pas ?

– Un choix admirable », a murmuré le Tati de Nathan d'une voix sonore à l'oreille de Mrs. Shapiro, en lui effleurant la joue du bout de ses moustaches.

Quand nous avons redescendu l'escalier, il a offert son bras à Mrs. Shapiro, qui s'est appuyée légèrement. Elle semblait rougir plus que d'habitude sous le fard à joues. Mon plan fonctionnait !

La dernière pièce que nous avons visitée était le grand salon qui se trouvait en façade de la maison, celle avec le piano. La puanteur était telle qu'en entrant nous avons eu un mouvement de recul. On comprenait mieux à présent qu'il soit resté inutilisé depuis tant d'années. Mr. Ali avait ôté les planches qui condamnaient la fenêtre, et au jour on voyait le plafond affaissé et une énorme fissure dans le bow-window, si large qu'on apercevait la lumière du dehors et les feuilles de l'araucaria. La moquette était marquée d'une longue traînée d'empreintes de pattes boueuses qui menait du bas de la fissure à la porte au loquet cassé. Voilà qui expliquait le mystère des allées et venues du Crotteur fantôme – même si je ne savais toujours pas quel était le coupable. En fait, c'était le cadet de nos soucis.

Nathan, le Tati de Nathan et Mr. Ali sont allés examiner la fissure, se frottant le menton d'un air solennel en marchant de long en large, les yeux baissés comme le font les hommes au B&Q.

« Il y a maintenant des nouveaux types de mousses de remplissage haute résistance à prise rapide appelés “adhésifs structuraux méthacrylates”, qui conviennent aux travaux de bâtiment…, a hasardé Nathan.

– Mais ça rébare pas le broblème. » Mr. Ali s'est gratté la barbe. « D'abord on doit trouver quelles causes. Peut-être cet arbre… »

Ils scrutaient l'espace entre les planches, sous la plinthe cassée. « On pourrait couper l'arbre, enlever les racines et remplir la cavité de mousse méthacrylate, a suggéré Nathan.

– Peut-être le ciment, c'est mieux, a objecté Mr. Ali. Mais c'est dommage couper un bel arbre comme ça.

– Prenez garde à ne pas tomber, a murmuré *Tati* à Mrs. Shapiro qui était venue jeter un œil, en posant la main sur son épaule et en la laissant là.

– Que pensez-vous, Mrs. Shapiro ? Faut-il couper l'arbre ? » a demandé Miss Baddiel.

Mrs. Shapiro a pris l'air évasif. « Non. Oui. Peut-être. »

Je me suis rappelé l'échange de courrier avec le service des arbres de la mairie.

« Il est possible qu'il soit protégé par un arrêté, ai-je dit. Voulez-vous que je me renseigne auprès de la mairie ? »

Cette suggestion a eu l'air de plaire à tout le monde. Nous scrutions la fente quand une tête émaciée de félin a pointé le museau entre les planches et Stinker s'est faufilé dans le salon. Tapi au ras du sol, il a regardé le demi-cercle de jambes humaines, trouvé une brèche et filé vers la porte.

« *Raus !* Petite *pisske* ! *Raus !* » a crié Mrs. Shapiro en le chassant de la main. Mais on voyait bien qu'elle n'en pensait pas un mot. Une humeur joyeuse, badine presque, s'était emparée d'elle. Elle se délectait visiblement de la présence de tous ces visiteurs – ou peut-être d'un visiteur en particulier. Elle s'est approchée du piano, l'a ouvert et a égrené quelques notes. Bien que désaccordées, les touches semblaient s'animer sous ses doigts. À ma grande surprise, elle s'est lancée sans partition dans l'air du toréador, en enjolivant son jeu d'arpèges et de trilles, et le Tati de Nathan qui s'était planté derrière elle nous a interprété tout le morceau de sa voix de baryton. Nathan a fait les chœurs. À la fin, Mrs. Shapiro s'est reculée sur son tabouret en croisant ses mains noueuses incrustées de bagues avec un soupir.

« Les mains qu'elle vaut rien, hein ?

– Mais non, Naomi », l'a rassurée Tati en lui prenant les mains entre les siennes.

Puis nous nous sommes dirigés vers le hall d'entrée pour nous dire au revoir. Nabeel a dû intervenir pour séparer Moussorgski et Wonder Boy qui se donnaient des coups de patte en crachant – malgré son aversion initiale pour les crottes, il s'avérait un grand amoureux des chats. Mr. Ali a parlé à son neveu en arabe à mi-voix et l'a pris dans ses bras pour le serrer façon hamster. Mrs. Shapiro s'est glissée à côté de moi et m'a chuchoté en me montrant Nathan d'un signe de tête : « C'est votre nouveau petit ami, Georgine ?

– Pas mon petit ami. Juste un ami.

– C'est bien, a-t-elle murmuré. Il est trop petite pour vous. Mais très intelligent. Le père aussi, il est charmante. Dommage, il est trop vieux pour moi. »

Après leur départ, Mrs. Shapiro et sa suite sont retournées s'asseoir au coin du feu, me laissant seule un moment dans le hall, et c'est là que je me suis aperçue que la photo de Lydda autrefois accrochée au-dessus de la table de l'entrée avait disparu. Seul un clou planté dans le mur témoignait qu'elle avait été là. Qui avait bien pu l'enlever ? Je m'interrogeais encore quand, soudain, j'ai entendu le claquement reconnaissable du portail. J'ai cru que c'était un des autres qui revenait chercher quelque chose qu'ils avaient oublié, aussi j'ai ouvert la porte. Mrs. Goodney remontait l'allée qui menait à la maison, vêtue de sa veste matelassée vert lézard et chaussée de ses souliers pointus, une impressionnante mallette noire sous le bras. Elle était suivie d'un brun râblé que je n'avais jamais vu, un monsieur d'âge mûr en costume marron froissé. Ils ne souriaient ni l'un ni l'autre. Le monsieur me regardait de manière bizarre : ses yeux semblaient asymétriques.

En me voyant sur le seuil, Mrs. Goodney s'est arrêtée net. Elle m'a jaugée quelques instants. Puis elle a continué à avancer. Sur ces entrefaites, une troisième personne, un grand jeune homme dégingandé, est apparue dans l'allée et s'est dirigée vers nous. C'était Damian, le jeune homme de chez Hendricks & Wilson, avec ses cheveux hérissés au gel et son pantalon de costume un peu trop court. Des chaussettes bleues. Il promenait son regard sur la maison, évitant mes yeux.

« Encore là à nourrir les chats, à ce que je vois ! » m'a lancé Mrs. Goodney. J'étais tellement sidérée par sa grossièreté que j'ai oublié de lui demander ce qu'elle faisait ici. Elle s'est tournée vers Damian en lui adressant un sourire chevalin.

« Contente que vous soyez là, Mr. Lee. Monsieur a juste besoin d'une première estimation, à ce stade. »

Le type râblé a acquiescé d'un signe de tête. Il contemplait la maison avec une stupéfaction non déguisée, balayant la façade de ses yeux mal alignés. C'est alors que je me suis rendu compte qu'il avait un œil de verre.

« Ça doit valoir pas mal, hein ? Grande maison comme ça. Bon côté de Londres. Je suis impressionné. » Il parlait mieux anglais que Mrs. Shapiro, quoique sur un ton légèrement pédant avec une pointe d'accent guttural.

Damian a sorti un calepin écorné de sa poche et pris des notes avec un bout de crayon. Il continuait à m'éviter du regard.

« Malheureusement, elle vaut moins que vous le pensez. Elle est en mauvais état, comme vous voyez. » Elle minaudait devant l'homme à l'œil de verre. « J'ai fait venir un entrepreneur réputé, et dans son rapport il dit qu'il faut débourser une somme substantielle pour la mettre aux normes actuelles. Je vous montrerai son rapport, si vous le souhaitez. » L'homme à l'œil de verre a reniflé d'un air dépité, mais Mrs. Goodney a posé sur son bras une main grassouillette baguée d'or aux ongles rouges et l'autre sur celui de Damian. « Ne vous inquiétez pas, Mr. Lee va vous donner un bon prix. N'est-ce pas, Mr. Lee ? »

Damian a hoché la tête en mâchonnant le bout de son crayon.

« Alors c'est comme ça que vous gagnez vos 5 000 livres, Damian ? » lui ai-je jeté. Il a continué à mâchouiller en faisant mine de m'ignorer.

« Apparemment, elle a déjà fait venir des ouvriers. Des fumistes, de toute évidence. » Elle venait de remarquer la fenêtre PVC du premier.

« Ce n'est pas un fumiste », ai-je lâché. Tous les yeux se sont braqués sur moi. « C'est…

Puis j'ai remarqué que leurs regards étaient désormais fixés derrière mon épaule gauche. Je me suis retournée. Mrs. Shapiro était là, avec derrière elle Nabeel et Ishmaïl.

« Bonjour, Mrs. Shapiro, a couiné Mrs. Goodney avec une gaieté feinte de sa voix de portail rouillé. Qu'est-ce que vous faites là, ma jolie ? Vous étiez censée…

– J'ai rentré chez moi. Terminé *mit* Nightmare.

– Mais vous ne pouvez pas rester ici toute seule ! Vous n'êtes pas en sûreté dans cette maison, mon chou.

– *Chutzpah !* » Elle s'est dressée sur ses ergots du haut de son mètre cinquante, menton levé, fixant l'assistante sociale droit dans les yeux. Elle avait encore les joues enflammées par l'agitation du matin. « J'ai mes assistants. J'ai allé demander l'allocation assistance. »

Derrière elle, les deux jeunes hommes ont contemplé les visiteurs en leur lançant leur plus beau sourire. Violetta, qui avait disparu depuis un moment avec Moussorgski, est venue se faufiler entre nos jambes et se frottait contre Mrs. Shapiro en ronronnant. Subitement, elle a arrondi le dos et s'est mise à cracher en direction de Mrs. Goodney, qui a bien failli – je l'ai vu à son expression – cracher à son tour.

Soudain, l'homme à l'œil de verre s'est avancé et a fixé Mrs. Shapiro de son regard déconcertant.

« Ella ? Vous êtes Ella Wechsler ? »

Mrs. Shapiro s'est reculée. Je ne voyais pas son visage, mais j'ai entendu son souffle rauque s'étrangler dans sa gorge. « Vous trompez. Je suis Naomi Shapiro.

– Vous n'êtes pas Naomi Shapiro. » Il avait la voix râpeuse. « C'était ma mère.

– Je sais pas quoi vous parlez. » Mrs. Shapiro m'a poussée du coude, a tendu le bras vers la porte et l'a claquée.

Ils ont mis une bonne demi-heure à partir. Nous sommes restés tous les quatre dans le hall d'entrée fraîchement repeint à les écouter sonner et agiter le clapet de la boîte aux lettres. Puis nous les avons entendus faire le tour de la maison et taper à la porte de la cuisine. Quelque part dans les profondeurs de la maison, Wonder Boy s'est mis à pousser des miaulements perçants. Ils ont fini par renoncer.

J'ai attendu d'être sûre que la voie était libre pour partir. Je suis rentrée lentement à la maison, en essayant de comprendre ce qui s'était passé. Sans doute ce monsieur d'âge mûr laid et trapu était-il le fils de la vraie Naomi Shapiro, l'enfant dont elle parlait dans ses lettres, ce bébé aux yeux bruns et au sourire édenté qui incarnait tous les rêves et les espoirs de sa jolie maman. Mais qui était-elle ? Et comment Mrs. Goodney avait-elle réussi à le joindre ? Peut-être était-ce pour cela que je n'avais pas retrouvé de documents ou de papiers dans la maison – Mrs. Goodney était déjà passée par là. Peut-être avait-elle mis la main dessus et s'en était-elle servie pour faire ressurgir ce génie du passé ?

Sitôt rentrée, je suis allée dans ma chambre et j'ai étalé les photos par terre. Artem bébé ; la photo de mariage ; le couple près de la fontaine ; la femme sous la voûte du porche ; les deux femmes devant la maison de Highbury ; la famille Wechsler ; le *moshav* près de Lydda. À quatre heures et demie, Ben est venu voir ce que je faisais et a attiré mon attention sur un détail si évident qu'il n'aurait pas dû m'échapper :

« Je me demande bien pourquoi il a une arme.

– Qui ça ?

– Celui qui a pris la photo. Regarde. »

Il m'a montré une tache sombre sur le sol rocailleux devant le paysage. C'était l'ombre du photographe – il avait le soleil derrière lui et on distinguait les contours de la tête et des épaules, les bras levés pour pouvoir viser dans l'objectif et un objet long et droit suspendu à une épaule. Oui, on aurait dit un fusil.

Il a pris la photo de la femme qui se tenait sous la voûte et l'a retournée.

« Qui c'est ?

– Ça doit être Naomi Shapiro.

– La vieille dame du bout de la rue ?

– Non, quelqu'un d'autre.

– C'est marqué *Lydda.*

– C'est une ville. En Israël.

– Je sais, m'man. C'est dans une des prophéties. C'est là que le Messie est censé revenir. » Il avait la voix rauque.

« Ne sois pas ridicule, Ben », lui ai-je répliqué. Puis j'ai surpris son regard. « Excuse-moi, je ne voulais pas dire que tu es ridicule, mais que c'est ridicule. Toutes ces histoires d'Antéchrist. Poutine et le pape. Le prince de Galles et ses codes-barres maléfiques. » Je voulais avoir l'air de plaisanter, mais Ben ne souriait pas.

« Les musulmans l'appellent Dajjal ? Il est borgne ? Il

se fait tuer par Jésus dans un grand combat aux portes de Lydda ? » Il avait le front couvert de perles de sueur.

« Ben, tout ça, c'est… » Je m'apprêtais à dire « des foutaises », mais je me suis retenue.

« Je sais bien que tu n'y crois pas. Je ne vais pas en discuter, d'accord ? Je ne suis même pas sûr d'y croire moi-même. Mais je sais qu'il y a une part de vrai là-dedans. Je le sais, c'est tout. Je sens que c'est pour bientôt, tu comprends ? »

V

Si seulement ça existait en tube!

40

Aussi lourd que des pastèques

J'ai fait un saut à Canaan House le lendemain, espérant pouvoir parler à Mr. Ali. Je voulais l'interroger sur Lydda. Après la discussion troublante que j'avais eue la veille avec Ben, j'avais cherché sur Internet des informations sur les prophéties liées à Lydda. Cette histoire, je ne savais pas trop où elle menait, mais à cause de Ben c'était devenu un peu mon histoire et je savais qu'il fallait que j'aille jusqu'au bout.

Pour une fois il y avait du soleil, une lumière aveuglante et même un soupçon de chaleur, et je sentais les arbres et les buissons qui retenaient leur souffle velouté comme s'ils étaient pris au dépourvu. Enfin une vraie journée de printemps. Autour de la bordure de la pelouse, les jonquilles pointaient leurs têtes jaunes au milieu des enchevêtrements de ronces taillées qui repoussaient déjà. Mr. Ali était là, perché sur une échelle, occupé à peindre l'extérieur de la fenêtre de la chambre de Mrs. Shapiro en fredonnant un air.

Wonder Boy le surveillait, assis sur une des chaises en PVC blanc du jardin, la queue enroulée autour des pattes.

« Bonjour, Mr. Ali ! Tout se passe bien ? »

Il est descendu de l'échelle et s'est essuyé les mains sur un bout de chiffon qu'il a tiré de la poche de sa combinaison bleue en nylon.

« Bonjour, Mrs. George. Beau temps ! »

Je me suis aperçue qu'en réalité ce n'était pas lui que Wonder Boy surveillait, mais deux grives qui s'échinaient à faire leur nid dans un buisson de lierre accroché à un frêne. Je les ai observées qui allaient et venaient avec des bouts de mousse et d'herbes sèches dans le bec. Wonder Boy les observait lui aussi en fouettant le bout de sa queue.

« Demain j'emprunte le camionnette, on emmène Mrs. Shapiro choisir le couleur de beinture pour dedans.

– C'est bien.

– Comment va votre fils ?

– Ça va, mais… » J'ai hésité. J'ai revu Ben, le teint cireux, le regard apeuré. La veille, il était allé se coucher sans manger. J'avais frappé à la porte de sa chambre, mais elle était fermée de l'intérieur. Je commençais à douter que ce soit un comportement normal d'adolescent, une simple phase qui finirait par lui passer.

« Mr. Ali, la photo dans le hall – celle de Lydda. C'est vous qui l'avez enlevée ?

– Lydda. » Il a plongé son pinceau dans un pot de térébenthine et s'est mis à touiller. « Autrefois c'était une ville célèbre pour les beaux mosquées. Mais vous savez, Mrs. George, que pour vous aussi c'est une ville spéciale ? C'est la ville où votre saint Georges chrétien il est originaire. Vous portez son nom, je pense ? »

Je ne voulais pas lui avouer qu'en réalité je tenais mon prénom de George Lansbury, l'ancien leader travailliste. L'idée venait de mon père, et maman n'avait pas trouvé d'icône féminine du socialisme suffisamment inspirante à lui suggérer à la place.

« Ah oui ? Saint Georges, le pourfendeur de dragon, venait de Lydda ?

– Son image, elle est gravée au-dessus de la porte de l'église. »

Douce sainte Georgina. J'ai frémi au souvenir du poème de Mark Diabello. Mais Ben avait également parlé d'un diable borgne.

« La photo de Lydda qui était dans le hall, pourquoi l'avez-vous enlevée, Mr. Ali ?

– Pourquoi vous posez toujours les questions, Mrs. George ? » Il n'était pas exactement grossier, mais la familiarité de notre précédente conversation avait disparu. « Tout est OK. Il fait beau. Je travaille. Tout le monde est content. Maintenant vous commencez poser les questions, et si je dis la vérité, vous serez plus contente.

– Vous alliez me parler de votre famille, vous vous souvenez ? Que s'est-il passé à Lydda ? »

Il n'a rien dit. Il était occupé à nettoyer ses pinceaux. Puis il a tiré une des chaises en plastique et s'est assis à la table. Wonder Boy avait filé. Je l'ai vu posté juste sous l'arbre des grives. Je l'ai chassé et me suis installée en face de Mr. Ali. Il a écarté ses pinceaux, versé de la térébenthine sur ses mains, puis il les a frottées avant de les essuyer avec son chiffon.

« Vous voulez savoir. D'accord. Je vais vous dire, Mrs. George. » Il a remis le chiffon dans sa poche et croisé les bras sur sa bedaine. « Je viens de Lydda. J'avais un frère, né en même temps.

– Un jumeau ?

– Si vous voulez arrêter l'interruption, je vais vous dire. »

Mustafa Al-Ali, autrement dit Mr. Ali, était né à Lydda en 1948 – il n'en savait pas plus. Il ne connaissait pas le nom de sa mère, ni celui de son frère jumeau, pas même sa date de naissance exacte, et savait seulement que le 11 juillet 1948 il devait être âgé de quelques mois.

« Pourquoi ? Que s'est-il passé ce jour-là ?

– Patience. Je vais vous dire. »

Lydda était à cette époque une ville animée d'une vingtaine de milliers d'habitants qui s'était développée au fil des siècles sur la fertile plaine côtière qui borde la Méditerranée, au pied des montagnes de Judée. Mais cet été-là, l'été de la Nakba, la ville était envahie de réfugiés de Jaffa et des bourgades et des villages qui longeaient la côte. « Vous imaginez comme tout le monde il était paniqué, il parlait des expulsions et des massacres. »

Un beau jour de juillet, en fin de matinée, à l'heure où la ville était plongée dans le calme et la chaleur, et même les chats et les moineaux avaient filé se mettre à l'ombre, il y avait eu un grondement soudain dans le ciel. Les gens qui avaient levé les yeux avaient vu une escadrille d'avions surgir du ciel miroitant. Puis les explosions avaient commencé. Elles s'étaient succédé en chaîne, à mesure que les avions déchargeaient leurs bombes sur la petite ville assoupie. Maisons, boutiques, mosquées, étals de marché. Interminablement. Il n'y avait nulle part où se réfugier. Pas d'abri contre les bombes. Pas de défense anti-aérienne. Les gens couraient dans tous les sens comme des fourmis affolées. Certains étaient projetés par le souffle d'une explosion et tombaient dans la rue. D'autres mouraient sous les décombres. D'autres priaient, prostrés dans un coin en se couvrant la tête.

« Mais leur but principalement, c'était pas tuer, a poursuivi Mr. Ali, les yeux fixés sur moi. Ils voulaient nous chasser avec le terreur. »

Le lendemain, alors que les habitants émergeaient des décombres pour inspecter les dégâts et enterrer leurs morts, un bataillon armé de mitrailleuses montées sur des jeeps avait subitement débarqué dans la ville à toute allure. Ils avaient cru tout d'abord que c'était l'armée jordanienne venue les défendre, mais soudain les mitrailleuses s'étaient déchaînées, crachant le feu, tirant dans toutes les directions. Des hommes, des femmes et des enfants avaient été tués – quelque deux cents d'entre eux avaient été ainsi abattus en pleine rue. D'autres s'étaient enfuis, terrorisés.

« Vous pouvez lire ça sur votre Internet, Mrs. George. Les comptes rendus des journaux américains. Attaque éclair. Intelligence impitoyable. Les cadavres criblés de balles au bord des routes. Tout ça pour créer le terreur. C'est comme ça qu'ils ont vidé Lydda de la population. »

Certains avaient cherché refuge dans la grande mosquée Dahmash. Mais plus tard ce soir-là les gens qui vivaient à proximité avaient entendu des décharges de coups de feu qui provenaient de la bâtisse. Le lendemain, on y avait découvert cent soixante-seize corps.

À l'aube, les soldats étaient passés de maison en maison en frappant sur les portes à coups de crosse, ordonnant à leurs occupants de partir immédiatement.

« "Allez-vous-en ! Allez chez le roi Abdallah !" les soldats criaient. Ils voulaient dire : "Quittez ce pays et laissez-le-nous ! Allez en Jordanie ! Fuyez dans n'importe quel pays arabe qui veut de vous !" Vous avez jamais entendu parler de ça ? »

J'ai fait non de la tête.

Les gens terrorisés expulsés de chez eux avaient emporté tout ce qu'ils pouvaient et s'étaient enfuis. La famille Al-Ali – les femmes et les enfants, car leur père avait disparu – avait été traînée de force dehors et n'avait eu que quelques minutes pour ramasser ses objets de valeur. Les soldats avaient rassemblé tous les habitants dans les rues, les poussant avec leurs canons de fusil s'ils avançaient trop lentement et les abattant s'ils résistaient.

« Où allons-nous ? » avait demandé la mère en attrapant ses enfants au milieu du chaos.

Quelqu'un lui avait répondu : « Ils nous emmènent en Jordanie », et quelqu'un d'autre : « On va à Ramallah. »

Ils avaient été escortés jusqu'aux abords de la ville par les soldats qui tiraient en l'air pour les obliger à courir.

« Allez-vous-en ! Courez retrouver Abdallah en Jordanie ! »

Au moment de franchir un cordon de militaires, ils avaient été fouillés par les soldats qui les avaient dépossédés de leurs biens. Devant eux, un de leurs voisins qui venait de se marier et rechignait à donner ses économies avait été abattu sous les yeux horrifiés de sa jeune épouse. Après ça, il n'y avait plus eu de protestation. Les Al-Ali avaient été dépouillés de leur argent, leurs bijoux en or, leurs montres et même leurs tasses à café en argent. Ils n'avaient eu le droit de garder qu'un balluchon de vêtements, du pain, des olives et un sac d'oranges.

« Courez ! Courez ! » Les soldats tiraient en l'air. Mais la route d'asphalte était barrée et ils avaient été forcés de s'enfuir en direction de l'est à travers les champs couverts de chaume qui venaient d'être moissonnés.

Il était midi, il faisait une chaleur caniculaire et le ciel bleu dur avait l'éclat de la lazurite. Dans la plaine côtière, les températures en juillet atteignent facilement quarante degrés. Il n'y avait pas d'ombre – seuls quelques buissons épineux qui poussaient au milieu des rocailles. Au-delà de la plaine s'étendait une longue colline et ils voyaient au loin le misérable cortège de leurs compatriotes cheminant péniblement vers l'horizon de pierre.

Mr. Ali s'est tu. Il s'est renversé sur le dossier de la

chaise pour contempler le ciel, les yeux plissés comme s'il était aveuglé par la lumière.

« Chaque fois je me rappelle cette histoire, mon cœur change en pierre.

– Continuez », lui ai-je dit.

Les Al-Ali avaient rejoint la colonne à travers champ, marchant d'un bon pas tout d'abord, galvanisés par la colère, convaincus que ce n'était qu'une situation temporaire, que les armées arabes ne tarderaient pas à chasser les intrus et qu'ils pourraient retourner chez eux. Quand, au bout de quelques heures, ils avaient escaladé ce qu'ils croyaient être une colline pour s'apercevoir qu'une autre, plus escarpée, se dressait devant eux, ils avaient été saisis de découragement. Assis dos au soleil, les femmes tirant leurs foulards sur leurs têtes pour se faire un peu d'ombre, ils avaient mangé un peu de pain et d'olives, et étanché leur soif avec les oranges. Ils avaient emporté si peu d'eau – qui aurait pensé à prendre de l'eau à la place de l'argent et de l'or ? Ils étaient entourés d'autres familles qui ne pouvaient plus faire un pas tant elles étaient épuisées et déshydratées, tandis que d'autres abandonnaient ce qu'ils ne pouvaient plus porter et reprenaient leur pénible ascension sous le soleil brûlant.

À la tombée du jour, ils étaient arrivés au petit village de Kirbatha. Il y avait un puits, mais pas de seau. Les femmes avaient ôté leurs foulards et les avaient noués ensemble en une longue corde qu'elles avaient plongée dans le petit cercle d'eau noir, puis tirée pour sucer le tissu trempé.

Le troisième jour de marche avait été effroyable. Les

sandales des femmes étaient déchirées, elles avaient les pieds gonflés, en sang. Leurs jupes et leurs jambes se prenaient dans les enchevêtrements d'épines et de chardons bleus.

« Pars, avait dit la mère à Tariq, son fils aîné. Pars devant nous chercher de l'eau à boire. Peut-être que là-haut il y a un village avec un puits. »

Mais il n'y avait pas d'eau. Tout au long du chemin, les gens s'évanouissaient de soif et d'épuisement. Sur un éboulis, l'adolescent était tombé sur une femme qui titubait sous le poids d'un énorme ballot. On aurait dit deux pastèques ; il s'était dit : si elle les laisse tomber, je les ramasserai et je les rapporterai à ma mère. Mais quand il s'était approché, la femme s'était affalée au sol et il avait vu qu'elle portait deux bébés.

« Aide-moi, mon frère, l'avait-elle supplié. Mes fils sont trop lourds pour moi. Je ne peux pas les porter. »

L'adolescent avait hésité. Il n'avait que quatorze ans et il fallait déjà qu'il s'occupe de sa mère et de ses sœurs, mais il était clair que cette femme n'allait pas y arriver.

« Prends-en un », lui avait-elle dit dans un souffle.

Tariq avait regardé les deux bébés. Ils étaient tout rouges et tout ridés, les yeux fermés pour se protéger de la lumière. Comment choisir ? Puis l'un des deux avait bougé et ouvert des yeux noirs brillants qui avaient l'air de le fixer. Le voyant hésiter, la femme avait enveloppé le bébé dans son châle et le lui avait mis dans les bras.

« Pars devant. Ne m'attends pas. Vas-y. Je te retrouverai à Ramallah. »

Mr. Ali s'est tu. J'ai posé le regard sur le jardin vert ensoleillé, les grives affairées, les jonquilles en train d'éclore, mais sur ma joue je sentais le vent du désert et je ne voyais que de la rocaille aride et des buissons d'épines.

« C'était vous ? Le bébé dans le ballot ? »

Il a hoché la tête.

Une porte s'est ouverte et de l'intérieur de la maison se sont échappés des flots rythmés de musique arabe mêlés au jacassement de la télévision. Puis Mrs. Shapiro est apparue sur le seuil dans sa robe de chambre et ses pantoufles du *Roi Lion*.

« Vous voulez prendre le café *mit uns* ? »

Mr. Ali n'a pas répondu. Il avait le regard fixé ailleurs.

« Je m'appelle Mustafa, m'a-t-il dit à mi-voix. Ça veut dire "Celui qui est élu". Mon frère Tariq, il m'a raconté cette histoire. »

J'avais envie de le toucher, de le prendre par l'épaule, mais il y avait chez lui une sorte de réserve, une indépendance, qui m'en empêchait.

« Vous a-t-il dit ce qui est arrivé à l'autre bébé ? » lui ai-je demandé.

Mr. Ali a fait non de la tête. « Il m'a dit que le soldat qui a tué le jeune marié, il avait le tatouage sur le bras – un numéro. »

L'histoire de Mr. Ali m'avait assombrie et j'ai eu du mal à me joindre à la discussion animée autour du café. J'ai croisé son regard une ou deux fois et j'ai eu envie de lui demander ce qui était arrivé aux Al-Ali ; s'ils avaient fini par arriver à Ramallah, si lui, Mustafa, avait retrouvé son père et sa mère. Mais, au fond de moi, je connaissais la réponse.

J'étais également troublée par l'histoire du soldat au numéro tatoué sur le bras. À quoi pensait-il quand il avait abattu le jeune marié ? Comment un juif qui avait lui-même survécu aux déferlements de mort en Europe pouvait-il agir avec une cruauté aussi désinvolte contre les malheureux civils qui peuplaient sa terre promise ? Qu'avait-il éprouvé au fond de son cœur ? Puis j'ai songé à Naomi. Quand elle s'était laissé photographier sous le porche voûté à Lydda, ignorait-elle réellement ce qui s'était déroulé là deux ans auparavant ? Ou était-elle au courant, estimant que c'était le prix à payer ?

« À quoi vous pensez, Georgine ? » Mrs. Shapiro m'a tapoté la main. « C'est le mari qu'il enfuit, chérrie ? N'inquiétez pas, j'ai le plan.

– Non, je pense… à la difficulté de vivre en paix tous ensemble. »

Elle m'a regardée en biais. « *Ach*, c'est trop sérieux. » Elle a allumé une cigarette pour elle et une autre pour Nabeel. « C'est mieux profiter le bonheur de l'aujourd'hui. »

Après le café, je me suis levée pour rentrer chez moi. Il y avait encore du soleil et Wonder Boy attendait toujours patiemment sous l'arbre, l'œil rivé sur le nid des grives. Mr. Ali était remonté sur son échelle. À l'intérieur, Nabeel entrechoquait les casseroles en écoutant de la musique et Ishmaïl passait l'aspirateur. Un léger vent d'ouest agitait la cime des jeunes arbres et faisait danser les jonquilles. Mais je n'arrêtais pas de penser aux petits jumeaux dans leur ballot, aussi lourds que des pastèques – celui qui avait été choisi et l'autre, qui ne l'avait pas été.

Si seulement j'avais la faculté de vivre dans le présent comme Mrs. Shapiro ! me disais-je en passant devant les jardins peuplés de jeunes pousses. Arbres, buissons, mauvaises herbes, pelouse – tout reprenait vie. Non loin du coin de ma rue, un saule pointait ses bourgeons argentés à travers une grille. J'ai arraché machinalement un brin de cystanthe et j'ai revu soudain les bouquets de branches et de chatons de saule que nous apportions pour décorer la classe à l'école primaire de Kippax. Bientôt, ce serait Pâques. J'entendais encore Mrs. Rowbottom qui tapait comme une sourde sur le piano, tandis que nos petites voix grêles entonnaient : « Sur une lointaine colline verte, sans nul rempart autour, notre Seigneur fut crucifié… » J'avais si peur de ce cantique quand j'étais petite. Il faisait violemment irruption dans le monde heureux des lapins de Pâques et des œufs en chocolat. Je savais aujourd'hui ce qu'à l'époque j'ignorais, que ces collines n'étaient pas vertes, mais arides et rocailleuses. L'absence de remparts me laissait alors perplexe ; je me rendais compte à présent qu'au fil des siècles tant de remparts et de murs avaient été érigés avant d'être détruits puis reconstruits que le temps n'avait pas gardé trace de ce qui appartenait à qui.

« Il a souffert sur la croix. » L'histoire de ce lieu était imprégnée de cruauté. Mrs. Rowbottom avait glissé sur les détails de la crucifixion et essayé de nous convaincre que « sans nul rempart autour » signifiait « en dehors des remparts ». Mais quand j'avais demandé à papa, il m'avait répondu : « Guerre et religion, les deux sont assoiffées de sang humain. Elles se nourrissent comme une paire de balloches. »

Maman avait roulé les yeux au plafond.

« Ça y est, le v'là reparti.

– C'est quoi ?…

– Dennis, elle n'a que neuf ans. »

Je n'ai jamais compris ce qu'était une balloche.

Le dimanche de Pâques, maman attendait toujours la dernière minute pour acheter les œufs qui étaient soldés à moitié prix juste avant la fermeture.

« Qu'est-ce que tu vas t'embêter avec tes œufs en chocolat, Jean ! disait papa. On commémore une exécution, on célèbre pas un anniversaire. »

Mais il les mangeait tout de même. Il raffolait du chocolat.

41

Cyanoacrylate AXP-36C

Le dimanche, j'avais prévu de profiter du beau temps pour faire un peu de jardinage, m'encrasser les ongles dans la terre, m'attaquer à ce vilain laurier tout tacheté et me débarrasser des grosses limaces marron. Mais, en fait, j'ai passé toute la journée au téléphone et chaque coup de fil me laissait de plus en plus désemparée.

Le téléphone a commencé à sonner à neuf heures (un dimanche matin – non, mais franchement !). C'était Ottoline Walker, Bouche de salope.

« Allô ? Georgie Sinclair ? C'est vous ?

– Qui est à l'appareil ? » Je reconnaissais déjà vaguement sa voix.

« C'est moi. Ottoline. Nous nous sommes rencontrées. Vous vous souvenez ? »

Tu parles, si je me souviens ! La grosse morve de banane. Ah ah ah !

« Oui, je me souviens. Que voulez-vous ?

– C'est à propos de Rip… (Ça, on s'en serait douté.) Je voulais juste vous dire que je ne savais pas que vous étiez encore… comme qui dirait… ensemble.

– Comme qui dirait mariés, en fait.

– Il m'a dit que c'était fini depuis longtemps entre vous. Il m'a dit que ça ne vous dérangeait pas…

– Moi, il m'a dit qu'il contribuait au progrès de l'humanité.

– Ah, je vois. » Il y a eu un silence à l'autre bout du fil. Elle ne savait manifestement pas quoi répondre. « Écoutez, je suis vraiment désolée. Ça change un peu les choses… Je veux dire, quand on est amoureux, on n'agit pas toujours très bien… on ne pense pas aux conséquences que ça peut avoir pour les autres. » Elle s'est interrompue. Je n'ai rien dit. « Je crois en l'engagement, vous savez.

– Style, vous vous étiez engagée avec Pete. Et maintenant vous vous êtes engagée avec Rip.

– Ce n'est pas ça. Dit comme ça, c'est horrible.

– Le fait est… » Je me suis ravisée. Je ne voulais pas lui donner la satisfaction de voir à quel point elle m'avait fait du mal.

« Ben n'est pas au courant, si c'est ce que vous voulez savoir.

– Et Pete ? Il est au courant, lui ? » J'avais failli l'appeler Pete les Pectos.

« Il l'a appris. Pauvre Pete. C'était affreux. Il voulait se suicider. Et puis tuer Rip. »

J'ai cru l'entendre renifler à l'autre bout du fil, à moins que ce ne fût mon imagination. Quoi qu'il en soit, l'espace d'un instant elle m'a fait de la peine.

« Côté engagement, vous n'obtiendrez pas grand-chose de Rip. Le seul engagement qu'il connaisse, c'est vis-à-vis de son Programme de développement. »

Il y a eu un silence. Dans le fond, j'entendais de la musique à la radio – une chanteuse de blues.

« C'est l'autre chose que je voulais vous demander. Ce Programme de développement. C'est quoi, au juste ?

– Pete ne vous l'a pas dit ?

– Oui, il m'en a parlé pendant des heures. Mais il n'est pas très doué pour les explications. Je n'ai pas compris.

– Le fait est que c'est plutôt compliqué.

– Mais Rip ne m'a pas éclairée. Tous ces grands mots. Je me suis dit que c'est moi qui devais être un peu bornée. »

Elle a eu un petit rire de dérision plutôt touchant.

« Euh… attendez. J'ai ça quelque part. » Où était ce bout de papier ? J'ai fouillé dans le tiroir du bureau. « Voilà. » J'ai lu à voix haute : « Alors que nous entrons dans le millénaire de la mondialisation, l'espèce humaine est confrontée à des défis sans précédent. Si nous voulons progresser dans la satisfaction des aspirations du monde en développement, nous devons itérer de nouvelles synergies tout en restant conscients que rien ne peut compromettre les réussites économiques du monde développé. »

Il y a eu un autre silence. La chanteuse de blues a poussé un long gémissement vibrant.

« C'est tout ?

– Ça ne suffit pas ?

– Si, sans doute. Mais qu'est-ce que ça veut dire au juste ?

– Pourquoi ne pas lui demander, à lui ? »

Elle a fait le même bruit à l'autre bout du fil. Ça pouvait être un reniflement ou un gloussement. J'ai raccroché.

J'ai attrapé mon sécateur, mis mes gants de jardin et filé dehors au pas de charge. Il y avait du soleil, mais j'avais des nuages sombres dans la tête. Gonflée à bloc à la seule idée de Rip et sa Bouche de salope, j'ai impitoyablement taillé l'affreux buisson de laurier – le repaire favori de Wonder Boy – en piétinant les feuilles dans la boue. De quel droit se permettait-elle de m'appeler un dimanche matin pour quémander de la sympathie ? Clic. Comme qui dirait ensemble, tu parles ! Clic. J'aurais dû raccrocher à la seconde où j'avais reconnu sa voix, au lieu de me laisser entraîner dans cette conversation. J'étais tellement remontée, tellement en rage, que toutes mes belles idées de paix dans le monde s'étaient évaporées comme l'eau dans le désert. Et pourtant j'avais éprouvé un frémissement de sympathie et j'étais secrètement ravie de découvrir qu'en dépit de sa grosse bouche rouge et de ses talons de pute la seule véritable maîtresse de Rip restait le Programme de développement.

Au bout d'une heure environ, le téléphone a de nouveau sonné. J'ai continué à tailler le buisson en le laissant sonner jusqu'à ce que le répondeur s'enclenche. Puis, une minute plus tard, il a de nouveau sonné. Et ça a recommencé. Mais c'est qu'il insistait, cet emmerdeur ! J'ai posé le sécateur et je suis allée répondre.

« Bonjour, Georgina. Ça fait un moment que j'essaie de te joindre. »

Cette voix. J'ai frissonné comme si une main glacée s'était posée sur ma peau nue. Nous ne nous étions plus reparlé depuis l'épisode du poème et des menottes en velcro. « Tu as une minute ? Je voulais juste te dire que j'ai eu la réponse du cadastre pour Canaan House. »

J'ai respiré à fond. En dépit de ma résolution, j'étais de nouveau submergée par cette douce chaleur du slip rouge. Je ne devais pas me laisser dominer par mes hormones.

« Et ?… »

Il m'a expliqué que la maison n'était pas enregistrée au cadastre, et que si Mrs. Shapiro souhaitait la vendre, elle devrait tout d'abord l'enregistrer, et pour cela il lui faudrait le titre de propriété. J'étais obligée de me concentrer sur ce qu'il me disait.

« Et ce fils dont tu parlais, Georgina ? Le fils en Israël ? Il sait peut-être où il se trouve. » Il cherchait encore à me soutirer des informations.

« J'ai fait sa connaissance l'autre jour. »

Je lui ai donné une version édulcorée de notre rencontre sur le pas de la porte. Je me suis abstenue de parler de Mr. Ali et des assistants, mais j'ai mentionné Damian.

« Damian Lee, de Hendricks & Wilson. Il était là à mâchonner son crayon en faisant semblant d'effectuer une estimation.

– Ah ! » Mark Diabello en avait le souffle coupé. « Voilà qui explique la BMW que j'ai vue garée derrière leur agence.

– Le boulot de Damian, c'est donc ?…

– De persuader le fils de céder la maison à l'aimable entrepreneur de l'assistante sociale pour, mettons, un quart de million, et de repartir en Israël en empochant le cash.

– Comme tu as essayé de le faire avec moi ?

– Ce n'est pas pareil. Je ne travaillais pas pour l'acheteur. Tss, tss. C'est un petit vilain, Damian. » Il avait un ton réprobateur. « Je t'ai dit que c'étaient des escrocs. Et ce n'est qu'une Série 1 coupé deux portes.

– Tu veux dire un modèle de débutant. »

J'ai imaginé Damian avec son gel dans les cheveux au volant d'une BMW d'occasion. Le petit salopard !

Vers cinq heures, j'étais en train de me tâter pour savoir ce que j'allais faire à dîner quand Rip a appelé. Je l'ai écouté laisser un message sur le répondeur avec sa voix de cadre confronté à des défis sans précédent, me demandant de le rappeler immédiatement. Il attendrait. Il croyait encore pouvoir me donner des ordres. À tous les coups, il m'appelait pour m'annoncer qu'il voulait emmener les enfants à Holtham à Pâques avec Bouche de salope – « Il m'a dit que c'était fini depuis longtemps entre vous. Il m'a dit que ça ne vous dérangeait pas ». Il y avait quelque chose dans le ton de son message qui me faisait penser à… de la colle. Cyanoacrylate AXP-36C. J'ai repensé au sac de B&Q que j'avais rangé dans la mezzanine du bureau et j'ai souri intérieurement. La paix dans le monde, c'était bien gentil, mais ça n'allait tout de même pas s'étendre à nous. Hors de question. Quand quelqu'un vous a fait mal à ce point, ce qu'on veut, c'est la vengeance. Pas la paix.

Je n'ai pas rappelé. Je suis montée dans ma chambre et j'ai sorti mon cahier.

Le Cœur éclaté
Chapitre 8
La vengeance de Gina

Le lendemain matin, le cœur brisé, Gina se rendit en larmes au B&Q de Castleford. La vision de la joyeuse bâtisse revêtue d'orange ~~fit bondir son cœur brisé~~ la fit sourire. L'intérieur immense résonnait de sinistres échos pareils à ceux d'une église et était empli d'hommes étranges qui rôdaient dans les allées en lorgnant d'un œil lubrique la ravissante et pulpeuse Gina tout en agitant leurs tournevis coquins d'un geste suggestif. Elle se dirigea vers le vaste rayon des adhésifs. Ses yeux finirent par tomber sur un tube de colle qui comportait en gros caractères la mention DANGER ! ÉVITER TOUT CONTACT AVEC LA PEAU.

Je me suis interrompue. J'étais hantée par l'image de la fillette de l'exposition sur la colle. La cohésion version humaine. Ça pouvait faire des dégâts.

Le dernier coup de fil, c'était au moment où je m'apprêtais à me coucher. Je savais que c'était maman – elle appelle généralement vers cette heure-là –, mais j'ai été décontenancée par son ton laconique.

« Ton père, ça va pas trop, m'a-t-elle dit. Il faut qu'on opère sa prostate. Le docteur, y dit que ça pourrait le rendre imputent. »

J'imaginais mon pauvre papa affichant une patience à toute épreuve devant le docteur Polkinson tout miteux qui lui expliquait qu'à son âge – qu'est-ce qu'il croyait ? – il fallait bien mourir de quelque chose. La date de l'opération n'était pas encore fixée, mais ce serait juste après Pâques. J'ai cogité à toute vitesse, essayant de mettre en place une logistique qui me permette d'aller à Kippax en laissant Ben chez Rip tout en respectant le délai de Nathan.

« Tu veux que je vienne à Kippax, maman ?

– Ça va, mon ange. Je sais que tu es occupée.

– Maman… »

Je me creusais la cervelle pour trouver quelque chose de gai ou de réconfortant à lui dire, quand elle a repris :

« Tu es au courant pour ton amie Carole Benthorpe ?

– Ce n'était pas mon amie, maman. » J'ai frémi en revoyant ses yeux larmoyants pleins de reproches. « Son père était un jaune. »

Carole Benthorpe avait été mon amie avant la guerre des mineurs – la courte grève de 1974 contre Heath, pas la longue grève de 1984-1985 contre Thatcher. « Les jaunes veulent le profit sans les ennuis, avait dit papa. Tu ne verras jamais un jaune renoncer à une augmentation obtenue sur le dos des grévistes. »

Il n'y avait que quatre jaunes à Kippax, et le père de Carole était de ceux-là. Après ça, elle n'avait plus eu d'amis.

« Papa me disait toujours de ne pas parler aux jaunes.

– C'est vrai et il a bien raison, m'a dit maman. Mais ce n'était pas une jaune. C'était tout juste une gamine. » Elle a soupiré. Tout cela devenait soudain trop lourd. « En tout cas, tout ce que je voulais dire, c'est qu'elle a gagné le prix Jackson de la meilleure représentante de l'année. C'était dans *L'Express*. Elle a gagné un week-end à Paris.

– C'est super ! Tant mieux pour elle ! »

J'ai éprouvé une joie soudaine pour Carole Benthorpe, non pas pour le prix ou Jackson, mais parce qu'elle avait survécu à ce qu'on lui avait fait.

Cet hiver glacial de 1974 – les hommes qui traînaient en grappes dans les rues au lieu de disparaître sous terre comme ils étaient censés le faire, les femmes qui mettaient leurs bagues au clou en grommelant qu'elles ne savaient pas comment ils allaient se débrouiller avec un salaire en moins. Un jour, après l'école, des gamins avaient agressé Carole Benthorpe sur le chemin du retour. Ils l'avaient bousculée en se moquant d'elle jusqu'au moment où les esprits s'étaient un peu échauffés, et deux garçons l'avaient poussée dans la mare aux têtards glacée en bordure de la petite route de derrière. Tout le monde avait applaudi en riant en la regardant patauger. Moi aussi – j'étais restée là à rire avec les autres. Je me rappelais encore non sans remords le plaisir que j'avais éprouvé alors à faire partie de cette bande qui applaudissait en jetant des quolibets. Carole Benthorpe s'était extirpée de la mare, toute couverte de vase, et s'était enfuie en courant chez elle, pleurant toutes les larmes de son corps. Le lendemain, dans les toilettes de l'école, elle avait gravé JAUNE sur son avant-bras avec un cutter.

« Si tu la vois, maman, embrasse-la pour moi.

– Oh, je la vois jamais. Elle habite du côté de Pontefract maintenant. »

42

Une colle adaptée à chaque matériau

Lundi après-midi, je passais l'aspirateur dans la maison sans grand enthousiasme, préoccupée par papa et maman, quand le téléphone a sonné. Je me suis dit que ce devait être maman qui me donnait des nouvelles de l'opération de papa, mais c'était Mrs. Shapiro.

« Venez vite, Georgina. Chaïm, il fait les ennuis. »

En fait, je m'y attendais un peu. Apparemment, Mrs. Shapiro et Ishmaïl étaient partis dans la camionnette rouge avec Mr. Ali pour choisir de la peinture au B&Q de Tottenham. Nabeel était resté pour commencer à poncer les boiseries et la porte de la cuisine n'était pas fermée. En rentrant vers quatre heures avec leurs cinq litres d'émulsion mate – « Eau de Nil, couleur très charmante, vous verrez » –, ils avaient trouvé Nabeel et Chaïm Shapiro qui se bagarraient sur le tapis de la salle à manger.

« Ils battent comme le tigre. Il faut que vous venez leur parler, Georgine.

– Mais qu'est-ce que ça a à voir avec moi ?

– Pourquoi vous discutez toujours avec moi, Georgine ? Je vous prie, venez vite. »

Le temps que j'arrive, la bagarre, si bagarre il y avait eu, était terminée, et autour de la table de la salle à manger la trêve était instaurée dans une atmosphère pesante. Mr. Ali était assis d'un côté, flanqué des Incapables, et, en face d'eux, Chaïm était renversé sur sa chaise, bras et jambes écartés comme si le siège était trop petit pour lui, faisant craquer ses articulations. Installée à côté de lui, Mrs. Shapiro fumait cigarette sur cigarette en triturant ses bagues. Wonder Boy était posé sur une chaise au bout de la table, l'air impérieux. En ouvrant la porte qui avait été laissée déverrouillée exprès, je les ai entendus se disputer, mais quand j'ai pénétré dans la salle à manger, tout le monde s'est tu. J'ai pris place à l'autre bout de la table, en face de Wonder Boy.

« Bonjour, tout le monde ! » ai-je lancé en souriant à la cantonade. Personne ne m'a rendu mon sourire. L'atmosphère était aussi aigre que du lait caillé. Peut-être fallait-il commencer par les exercices de respiration de Miss Baddiel, histoire de nous calmer.

Mrs. Shapiro a pris une carafe pour me servir un verre d'eau et m'a présenté Chaïm Shapiro, puis a ajouté : « Voici Georgine, ma bonne voisine. »

Il m'a attaquée aussitôt, exigeant de savoir de quel droit j'avais invité ces étrangers dans sa maison – j'ai sursauté en l'entendant souligner « ma maison » –, mais sans même me laisser le temps d'ouvrir la bouche, Mrs. Shapiro a contre-attaqué :

« Ce n'est pas ton maison, Chaïm. Je l'habite ici depuis soixante ans et je paye l'impôt.

– Ferme ta gueule, Ella. Tu n'as pas une raison de laisser des Arabes entrer chez toi.

– Toi, tu fermes le gueule », a répliqué Mrs. Shapiro. Il l'a ignorée.

« Alors, Miss Georgiana. Nous attendons votre explication, a-t-il lancé d'une voix grinçante qui n'était pas sans rappeler le ronronnement de Wonder Boy. Parlez-vous maintenant ou taisez-vous jamais. »

J'ai entrepris de lui expliquer qu'il y avait des réparations et des rénovations à faire dans la maison et que c'est la raison pour laquelle j'avais fait venir Mr. Ali et ses assistants. Il a reniflé d'un air dubitatif en se balançant sur sa chaise. Sans compter les questions de sécurité, ai-je rajouté, et je lui ai raconté l'histoire de la clef volée et du robinet d'arrivée d'eau coupé, en mentionnant au passage que Mrs. Goodney n'y était sans doute pas étrangère. D'un coup, il s'est redressé. Il a été pris d'un tic au sourcil, du côté de l'œil de verre.

« Cette Goody avec son nogoudnik, ils croient que je suis fait de petites planches. Ils croient que je vais leur vendre ma maison pas cher pour qu'ils se fassent l'argent sur mon dos. Mais j'ai un autre plan.

– C'est pas ton maison, Chaïm.

– C'est la maison de mon père. Père tel fils.

– Mon maison, a craché Mrs. Shapiro. Quand ton père, il a mort, il me donne à moi.

– Alors, quel est votre plan ? suis-je intervenue pour faire avancer la discussion.

– Mon plan est de faire des grandes rénovations dans ma maison. » Autour de la table, tout le monde a suffoqué. Wonder Boy s'est mis à agiter la queue. « En fait, je suis un amateur du bricolage, moi-même. J'ai déjà acheté une trousse à outils. » Il a regardé autour de lui, mais tout le monde détournait les yeux. J'ai jeté un regard à Mr. Ali, mais son visage était impassible.

« Chaïm chérri, ta mère, elle mangerait ses *kishkes* d'entendre que tu parles comme ça. Elle abandonnait tout pour construire le nouveau Israël. Belle patrie pour les juifs. Pourquoi tu restes pas là-bas ? Pourquoi tu reviens maintenant et tu me jettes dans la rue ? » Elle avait un ton vaguement enjôleur.

« Personne ne te jette à la rue, Ella. Tu te jettes toute seule à la rue en vivant avec ces Arabes.

– C'est mes assistants.

– Ella, tu as perdu la balle. Tous les Arabes sont pareils – ils attendent juste l'occasion de pousser les juifs dans la mer. »

De l'autre côté de la table, Mr. Ali chuchotait quelque chose à Ishmaïl. Les assistants avaient la mine sombre.

« Personne me pousse dans la mer. La mer, elle est loin de ici. La mer, elle est à Douvres. J'étais là avec Arti. » Elle levait le menton d'un air de défi.

« Je connais cette plage de Douvres. Où d'aveugles armées se meurtent dans la nuit », a protesté Chaïm Shapiro en buvant de l'eau à petites gorgées comme pour se calmer.

Mrs. Shapiro l'a regardé fixement. Puis elle s'est penchée vers moi et m'a chuchoté : « Mais de quoi il parle, Georgine ?

– C'est un poème. Arnold.

– Un poème ? Il est fou ?

– Je parle du terrorisme, Ella. Regarde mon œil aveuglé. Qu'est-ce que je faisais ? Rien. J'étais juste là à m'occuper de mon affaire. » Il était dans un tel état de nervosité ou de fureur, peut-être, qu'il faisait craquer ses articulations avec frénésie.

« On est à Londres maintenant, Chaïm, pas à Tel-Aviv.

– Et tu vois, ils ont commencé de lancer les bombes ici, à Londres. »

Mr. Ali a traduit pour Ishmaïl, qui s'est penché pour chuchoter à l'oreille de Nabeel. Tous les trois fronçaient les sourcils.

« Nous sommes déjà sur une plaine obscure. Nous avions...

– Chaïm chérri, c'est le maison ici, pas l'avion. Un peu

le calme, je te prie. Et là c'est mes assistants, pas les suicideniks. Tu vois, même ils aiment les animals. »

Nabeel caressait Wonder Boy derrière les oreilles et au milieu de cette discussion venimeuse son ronronnement cadencé offrait un bruit de fond apaisant. Si seulement quelqu'un pouvait caresser Chaïm Shapiro derrière les oreilles ! me disais-je.

Sur ce, Mr. Ali a parlé d'une voix brisée par la colère : « Arabes, chrétiens, juifs vivaient côte à côte pendant des générations. Faisaient les affaires ensemble. Pas le broblème. Pas le bogrom. Pas le camp de concentration. Même on vous vendu un partie de notre terre. Mais c'est pas assez. Vous voulez tout piquer. »

Chaïm Shapiro s'est tourné vers moi en l'ignorant et m'a expliqué d'un ton pontifiant : « Tous les Palestiniens ont la même histoire. Ils viennent avec une vieille clef, en disant : "C'est la clef de ma maison. Vous devez partir immédiatement !" Mais quand ma mère est arrivée en Israël, personne vivait là-bas. C'était aussi vide qu'un désert. Abandonné. Tous les habitants avaient fichu le camp.

– Chassés sous la menace des armes ! » a tenté de crier Mr. Ali, mais il avait la voix si tremblante que sa phrase s'est achevée en couinement. La dernière fois que je l'avais vu dans une colère pareille, c'était quand il était assis dans l'herbe mouillée au pied de l'échelle.

« Si vous voulez vivre à côté de nous dans notre pays, tout ce que vous devez faire, c'est arrêter de nous attaquer. C'est bien normal, non ? » a dit Chaïm avec un sourire satisfait en écartant les mains d'un geste théâtral.

Inspirer – deux, trois, quatre. Souffler – deux, trois, quatre.

« Écoutez, nous n'allons pas résoudre tous les problèmes du monde aujourd'hui, ai-je lancé d'un ton enjoué. Mais c'est une grande maison. Surtout si on transforme le dernier étage en appartement de standing. Peut-être que tout le monde peut habiter ici. »

Ils se sont tous tournés vers moi et je suis devenue cramoisie en sentant peser leurs regards.

En fait, tout le monde était plus ou moins cramoisi, même Mr. Ali. Wonder Boy fouettait de la queue en montrant les crocs comme un chien.

« Je refuse de partager ma maison avec trois Arabes, a ronchonné Chaïm Shapiro.

– Chaïm, lui a dit Mrs. Shapiro d'un ton apaisant, le Peki qu'il ne vit pas ici. Il fait juste la visite.

– Tu ne comprends pas la mentalité arabe, Ella. Ils ne nous laisseront pas en paix. Tu crois qu'Israël existerait aujourd'hui si la moitié de sa population était arabe et essayait de nous détruire de l'intérieur ? »

J'ai été prise de colère en repensant aux bébés jumeaux aussi lourds que des pastèques et au soldat qui portait un numéro tatoué sur le bras.

« Mais vous ne pouvez tout de même pas espérer que les gens abandonnent leur maison et leur terre sans riposter ! »

Mr. Ali a traduit pour les assistants, qui ont hoché la tête avec ferveur dans ma direction. Chaïm Shapiro avait le visage couvert de sueur et son œil valide n'arrêtait pas de cligner.

« Ah ! Alors nous avons le droit de l'autodéfense ! À chaque fois que vous frappez Israël, nous frapperons encore plus fort. Vous nous donnez les lance-roquettes faits maison, nous vous donnons les hélicoptères de combat *made in USA*. Bam bam bam ! » Il a mis les mains en pistolet, faisant mine de viser l'autre côté de la table. Puis il s'est tourné vers moi en ajoutant : « Comme votre immortel barde William Shakespeare l'a dit, pour faire la grande justice, il faut faire la petite injustice ! Ce n'est pas joli joli, mais c'est nécessaire, Miss Georgina. »

Devant mon silence, il s'est balancé en avant, frappant la table subitement comme s'il tirait à la mitraillette. « Bam bam bam ! Bam bam bam ! »

À ce bruit, Wonder Boy, qui était toujours perché sur sa chaise au bout de la table, a aplati les oreilles en crachant, montrant ses terribles crocs. Puis il a sauté sur la table et s'est mis en position de combat, le dos arqué, la queue gonflée, et dans un feulement il s'est jeté à la figure de Chaïm Shapiro toutes griffes dehors. Chaïm Shapiro s'est défendu en essayant de se dégager de l'énorme matou, mais Wonder Boy s'accrochait, donnant des coups de griffes, fouettant l'air de sa queue. Mrs. Shapiro s'est mise à hurler d'une voix hystérique en s'en prenant à tous les deux :

« *Halt !* Chaïm ! Arrête de taper ! Wonder Boy ! *Raus !* »

Le chat a filé en crachant, renversant au passage la carafe, et l'eau s'est mise à dégouliner sur nos jambes.

Chaïm a sorti un mouchoir pour tamponner sa joue en sang. Quand il a relevé la tête, nous nous sommes aperçus que son œil de verre s'était retourné dans son orbite de façon grotesque. On ne voyait plus que le blanc pareil à un œuf dur qui posait sur nous un regard vide.

Tout le monde s'est tu, comme impressionné par la vitesse à laquelle le conflit avait éclaté, et subitement une lumière a jailli dans mon esprit : ces gens sont complètement fous.

À l'autre bout de la maison, nous avons entendu un feulement menaçant – Wonder Boy qui jaugeait sa prochaine victime (féline, sans doute, car Mrs. Shapiro avait ses pantoufles aux pieds). Mrs. Shapiro a pris la parole en premier. Elle s'est penchée vers Chaïm en lui tapotant le bras avec un regard appréciateur.

« Chaïm chérri, pas besoin de disputer. Si tu as pas le maison, tu peux vivre *mit uns.* Tu peux prendre toute le chambre que tu veux – sauf le mienne, bien sûr. Tu peux faire tous tes beaux rénovations *mit* le trousse outils. Construire les éléments cuisine. Les lave-vaisselle. Les micro-andes. Mon Nicky, il m'a dit tout qu'il a besoin pour la cuisine moderne. » Elle lui a pressé la main. « Nous ferons les dîners *mit* les conversations de culture. Les concerts le soir. Même nous aurons les récitals de les poésies si c'est ce que tu aimes. » Je voyais le visage de Chaïm s'adoucir à mesure qu'il imaginait ces scènes délicieuses. « Tu es le fils de mon Arti, Chaïm. C'est toujours ton maison quand tu veux. Mais mes assistants qu'il doit rester aussi *mit mir.* »

Elle avait un ton si charmeur que j'aurais presque pu

lui demander de bénéficier d'un droit de séjour, moi aussi, et ce malgré le Crotteur fantôme dont je connaissais l'existence, contrairement à Chaïm. Visiblement, Chaïm était déjà tombé sous le charme.

« Ella, je vois que tu es un petit pigeon de logis et j'accepte volontiers ton invitation à résider avec toi. Et si les Arabes doivent rester, peut-être on peut diviser la maison entre nous. Ils gardent le haut et nous restons dans notre partie à nous. » Il a regardé de l'autre côté de la table avec un sourire magnanime.

« Hmm ! Et après tu construis le mur ! a lancé Mr. Ali d'un ton acerbe. Le poste de contrôle dans l'escalier. Et puis tu voles d'autres chambres pour les colonies. »

Ishmaïl et Nabeel ont souri d'un air perplexe.

« Auriez-vous un pansement, Mrs. Shapiro ? » ai-je demandé pour évacuer la tension.

La joue de Chaïm pissait le sang – Wonder Boy lui avait flanqué une sacrée raclée. Elle s'est précipitée pour aller en chercher. Mr. Ali et les assistants tenaient une réunion dans la cuisine. J'ai entendu le tintement de la cafetière, et peu après une odeur de café frais s'est répandue dans la salle à manger. Je me suis donc retrouvée seule quelques minutes avec Chaïm Shapiro. Il a enlevé son veston et l'a suspendu au dossier de sa chaise, puis il a déboutonné le col de sa chemise. Il transpirait abondamment sous les aisselles. À présent qu'il n'avait plus de veston, il semblait s'être rétréci sur place. En réalité, sa corpulence provenait essentiellement de ses épaulettes.

L'œil qui était fixé sur moi – l'œil valide – était

sombre et triste, mais il me faisait penser au regard brun enflammé de la jeune femme des photos et son petit visage joufflu de bébé avec son menton pointu était une copie grossière de celui de sa mère. Je continuais à penser qu'il faudrait que quelqu'un le caresse derrière les oreilles, mais je me suis contentée de me pencher vers lui en lui disant : « Vous me rappelez votre mère. »

Il s'est tourné vers moi, les traits subitement transformés, éclairés d'un sourire si doux, si enfantin, qu'il semblait s'être trompé de visage.

« Vous avez connu ma mère ?

– Je ne l'ai pas connue, ai-je dit. Je l'ai vue en photo. Vous lui ressemblez.

– Si seulement vous l'aviez connue ! Tout le monde l'aimait. » Ce souvenir heureux lui avait redonné son sourire de bébé, creusant deux fossettes dans ses bajoues.

« Et votre père…

– Oui, Artem Shapiro. Le musicien. Elle parlait toujours de lui comme un mouton à paroles.

– … pourquoi ne l'a-t-il pas rejointe en Israël ? » Je me suis aperçue que je retenais mon souffle.

« Il était trop malade. Les poumons *kaput*. Ella s'occupait de lui. Ici, dans cette maison. »

Sur l'acte de décès, il était mentionné cancer du poumon.

« Et votre mère n'est jamais revenue ?

– Elle voulait construire un jardin dans le désert. Vous imaginez – à mains nues ? Elle ne voulait pas partir avant que ce soit fini. » Il s'est rembruni et a paru se recroqueviller davantage encore dans sa chemise blanche en polyester. « Et puis elle est tombée malade. Maladie du sang. Elle est morte quand j'avais dix ans. Quelques mois après mon père. »

Je me souvenais de la date que portait la lettre de Lydda. Chaïm était né en 1950, elle avait donc dû mourir en 1960.

« Je suis désolée. Perdre toute votre famille… Et puis votre blessure… »

J'avais envie de lui demander ce qui s'était passé. Sans miroir, il ne devait pas se rendre compte que l'œil de verre était tourné à l'envers dans son orbite.

« Mais ma famille, c'était le *moshav* – père, mère, sœur, frère. Après sa mort, je suis resté avec eux. On formait tous une famille dans notre nouvelle nation. »

Ce devait être le *moshav* dont elle parlait dans sa lettre, la colline rocailleuse où elle attendait son mari en regardant vers l'ouest, son bébé dans les bras. J'avais gardé sa photo à la maison, dans ma chambre. La prochaine fois, je la lui apporterais.

« Elle était de Biélorussie, elle aussi ?

– Non, elle venait du Danemark. Mais ils se sont rencontrés en Suède. Ils se sont mariés à Londres. Et je suis né en Israël. » Il a souri de son sourire joufflu plissé de fossettes. « Naomi Shapiro. C'était une personne qui savait rêver.

– Elle rêvait de la Terre promise ?

– Notre patrie. Sion. » Ses joues se sont de nouveau creusées de fossettes. *« Home, sweet home. »*

Mais une question me turlupinait. Pourquoi les gens sont-ils obsédés par la patrie ? Le plus important, ce sont les êtres qui nous sont chers, non ? Ma seule patrie, c'est Ben et Stella – et Rip aussi. Comment pouvais-je imaginer aimer un pays plus que je les aimais, eux ? J'ai repensé à la femme des photos – ce regard sombre enflammé par la conviction. Elle avait quitté son amour pour trouver la patrie de ses rêves et une autre – Naomi Shapiro – avait pris sa place.

« Mais n'est-ce pas votre patrie, à vous aussi, Chaïm ? D'autant que vous êtes né là-bas ? N'avez-vous pas de famille ? D'amis ? De collègues ? Je ne comprends pas pourquoi vous voulez refaire votre vie ici. »

À votre âge, avais-je envie d'ajouter, mais je ne voulais pas me montrer grossière.

« J'ai été professeur trente ans. Langue et littérature anglaises. » Il a remué sur sa chaise. « Maintenant, j'ai pris la retraite. Jamais marié. Quelle femme veut épouser un homme borgne ? »

« Oh, je ne sais pas... » Mrs. Shapiro devrait rapidement arranger ça, me disais-je.

Elle était réapparue avec un pansement tout sale qui rebiquait aux coins. Elle le lui a appliqué avec une petite tapette sur la joue.

« Maintenant ton foyer est *mit uns*, hein ? »

J'ai remarqué qu'il y avait quelques poils de chat collés dessous.

« Merci, Ella. Ma mère me disait que tu étais pleine de sollicitude pour mon père dans sa maladie. Et que tu l'encourageais à aller en Israël quand il serait guéri. Elle m'a montré la lettre que tu as écrite. »

J'ai jeté un œil à Mrs. Shapiro.

« C'était il y a très longtemps », a-t-elle répondu. Une émotion indéchiffrable a traversé son visage et elle a haussé légèrement les épaules. « Quelquefois c'est mieux laisser le passé tranquille.

– Oui, il y a longtemps. » Il s'est renversé lourdement sur sa chaise. « Tu sais, Ella, ce pays, cet Israël, ce n'est pas le pays dont elle rêvait. Ç'aurait dû être un pays magnifique, prospère, moderne, démocratique. Fondé sur la justice et l'autorité de la loi. Mais ils ont tout gâché avec leur fanatisme. » De la tête, il a indiqué la cuisine où Mr. Ali et les assistants discutaient encore en arabe. On a entendu le tintement de la cafetière.

« Vous savez, Miss Georgiana, aucun professeur ne veut avoir le sang d'enfants sur les mains. Même pas le sang de petits ratecailles d'Arabes qui jettent les pierres. »

Mais je n'écoutais plus, je repensais à ce qu'il disait avant que Wonder Boy l'attaque à coups de griffes. Pour rendre la grande justice, faites une petite injustice. C'était Bassanio dans *Le Marchand de Venise*. Je l'avais étudié pour le bac. Mais que disait Portia ? Il était question du mérite de la clémence. Celui qui tempère la justice par la clémence. C'était ça.

« Alors quelle est la solution, à votre avis ?

– Il n'y a pas de solution. Je ne vois pas de possibilité de paix de mon vivant. » Il s'est avachi sur sa chaise, le menton posé sur les mains. « Tant qu'ils continuent leurs attaques, nous continuerons nos défenses. Nous sommes piégés dans la loi du talon. C'est impossible pour quelqu'un d'aussi sensible que moi de vivre la vie comme ça.

– Mais… il n'est jamais trop tard ? Pour la paix ? Je veux dire, s'il y a une volonté réelle… »

Tout en prononçant ces mots, je me disais que ce beau discours n'était sans doute qu'un ramassis de sottises. La volonté de paix – nous étions loin de l'avoir trouvée, Rip et moi.

« Trop tard pour moi, Miss Georgiana. » Il a soupiré. « Car dans mon dos j'entends galopant le char attelé du temps.

– Ailé. » Je n'avais pas pu m'en empêcher, mais il était perdu dans ses pensées et ne m'a pas entendue. Il faudrait peut-être que je le présente à Mark Diabello. Ils avaient manifestement les mêmes goûts en poésie.

Quand je suis rentrée à la maison en début de soirée, j'ai remarqué que les chatons argentés du saule avaient éclos et que leurs soies s'ornaient de particules de pollen dorées.

Il faisait doux et humide. Une bruine de printemps me mouillait le visage et se posait comme la brume sur mes cheveux. Elle luisait sur les feuilles et tombait mollement en grosses gouttes des branches. J'étais entourée de fraîcheur et de verdure. C'était un monde différent de celui de Chaïm Shapiro et Mustafa Ali – et cependant c'était le même. Il fallait que nous apprenions tous à y vivre d'une manière ou d'une autre.

J'avais été saisie d'une telle pitié quand Mr. Ali m'avait raconté son histoire, si j'avais eu une arme, je serais allée moi-même venger la perte de sa maison et le préjudice causé à sa famille. Et voilà qu'à présent j'éprouvais de la compassion pour cet homme triste tout chiffonné, ce borgne orphelin des rêves brisés de sa mère. Mes parents m'avaient appris à toujours veiller sur les malheureux, mais même les malheureux peuvent être hargneux et agressifs. Comment savoir qui avait commencé ? À qui la faute ? Sans doute valait-il mieux ne pas poser la question. Peut-être que si l'on réussissait à améliorer la cohésion humaine, les autres détails – les lois, les frontières, la Constitution – se régleraient d'eux-mêmes. Il suffisait de trouver l'adhésif le mieux adapté aux supports. La clémence. Le pardon. Si seulement ça existait en tube.

Ce n'est qu'en arrivant près de chez moi que je me suis rappelé que je n'avais pas demandé à Chaïm comment il avait perdu son œil. Avait-il été pris dans l'attaque de représailles de l'aéroport de Lydda ? J'ai repensé à la conversation que j'avais eue avec Ben quelques jours plus tôt – l'antique prophétie de la bataille entre Jésus et l'Antéchrist aux portes de Lydda qui était censée précéder la fin du monde. L'aéroport est bien une sorte de porte de la ville, non ? Mais les terroristes ne pouvaient pas connaître les paroles des prophètes. J'ai été parcourue d'un frémissement d'épouvante. Comment le présent pouvait-il rejoindre le passé ? Par quelles mystérieuses vrilles de causalité ce lien avait-il été forgé ? Rien d'étonnant à ce que Ben soit si ébranlé. Et Dajjal, le diable borgne ? Mais Chaïm Shapiro n'avait rien d'un diable ; lui aussi était une victime – une âme égarée qui avait perdu sa mère trop jeune. Sans ses épaulettes, ce n'était qu'un quinquagénaire en chemise de polyester trempée de sueur. Et pourtant j'ai frissonné comme si une main venue du fond des âges me tapait sur l'épaule et qu'une voix d'un autre monde me chuchotait : *Armageddon.*

43

Des supports douteux

Quand je me suis trouvée en bas de chez moi, la nuit tombait déjà et j'ai vu à la fenêtre de Ben que son ordinateur était allumé et que l'écran de veille clignotait en blanc, rouge et noir. C'était curieux. Ben était censé être avec Rip. Peut-être avait-il oublié de l'éteindre en partant. À moins qu'il ne soit rentré plus tôt que prévu.

« Hello, Ben ! » ai-je lancé dans l'escalier en entrant. Il n'y a pas eu de réponse. J'ai mis l'eau à chauffer et je suis montée frapper à la porte de sa chambre. Pas de réponse. Je l'ai poussée. Il y avait une odeur de chaussettes et de baskets, et l'écran de veille tournoyait dans la pénombre en projetant ses motifs étourdissants contre les murs. Blanc ! Rouge ! Noir ! Blanc ! Rouge ! Noir ! Zoum ! Zoum ! Zoum ! Les murs s'éclairaient, s'enflammaient, se carbonisaient. Mes oreilles étaient emplies d'un vacarme effrayant que j'ai d'abord attribué à l'ordinateur avant de reconnaître le grondement du sang qui battait dans mes tempes. Un monstre énorme a jailli de l'autre bout de la pièce pour se précipiter vers moi – l'affiche d'Orc brièvement illuminée par l'écran. C'est là que j'ai vu Ben. Il gisait par terre entre le lit et le bureau, affaissé comme un tas de chiffons au milieu de ses vêtements éparpillés.

« Ben ! » ai-je hurlé. Mais, comme dans un cauchemar, je n'ai réussi à émettre qu'un râle muet.

Puis je me suis aperçue que ce n'était pas juste la lumière saccadée ; Ben remuait, agité de mouvements convulsifs, la tête renversée en arrière, les yeux ouverts révulsés comme l'œil de verre de Chaïm Shapiro, des dégoulinures de bave ou de vomi au coin des lèvres. Je me suis précipitée vers lui en titubant, heurtant au passage la chaise qui s'était accrochée dans le fil de la souris, et subitement l'écran qu'il consultait s'est rallumé – toujours ce même rouge ardent sur un fond noir animé de flammes dansantes et cet unique mot éclatant : *Armageddon.*

J'ai plissé les yeux et tendu la main pour arracher la prise. La chambre a été plongée dans le noir. J'ai allumé la lumière. Ben gémissait en gesticulant. Il dégageait une odeur aigre écœurante. Un filet humide tachait son pantalon et formait une flaque par terre. Je me suis agenouillée à côté de lui et je l'ai pris dans mes bras en lui caressant les joues et le front, chuchotant son nom. Je ne savais pas trop si c'était ce qu'il fallait faire, mais je l'ai tenu ainsi contre moi jusqu'à ce qu'il ne s'agite plus et que sa respiration se calme. Puis j'ai appelé une ambulance.

Après, tout est allé très vite dans un tourbillon de panique, de secouristes empressés et de gyrophares. J'ai essayé d'appeler Rip de l'ambulance, mais comme il n'y avait pas de réponse, je lui ai envoyé un texto. Au bout de quelques minutes, Ben est revenu à lui. Il a soulevé la tête du brancard et regardé autour de lui d'un air hébété.

« Je suis où ?

– En route pour l'hôpital.

– Oh ! » Il avait l'air déçu.

– Je suis ta maman.

– Je sais. »

Je lui ai tenu la main en lui murmurant de petits mots tendres, tandis que l'ambulance fonçait à travers les rues nocturnes, sirène hurlante.

Il a été admis dans le service où Mrs. Shapiro avait été hospitalisée la première fois. L'infirmière – je ne l'ai pas reconnue – est venue tirer le rideau autour de nous. C'était effrayant de se retrouver derrière le rideau fermé. Je me souvenais des gargouillements que j'avais entendus dans le lit à côté quand la dame à la robe de chambre rose était décédée. Le médecin qui est venu avait l'air à peine plus âgé que Ben – en fait, il avait du gel dans les cheveux comme Damian.

« Apparemment, il a eu une crise », a-t-il dit. Il avait un léger accent nasal de Liverpool.

« De quoi ? D'épilepsie ?

– Peut-être. Ça peut être une crise isolée.

– Mais pourquoi ?

– C'est trop tôt pour le dire. On en saura plus quand on lui aura fait une IRM.

– Quand ça ?

– Demain. Il va voir un neurologue. Pour ce soir, il faut le laisser dormir. Nous allons veiller sur lui, ne vous en faites pas. C'est plus fréquent qu'on le pense chez les jeunes de cet âge. »

Il a souri, l'air embarrassé, en triturant le stéthoscope suspendu à son cou. Il avait beau se montrer gentil, il était trop jeune pour être convaincant.

Puis le rideau s'est ouvert et Stella est apparue en compagnie de Rip. Rip a fait comme si je n'étais pas là, et j'aurais bien été capable de filer en douce si Stella ne s'était pas jetée aussitôt dans mes bras.

« Qu'est-ce qui lui arrive, maman ? »

Elle était si jolie, mais si maigre – trop maigre. Elle sentait le shampooing à la pomme et l'eau de fleur d'oranger. Je l'ai serrée contre moi en caressant ses longs cheveux drapés sur son dos comme une étoffe de soie noire. J'étais au bord des larmes, mais j'ai plaqué un grand sourire sur mes lèvres.

« Il a dû se passer quelque chose – il a eu une espèce de crise, je ne sais pas. Ça devrait aller. »

Stella a serré la main de son frère. « Espèce de patate ! »

Elle avait pris un fort accent de Leeds, l'accent de leurs jeux d'enfants.

Il a ouvert les yeux et regardé autour de lui avec un sourire de béatitude.

« Salut, tout le monde ! » Puis il s'est rendormi.

Rip se tenait dans l'embrasure des rideaux, sommant le médecin de parler, exigeant des explications que le jeune homme était manifestement incapable de lui donner, tout en évitant soigneusement de croiser mon regard. Quand le médecin est parti, il est venu s'asseoir de l'autre côté du lit en continuant à m'ignorer et a pris l'autre main de Ben en lui parlant d'un ton bêtifiant absolument répugnant. Je me suis levée pour partir.

Je suis allée jusqu'à la porte à double battant, puis je me suis arrêtée. Je savais que j'étais ridicule. Je suis revenue en arrière et je me suis assise dans la salle de détente le temps de me calmer, serrant et desserrant les mains *(inspirer – deux, trois, quatre ; souffler – deux, trois, quatre)*, inhalant la lourde atmosphère médicale chargée de toute l'angoisse et le chagrin qui avaient été distillés dans cette pièce. J'ai repensé à la dame à la perfusion et à notre fou rire. Ça me paraissait si loin.

Une minute plus tard, la porte s'est ouverte à la volée et Stella a surgi. Elle avait le visage marbré de rouge. J'ai tout d'abord cru qu'elle était bouleversée, puis je me suis aperçue qu'elle était furieuse.

« Tu es dingue, maman ! Papa aussi ! Il faut que vous arrêtiez de vous conduire comme des gamins. On en a marre, Ben et moi. On veut, je sais pas, que vous deveniez adultes. »

Elle mâchonnait une mèche de cheveux qui lui barrait le visage, comme quand elle était petite. Je l'ai fixée. Elle avait vingt ans, elle était maigre comme un coucou, elle avait une jupe qui découvrait sa culotte quand elle se penchait, je l'avais portée dans mon ventre, nourrie au sein, et voilà qu'elle me disait de devenir adulte.

« Et lui alors ? ai-je lancé d'une voix geignarde.

– Lui aussi. Je lui ai dit, à lui aussi. Tous les deux. Il faut que vous arrêtiez. »

On aurait dit Mrs. Rowbottom quand elle grondait Gavin pour avoir lancé des boulettes de pain.

« Mais c'est lui qui a commencé.

– On se fiche de savoir qui a commencé. On en a marre. Et en plus, ce n'est pas bon pour Ben. »

Elle a repoussé les cheveux de son visage en s'efforçant de prendre un air sérieux.

« Bon, d'accord. S'il le fait, je le fais. Mais je ne…

– Alors vas-y et souris-lui et… je sais pas… sois normale, quoi. »

Et c'est ce que j'ai fait. J'ai souri à Rip et il m'a souri, l'air un peu gêné, puis il m'a expliqué qu'il avait dû quitter l'appartement de Pete et qu'il avait essayé de m'appeler pour me dire que Ben rentrerait plus tôt que prévu, mais que je ne l'avais pas rappelé. Un soupçon de reproche s'était glissé dans sa voix et Stella lui a lancé un regard d'avertissement.

« Papa ! »

Elle ferait un très bon professeur.

Quand je songe au moment décisif, le moment où tout a commencé à aller mieux, c'est à ce lundi de mars, à cette scène dans le box fermé par des rideaux que je repense, à Ben adossé à son oreiller essayant de se rappeler ce qui s'était passé, Stella perchée au bord du lit chatouillant les orteils de son frère en le faisant rire. Ça me rappelait l'exposition sur la colle – Rip et moi posés maladroitement de part et d'autre du lit comme deux supports douteux tout bosselés, et Ben et Stella au milieu essayant de nous maintenir ensemble comme deux amas de colle.

Le lendemain, nous nous sommes retrouvés, Rip, Ben et moi, assis de la même façon dans le cabinet du neurologue, Ben au milieu. Le neurologue nous a posé une multitude de questions et nous a demandé dans quelles circonstances Ben avait eu cette crise. Quand j'ai décrit l'écran de veille tournoyant et les flammes scintillantes du site de l'Armageddon, il nous a parlé d'une série de six cent quatre-vingt-cinq cas d'épilepsie au Japon en 1997, qui avaient été apparemment provoqués par un même épisode de *Pokémon* à la télévision.

« Il arrive que la photosensibilité déclenche une crise d'épilepsie, a-t-il expliqué en nous scrutant à travers ses petites lunettes à monture invisible. Ce que nous ignorons à ce stade, c'est si cela se produira de nouveau. » Il s'est tourné vers Ben. « Essayez d'être plus sélectif dans le choix des sites que vous visitez, jeune homme. C'est totalement délirant dans le cyberespace.

– D'accord, » a acquiescé Ben. Il était gêné d'être ainsi au centre de l'attention.

Mais il devait y avoir autre chose, me suis-je dit. J'ai repensé à notre conversation sur le temps liminal, son regard halluciné.

« Je comprends que le clignotement de l'ordinateur puisse servir de déclencheur, ai-je dit. Mais… » Je me suis rappelé. « Tu disais que quelquefois tu te sentais bizarre quand tu rentrais du lycée, avant même d'avoir allumé l'ordinateur. Tu ne te souviens pas, Ben ? »

Il a cligné des yeux en fronçant les sourcils.

« Ah, oui. C'était dans le bus. On passait devant ces arbres. Je voyais le soleil à travers les branches. » Il a décrit un long trajet en haut du bus sur une avenue bordée d'arbres avec le soleil rasant d'hiver qui clignotait entre les branches.

« C'est là que j'ai commencé à avoir genre, des sensations.

– Mais quand tu étais avec moi à Islington, tu allais parfaitement bien. » Rip avait le ton légèrement accusateur, comme si j'étais la cause du problème.

« Je prenais un autre bus. »

Le neurologue a hoché la tête. « Si vous vous retrouvez une autre fois dans cette situation, jeune homme, essayez de fermer un œil. »

Ce n'était donc que ça – les générations de prophètes, le règne de l'Antéchrist, les tribulations, l'abomination de la désolation, Armageddon, la terrible bataille de toutes les armées du monde, la reconstruction du Temple à Jérusalem, la fin des temps avec sonneries de trompettes et chariots de feu, le retour du Messie, l'enlèvement des élus –, au bout du compte ce n'était qu'une histoire de fréquence de lumières clignotantes, un court-circuit passager dans l'installation électrique du cerveau. Il suffisait de fermer un œil.

J'ai éprouvé un soulagement mêlé de déception. Il y avait une part de moi qui aspirait à croire – à se soumettre à l'irrationnel, à connaître l'extase de l'enlèvement.

« Si je comprends bien, tout ce bazar religieux, c'est de la foutaise. » Le ton de Rip était d'une arrogance exaspérante. J'avais envie de lui donner un coup de pied, de lui dire de se taire, mais Ben n'écoutait pas. Il étudiait une illustration du cerveau punaisée au mur à côté du bureau du neurologue.

« On pense aujourd'hui qu'un certain nombre de prophètes et de mystiques étaient en fait des épileptiques, a dit le neurologue. On estime que beaucoup d'expériences religieuses ont une explication scientifique. »

Rip s'est mépris sur mon expression et s'est penché pour me prendre la main.

« Pourquoi ne m'as-tu pas dit que Ben avait ces problèmes ? Tu aurais dû m'en parler, Georgie.

« Je... » *Inspirer – deux, trois, quatre. Souffler – deux, trois, quatre.* « Tu as raison, j'aurais dû. »

Je lui ai serré la main à mon tour.

En quittant l'hôpital, Rip m'a demandé d'un ton penaud s'il pouvait revenir s'installer quelque temps à la maison, et je lui ai répondu en ronchonnant que je m'en fichais, mais que ça ferait sûrement plaisir à Ben. Dans l'ensemble, j'étais contente, c'est vrai. La situation était en bonne voie. Mais, étrangement, j'éprouvais des sentiments ambivalents. J'avais ma propre vie à présent, et je n'étais pas prête à y renoncer. Quand Rip était là, il avait tendance à tout régenter. Quand il n'était plus là, je repensais à ce qui me manquait chez lui, mais à présent qu'il était revenu, je me rappelais tous ses côtés irritants. Je me disais qu'il devait éprouver la même chose à mon égard. Tout était donc loin d'être résolu entre nous. Plus tard, cet après-midi-là, il avait rapporté ses affaires d'Islington avec la Saab et s'était installé un lit de camp dans le petit bureau en mezzanine. Nous prenions des gants l'un avec l'autre, manifestant des excès de politesse et de prévenance.

Lui : Tu veux une tasse de thé, chérie ?

Moi : Volontiers. Merci, chéri.

Ce genre de niaiseries.

J'ai dû débarrasser la chambre d'amis pour faire de la place à Stella, qui devait revenir à Pâques. Tout au fond d'un tiroir, j'ai retrouvé une enveloppe de photos. Rip et moi le jour de notre mariage : Rip avait un haut-de-forme et une queue-de-pie. Ses cheveux retombaient en boucles sur son col et il avait des pattes frisées. Je portais une capeline et une robe ajustée rembourrée aux épaules, et des talons hauts de pute. Mon petit ventre de femme enceinte se voyait clairement. On avait l'air ridicule – et ridiculement heureux. Puis une photo de Rip et moi avec Stella dans sa poussette en promenade au bord du lac Roundhay. Puis Rip, moi, Stella à cinq ans et Ben tout bébé sur la plage des Sables-d'Olonne. Rip, Ben, maman et moi, un Noël, à Kippax. Rip et moi portions des bonnets de Père Noël, maman des bois de renne. Ben avait ses nouvelles pantoufles du *Roi Lion* et un sourire gauche – petit, il était si drôle. Stella – elle devait avoir treize ans – avançait une bouche rouge vamp devant l'objectif, vêtue d'un haut moulant assorti d'une guirlande de Noël drapée autour des épaules. Papa n'était pas sur la photo – c'est lui qui devait tenir l'appareil. Le sapin de Noël orné de babioles sur le thème de l'an 2000 apparaissait en arrière-plan. J'ai longuement regardé les photos, puis j'ai glissé l'enveloppe sous le lit. Ça me semblait être un bon présage.

À la fin du trimestre, Stella est revenue, et la maison si vide était désormais pleine. C'est Stella qui m'a raconté, un jour où nous prenions tranquillement un thé, qu'Ottoline avait mis Rip à la porte. Quand il était venu à l'hôpital, il avait passé la nuit précédente à l'hôtel. C'est pour cela que Ben était rentré à l'improviste le lundi.

« Ben m'a dit qu'il les avait entendus se disputer. Apparemment, elle lui a lancé qu'il avait une attitude lamentable face à l'engagement », a-t-elle murmuré d'une voix grave en baissant la tête. Si je ne l'avais pas regardée, je n'aurais pas aperçu l'ombre d'un sourire flotter au coin de ses lèvres.

Stella a bien profité de ses vacances, faisant la grasse matinée, prenant des douches interminables, jusqu'à deux fois par jour, bouchant le siphon avec ses longs cheveux et emplissant la maison d'une odeur de shampooing à la pomme. Ben, lui, emplissait la maison de techno en tapant joyeusement du pied et n'était plus collé à l'ordinateur. Rip allait travailler tous les matins, comme autrefois, et le soir il s'installait à son bureau et emplissait la maison de ses vagues d'inspiration. On faisait la cuisine chacun son tour – il y avait deux équipes : Stella et Rip, qui préparaient essentiellement des currys thaïs, et Ben et moi, qui préparions essentiellement des plats italiens. Puis Ben a annoncé un beau jour qu'il était devenu végétarien et nous avons passé un temps fou à rechercher et adapter des recettes pour lui. Je l'ai surpris une fois devant la table, plongé dans un livre avec la même concentration extrême qu'il mettait avant à lire la Bible – mais c'était un livre de cuisine : *Cent Recettes pour sauver la planète.* Le crâne bosselé avait disparu sous une nouvelle forêt de boucles brunes qu'il portait attachées avec un bandana.

Le neurologue lui avait suggéré de changer son écran de veille et recommandé d'éviter les sites contenant des animations. Il lui conseillait un écran plat, car ces écrans fonctionnent apparemment sur une fréquence différente, et de ne pas se mettre trop près de la télévision. Nous l'avons observé avec anxiété, pour voir s'il se débrouillait sans traitement ou s'il lui faudrait prendre des médicaments anti-épileptiques.

Rip et moi, nous nous sommes arrangés pour partager le même espace sans nous gêner mutuellement. Nous n'avons pas divisé la maison à proprement parler, mais chacun a appris à connaître les habitudes de l'autre et éviter tout contact inutile. L'atmosphère n'était pas franchement amicale, mais elle n'était pas hostile non plus. Parfois Stella se montrait si insistante que nous regardions la télévision tous ensemble.

« Il faut essayer d'être normal, c'est tout », nous conseillait-elle.

Avec Rip, on s'asseyait sur les fauteuils, de part et d'autre de la cheminée, l'air résolument normal, tandis que Ben et Stella étaient vautrés dans le canapé, les bras et les jambes spontanément entrelacés. De temps à autre, l'un d'eux essayait de pousser l'autre.

À Pâques, nous ne sommes pas allés à Kippax ou à Holtham. Nous sommes restés à la maison, et Rip et moi nous sommes timidement efforcés de collaborer en cachant des petits œufs en chocolat dans la maison pour Ben et Stella. Ils ont poussé des cris de joie en feignant la surprise. La radio était allumée, et à un moment j'ai entendu un chœur à l'église entonner d'une voix plaintive : « Sur une lointaine colline verte, sans nul rempart autour, notre Seigneur fut crucifié… Il a souffert sur la croix… » Je me suis empressée d'éteindre. Pourquoi laisser ces vieilles histoires morbides gâcher une agréable fête de famille ?

44

Wasser krise

Le mardi juste après Pâques, j'ai fait un saut au petit supermarché turc du quartier et j'ai acheté un gros œuf en chocolat soldé à moitié prix. C'était une chose hideuse couverte de papier alu mauve orné de personnages de *Space Invaders* brandissant des pistolets laser. Quelqu'un avait dû se dire que c'était un cadeau de Pâques idéal pour un petit garçon – en fait, peut-être était-il étrangement adapté à la nouvelle réalité de la Terre sainte – mais de judicieux parents l'avaient laissé en rayon, et c'était le seul qui restait. J'ai soigneusement décollé l'étiquette RÉDUCTION, enveloppé l'œuf dans des mouchoirs en papier, et je suis allée à Canaan House.

C'était une belle journée fraîche éclaboussée d'un soleil qui perçait à travers les nuages effilochés. De petits bourgeons éclatants venaient d'éclore sur les jeunes frênes du jardin de Canaan House – à croire qu'ils étaient apparus dans la nuit – et les meubles en plastique blanc miroitant étaient tentants.

Quand j'ai sonné, personne n'a répondu. Je me suis accroupie pour regarder à travers la fente de la boîte aux lettres. Il n'y avait aucune trace de vie, si ce n'est deux félins qui sommeillaient dans le landau parqué sous l'escalier. J'ai cru percevoir du mouvement au bout du couloir, avant de remarquer quelque chose de très inquiétant : de l'eau gouttait d'une fissure au plafond et formait une flaque dans le hall d'entrée. Quelques instants après, Chaïm Shapiro est apparu en manches de chemise. J'ai sonné de nouveau pour attirer son attention, mais il s'est contenté de lever les yeux vers la fuite au plafond et de crier quelque chose dans le fond de la maison, avant de redisparaître en haut.

L'eau commençait à dégouliner. Soudain, Nabeel et Mr. Ali se sont matérialisés, jambes en premier, dévalant l'escalier en se criant dessus. J'ai de nouveau sonné et Mr. Ali a ouvert la porte. J'ai cru qu'il venait m'ouvrir, mais il est sorti en trombe sous mon nez pour faire le tour de la maison. Je lui ai emboîté le pas et je l'ai regardé tirer comme un forcené sur les herbes folles qui se trouvaient à côté de la cuisine pour dégager un petit panneau métallique qu'il a enlevé. Puis il a remonté ses manches et plongé la main dans la cavité en continuant à vociférer à l'adresse de Nabeel qui était derrière nous.

« Que se passe-t-il ? » ai-je demandé à Nabeel.

Nabeel a tourné ses beaux yeux vers moi en levant le doigt et braillé quelque chose à Mr. Ali. Puis il est parti en courant du côté de la façade. Je l'ai suivi. Les deux chats tigrés du landau s'étaient réveillés. Ils se sont levés et étirés d'un air grognon avant de filer dans le jardin les oreilles couchées, furieux d'avoir été dérangés. Sur ce, Mrs. Shapiro est apparue en trottinant sur ses talons hauts, agitant une cigarette.

« Ah, Georgine ! *Danken Got*, vous êtes venue ! » Elle s'est jetée à mon cou.

« Que se passe-t-il ?

– *Wasser krise !* Je vous téléphonais !

– Quelle crise ?

– Ils essaient faire le dérivation de conduite *wasser* dans l'appartement du haut. Chaïm ! Chaïm ! a-t-elle hurlé dans l'escalier. Quoi tu fais ? On a pas assez de *wasser* qu'elle pisse déjà ! »

L'eau se déversait à flots. J'ai remarqué qu'elle était agréablement chaude. Le hall d'entrée s'emplissait de vapeur. On se serait cru dans une salle de bains. Au-dessus de nos têtes, le plafond en plâtre commençait à gondoler, tandis qu'à quatre pattes, la cigarette au bec, Mrs. Shapiro s'efforçait dans une vaine obstination d'éponger la flaque avec une blouse en soie qu'elle avait sortie du landau. Sur ce, Mr. Ali est apparu sur le pas de la porte. Il a secoué la tête d'un air philosophe et soupiré en voyant le torrent d'eau.

« Elle vient du ballon. Pas du général », a-t-il expliqué à Mrs. Shapiro. Puis il a crié quelque chose à Nabeel, qui a baissé la tête avant de monter en traînant la semelle. Mr. Ali a haussé les épaules, l'air de s'excuser. « Complètement incapable. »

J'en étais encore à m'interroger sur le statut de l'eau chaude quand Ishmaïl et Chaïm Shapiro ont dévalé l'escalier quatre à quatre en manquant de percuter Nabeel. Chaïm a montré l'eau qui ruisselait du plafond et s'est mis à crier, ce qui n'était pas franchement utile : « De l'eau, de l'eau partout !

– Le général est coupé, mais l'eau continue couler », lui a répondu Mr. Ali sur le même ton.

Ishmaïl a crié sur Nabeel. Mrs. Shapiro a crié sur Chaïm, qui lui a crié dessus à son tour. Je lui ai crié de se taire. Tout le monde s'est mis à crier sur tout le monde. Quelque part dans la maison, Wonder Boy s'est mis à miauler.

Mrs. Shapiro, qui avait renoncé à éponger le sol avec sa blouse de soie, l'a brandie et s'est mise à frapper sur son beau-fils.

« C'est tout ta faute. Tu veux faire le séparation du *wasser. Wasser* juif, *wasser* arabe. Maintenant tu as le *wasser* qu'il pisse.

– Ce n'est pas ma faute, Ella. Ces incapables d'Arabes ont coupé la mauvaise canalisation. »

Sur ce, on a sonné.

Nous nous sommes tus et nous avons regardé la porte. À travers le verre sablé, je distinguais une grande silhouette sombre. Personne n'a bougé. On a de nouveau sonné. C'était Mark Diabello.

« Bonjour... » Il a contemplé la scène du hall, embrassant du regard les visages rougis qui émergeaient des nuages de vapeur, le sol trempé et l'eau qui coulait à flots. « Georgina, je voulais juste...

– Entre. Nous avons un petit souci avec l'eau…

– Qui c'est ? a demandé Mrs. Shapiro, se redressant en souriant au bel inconnu. Vous êtes le nouveau assistant ?

– Je vous présente l'associé de Mr. Wolfe, ai-je dit. Mark Diabello.

– L'associé de mon Nicky ? Charmante ! » s'est-elle exclamée en battant des paupières.

Il s'est avancé en tendant la main, la fossette du menton aguicheuse, le sourire plissant les joues, les yeux vert, noir et or scintillant tant et plus.

« Enchanté, Mrs. Shapiro. Vous permettez que je vous dérange une seconde… Le titre de propriété… »

À cet instant, il y a eu un épouvantable bruit d'arrachement au-dessus de nos têtes. Tout le monde a levé les yeux. Une des corniches en plâtre de style dorique qui soutenaient la voûte romane d'où provenait la fuite avait commencé à se fissurer. La fissure s'est élargie sous nos yeux. La corniche a glissé de côté, puis elle est tombée. Mr. Diabello a fait un pas en arrière en chancelant. Ses genoux se sont dérobés. Sa bouche s'est ouverte, mais aucun son n'en est sorti. Puis il s'est affaissé lourdement par terre. Il venait d'être frappé par un détail d'époque.

Pauvre Mr. Diabello. Quand l'ambulance est arrivée, il était assis à même le sol humide, adossé au mur sous la marque grise de la photo de Lydda – c'était le coin à crottes, mais s'il y en avait une qui traînait, il y avait belle lurette qu'elle avait dû être nettoyée à grande eau –, pressant une pochette blanche immaculée sur la plaie qu'il avait à la tête.

Après cet incident, pourtant, une étrange paix empreinte de lassitude s'est abattue sur la maison. L'eau a enfin cessé de couler une fois le chauffe-eau vide. Ishmaïl a sorti un balai et entrepris d'évacuer l'eau par la porte d'entrée – il devait y en avoir des dizaines de litres. Les chats dansaient autour des tourbillons, excités par cette agitation, mais ne voulant pas se mouiller les pattes. Mrs. Shapiro dansait également en prodiguant des murmures d'encouragement. Nabeel est allé faire du café à la cuisine. Quand la porte s'est ouverte, j'ai surpris des bribes de conversation.

Mr. Ali : Où tu trouves ta trousse à outils, Chaïm ?

Chaïm : B&Q. Tu veux je te montre ?

Je suis restée avec Mr. Diabello jusqu'à l'arrivée de l'ambulance.

« Je pensais bien que tu étais là. Je suis venu te voir, Georgina, a-t-il murmuré. Je n'avais pas réalisé que ton mari était de retour.

– Oui, j'aurais dû te prévenir. Désolée. Toi et moi… c'est fini, Mark. » J'ai serré sa main tandis qu'on l'emmenait dans l'ambulance. « Mais on s'est bien amusés. »

« Mrs. Shapiro, ai-je dit d'un ton faussement détaché, vous

sauriez où se trouve le titre de propriété de la maison, par hasard ? »

Mr. Ali et Chaïm Shapiro étaient partis au B&Q dans un silence viril et je prenais le café en tête à tête avec Mrs. Shapiro au coin de la cheminée du bureau, en écoutant les sonates pour piano de Prokofiev qui s'égrenaient sur le tourne-disque, tandis que les pantoufles du *Roi Lion* fumaient sur le pare-feu.

« Pourquoi je besoin de titres ? » Elle me regardait les yeux plissés.

« Apparemment, la maison n'est pas enregistrée au cadastre.

– Sur ce maison, je payais l'impôt soixante ans, pas le problème.

– Mr. Diabello dit qu'il vaudrait mieux l'enregistrer au cas où vous voudriez la vendre à un moment ou un autre.

– Je le vends rien.

– Bien sûr, il n'y a aucune raison pour que vous vendiez. » Il était inutile de discuter avec elle. « Mais il vaudrait mieux pour vous que la maison soit enregistrée à votre nom, Mrs. Shapiro. Comme ça, personne ne pourrait vous la prendre. »

Elle a sorti une cigarette de son sac et l'a mise à sa bouche.

« Vous croyez que Chaïm qu'il veut me le prendre ?

– Tout le monde la veut. Chaïm. Mrs. Goodney.

Même Mr. Wolfe et Mr. Diabello. C'est une propriété très convoitée.

– Et vous, Georgine ? »

Elle m'a dit cela l'air de rien, sans me regarder, en cherchant ses allumettes au fond de son sac. Je me suis demandé si c'était une accusation.

« C'est vraiment une très belle maison, lui ai-je répondu, mais j'ai déjà une maison.

– Quand je suis morte, vous pouvez avoir, Georgine. »

J'ai ri. « C'est gentil, mais elle est trop grande pour moi. Il y a trop de problèmes.

– Vous pouvez avoir si vous habitez dedans et que vous paye l'impôt. »

Elle m'a agrippée par la main pour m'attirer vers elle. Elle était soudain très grave.

« Cette maison – elle appartient personne. Artem qu'il trouvait vide. Abandonnée. Les occupants ils enfuyaient.

– Mais pourquoi ?…

– Vous savez, Artem venait de marier. Il avait besoin de l'endroit pour habiter.

– Avec Naomi ? »

Elle a évité mon regard. « C'était la guerre. Bombardements allemands. Partout les gens couraient. »

Au-dessus de nos têtes, il y a eu un bruit de tuyau de cuivre, suivi d'une longue diatribe. Chaïm et Mr. Ali avaient dû revenir du B&Q. Brusquement, on a entendu des allées et venues précipitées dans l'escalier, du vacarme et des cris dans le fond.

« Alors, ils se sont installés là ?

– Que c'est le belle maison, hein ? Même le piano. Bechstein. Quelquefois *mit Mutti* on venait jouer. Il jouait le violon, on accompagnait *mit* le piano.

– *Deux Yeux bruns.*

– Vous savez, Georgine, j'étais très jeune. Je savais rien – je savais juste que je suis amoureuse. » Elle a plissé la bouche en soufflant des ronds de fumée qui ont été aspirés vers le feu par l'air chaud avant de disparaître dans les flammes. « Quand tu es amoureux, quand tu as l'idée dans le tête, tu penses pas toujours à conséquence. »

Je me suis remémoré ma conversation avec Bouche de salope, ses timides excuses que j'avais acceptées avec tant de mauvaise grâce.

« Vous pensiez que le seul fait d'être amoureuse justifiait tout ?

– Je pensais juste je peux pas vivre sans lui. Et elle était pas bon pour lui, celle-là. Toujours elle le harcelait pour partir chez Israël. Un pauvre homme avec le poumon détruit. À quoi il peut servir chez Israël ?

– Du coup, elle est partie toute seule ?

– Elle brûlait comme si elle est en feu. Elle tenait pas

sur place. Toujours là parler de Sion – de faire la patrie pour tous les juifs du monde. Mais lui qu'il voulait juste mourir en paix. » Dans la cheminée un bout de bois est tombé, projetant un nuage de cendres contre le pare-feu. « Il était plus que le poussière, déjà.

– Vous ne vous êtes pas sentie ?... »

Elle a haussé les épaules, l'air vague, en rejetant la tête en arrière. « J'occupais de lui. Il pouvait pas rester seul. Il disait il ira là-bas quand il va mieux. »

Je voulais lui demander si elle s'était sentie coupable. D'avoir volé le mari de Naomi et le père de Chaïm.

« Elle lui a écrit d'Israël, non ? »

Elle a hoché la tête. « Oui. Ces lettres. J'ai toutes brûlées. »

Elle avait le visage tourné vers le feu et je ne voyais pas son expression.

« Pas toutes. »

45

La danse des polymères

Ce n'est qu'en rentrant chez moi ce soir-là que je me suis aperçue que j'avais toujours l'œuf de Pâques *Space Invaders* dans mon sac. Je l'ai déballé et rangé au fond du placard. Il était si affreux que je ne pouvais me résoudre à le donner à Ben ou Stella.

« C'était qui, cet homme ? » m'a demandé Stella pendant que nous débarrassions toutes les deux la table après un curry thaï. Nous étions seules dans la cuisine qui se trouvait en sous-sol. Rip et Ben regardaient un match de foot en haut.

« Quel homme ?

– Ce type sinistre en Jaguar, genre mielleux, qui est venu cet après-midi quand tu n'étais pas là ? » Elle avait une moue désapprobatrice.

– Oh, ça doit être l'agent immobilier. Il veut acheter la

maison d'une vieille dame que je connais, à Totley Place. Pourquoi ça ?

– C'est papa qui est allé ouvrir. Ils ont tous les deux été un peu surpris de tomber nez à nez. » Elle m'a lancé un regard noir. « Il avait un bouquet de fleurs. Des roses blanches.

– Ah oui ? Elles devaient être pour une autre.

– Non, il les a laissées. Elles sont dans ma chambre. J'ai dit à papa qu'elles étaient pour moi.

– Merci, mon ange. Tu peux les garder. Je n'en veux pas. »

Elle a esquissé un sourire fugace, un sourire lumineux.

Le lendemain, Rip m'a fait une bise sur la joue avant de partir au bureau, ce qui explique sans doute que j'ai eu autant de mal à écrire sur la vengeance de Gina. Malgré le retard que j'avais accumulé sur l'article de la colle, j'étais bien décidée à terminer le chapitre 8 et j'ai mis de côté mon ordinateur pour ouvrir mon cahier.

Le Cœur éclaté
Chapitre 8
La vengeance de Gina (suite)

Déguisée en ~~laveuse de carreaux~~ ~~chiffonnière~~ représentante en produits de beauté, elle se rendit à Holty Towers et au cœur de la nuit elle traversa sur la pointe des pieds la salle de bains ~~atenante~~ ~~atlante~~ ~~atelier~~ (saleté de Microsoft ! – je me servais du correcteur de mon ordinateur car mon dictionnaire soutenait toujours une étagère du bureau de la mezzanine) *luxueuse, puis sortit la mortelle ~~ampoule~~ ~~flasque~~ fiole de son coffret Avon et étala une mince couche de colle ultra-forte sur le siège des ~~WC~~ toilettes. Puis elle fit couler un petit filet d'eau froide dans le lavabo. Pssss… Un sourire se répandit sur ses lèvres rosées.*

Mais il y avait quelque chose qui clochait. J'éprouvais une vague pitié pour Rick. Bon, d'accord, il était un peu léger parfois, mais il avait un côté attachant, non ? Ces boucles blondes ébouriffées. La vulnérabilité du dormeur. Et Gina, elle déraillait, elle aussi : quelle idée de s'être entichée de ce joueur de mandoline aux airs louches ! Quels idiots tout de même, ces deux-là ! Pourquoi ne pouvaient-ils pas s'accommoder de leurs différences et rester ensemble ? Je me suis aperçue que quelque chose avait changé en moi – la vengeance ne m'intéressait plus vraiment. J'étais prête à passer à autre chose.

J'ai refermé mon cahier et ouvert le document d'*Adhésifs* sur lequel j'étais censée travailler : « La chimie de l'assemblage par collage ». Le soir du Nouvel An, lorsque nous nous étions tous pris par la main comme des molécules s'agglomérant les unes aux autres pour chanter « Ce n'est qu'un au revoir… », j'avais brusquement compris la polymérisation. Et là, j'ai trouvé encore mieux : la polymérisation dépend du partage. Un atome auquel il manque un électron cherche un autre atome qui possède précisément ledit électron (ça s'appelle la covalence, pour ceux que la chimie intéresse), puis il saisit l'électron dont il a besoin. Mais il n'est question ni de vol, ni de coup bas. Les deux atomes finissent par partager l'électron et c'est ce qui maintient tous les atomes ensemble en une longue et merveilleuse danse qui se répète à l'infini – c'est prodigieux, la colle !

Je ne pouvais pas m'empêcher de penser à Canaan House et je me suis mise à songer aux deux Naomi essayant d'attraper Artem. Cela s'était-il déroulé dans le partage et la danse, ou était-ce plutôt une histoire de vol et de coups bas ? Artem aurait-il pris une autre décision s'il avait lu les lettres de Naomi ? C'était d'une méchanceté monstrueuse d'avoir brûlé ces lettres, et cependant elle ne m'avait jamais paru méchante. À croire que l'amour autorise toutes les libertés. Et, au bout du compte, la mort, l'ultime ligne de fracture, avait séparé Ella et Artem. Et Canaan House avait été de la danse, elle aussi, partagée par un couple, puis un autre. Mais à qui appartenait-elle réellement ? Certains aspects de cette histoire restaient obscurs. Il devait y avoir un moyen de les éclaircir.

Après le déjeuner – je n'avais trouvé que quatre radis et un demi-*bagel* avec un vieux bout de fromage dans le frigo –, je suis rapidement montée aux toilettes, et c'est là que j'ai compris le second détail qui clochait dans « La vengeance de Gina ». Nous sommes différents, hommes et femmes. Les hommes font pipi debout.

L'après-midi, il s'est arrêté de pleuvoir le temps que j'enfile mon manteau de Batwoman pour filer à la bibliothèque de Fielding Street, derrière Holloway Road. Les ouvrages de référence se trouvaient au dernier étage dans une salle feutrée aux plafonds hauts, où seuls bruissaient les reniflements des lecteurs trempés et le craquement sec des pages tournées. Le temps humide avait attiré là tous les sans-abri, dont les relents moites de crasse se mêlaient à l'odeur de moisi des livres et au parfum municipal de cire et de désinfectant. De silencieuses silhouettes voûtées s'observaient furtivement au-dessus des pages. Miss Tempest s'en donnerait à cœur joie ici.

« Je cherche l'histoire d'une maison qui se trouve pas très loin de chez moi. Canaan House. À Totley Place. »

La bibliothécaire a levé les yeux de son ordinateur.

« C'est intéressant comme nom. C'était la mode à l'époque victorienne de donner des noms bibliques aux maisons. Il y a une quantité de Bethel et de Sion. Il y a même une résidence du Jourdain, a-t-elle ajouté avec un petit rire effacé.

– Vous avez des vieilles cartes, des documents de ce genre ?

– Les archives historiques locales ont été transférées à la bibliothèque Finsbury. Nous n'avons qu'une petite section d'histoire locale là-bas, à droite. »

Sur la vingtaine de volumes, le seul ouvrage consacré au quartier s'intitulait *Walter Sickert's Highbury*. J'ai parcouru les têtes de chapitre et les illustrations. Page 79, il y avait une lithographie représentant une grande maison avec un arbre devant – plus je la regardais, plus j'étais certaine que c'était la même maison avec le même araucaria, mais bien plus petit. La légende disait : « La maison de l'Araucaria, résidence de Miss Lydia Hughes, dont Sickert a peint le portrait en 1929, quand il habitait près de Highbury Place. » Peut-être le nom de la maison avait-il été changé. J'ai consulté l'index et feuilleté tous les chapitres, mais je n'ai pas trouvé d'autre information.

Puis je suis tombée sur un petit fascicule avec une couverture jaune cartonnée : une *Histoire du témoignage chrétien à Highbury*, manifestement publiée à compte d'auteur. Je l'ai apporté dans la salle de lecture et je me suis installée à une table. Le fascicule consistait essentiellement en une liste passablement rébarbative d'églises anglicanes et catholiques accompagnée de croquis en pattes de mouche, mais les derniers chapitres étaient consacrés à ce que l'auteur appelait les « sectes » : méthodistes, baptistes, congrégationalistes, quakers, unitariens, presbytériens, adventistes du septième jour, Témoins de Jéhovah, pentecostaux, sandemaniens, christadelphiens, swedenborgiens, Saints du dernier jour, Frères de Plymouth. Autant de croyances différentes attendant, tout comme Ben avant, le jour du Jugement qui devait faire naître un paradis nouveau et une terre nouvelle – non seulement là-bas, sur cette terre aride, épineuse, tourmentée, mais ici, dans la verdure humide de Highbury. Ils attendaient toujours. Qu'ils attendent ! me suis-je dit.

Vers la fin du chapitre, une petite notice expliquait : « Une communauté thérésienne s'établit à la fin des années trente dans une maison située sur Totley Place. Elle fut évacuée à la suite d'un raid aérien en 1941 et la communauté fut dispersée. » J'ai été saisie d'une bouffée d'excitation – j'y étais peut-être ! Mais il n'y avait rien d'autre. L'auteur était une certaine Miss Sylvia Harvey. Le livre avait été publié en 1977, il y avait trente ans. J'ai noté les détails sur un bout de papier. Un tel silence régnait dans la salle qu'on entendait uniquement le crissement de mon stylo. Il n'y avait aucun autre bruit, à part les reniflements et les craquements des pages, ponctués ici et là par le bruit de la fontaine à eau qui gargouillait comme un estomac dyspeptique. Ça m'a rappelé que l'opération de papa devait avoir lieu ce jour-là et je me suis demandé comment elle s'était passée.

Dans le fond, du côté des magazines et des journaux, un grand type costaud se débattait avec le *Financial Times.* Il me tournait le dos. Il avait les cheveux gris bouclés – non, blonds avec des mèches grisonnantes. Je l'ai fixé. Tout d'abord, j'ai cru que mes yeux me jouaient des tours, mais il n'y avait aucun doute possible. C'était Rip. Par terre, à côté de lui, il y avait sa mallette et notre grosse bouteille thermos bleue. J'ai eu envie de me précipiter vers lui et de lui mettre les mains sur les yeux pour lui faire la surprise, mais quelque chose m'en a empêchée – cette façon qu'il avait de se tenir affaissé sur sa chaise, ses larges épaules voûtées, le regard rivé droit devant lui. Il avait l'air vaincu. Il ne lisait même pas le journal, il passait juste le temps. Il passait le temps dans la bibliothèque parce qu'il ne voulait pas que l'on sache qu'il n'était pas au travail.

J'ai apporté le fascicule à l'accueil.

« Comment puis-je retrouver cet auteur ? » ai-je demandé à voix basse.

La bibliothécaire a eu un sourire vague. « Vous pouvez essayer l'annuaire. Ou Internet. Voulez-vous que je regarde ?

– Non, ça ira. Merci pour votre aide. »

J'ai ramassé mes affaires aussi discrètement que possible et je suis sortie sur la pointe des pieds.

46

Des ronds de fumée

J'avais déjà commencé à préparer le dîner quand Rip est rentré, peu avant six heures. C'était un plat compliqué à base de tofu et de citronnelle. Stella était sortie et Ben était affalé sur le canapé avec un livre. Depuis sa crise, il évitait l'ordinateur et ne regardait la télévision que de temps à autre.

« Tu veux que je t'aide, m'man ? » m'avait-il lancé. Sa voix était plus grave, moins éraillée qu'il y avait deux semaines. Il avait changé si vite.

« Ça va ! » lui avais-je crié à mon tour.

J'aimais bien le voir le nez plongé dans un livre, comme moi à son âge, même si je me suis aperçue, quand il est venu dîner, que le livre en question s'intitulait *La Vengeance des motardes à gros seins.*

« Hello, Ben ! Hello, Georgie ! » a lancé Rip en rentrant

avant de monter directement dans le bureau en mezzanine. Je l'ai entendu vaquer ici et là en écoutant de la musique. Une demi-heure plus tard, j'ai passé la tête par la porte.

« Le dîner est prêt.

– C'est quoi, ça ? »

Il se tenait au milieu de la pièce avec un sac du B&Q à la main.

« Où est-ce que tu l'as trouvé ? » Puis je me suis souvenue. Je l'avais fourré dans le placard quand Mark Diabello était passé.

« Tu as l'intention de faire du bricolage ? » Il me dévisageait attentivement, l'air intrigué. Je me suis sentie devenir cramoisie.

« Non, pas du bricolage. Du collage.

– Du collage ? »

J'ai souri intérieurement devant son ton incrédule.

« Tu sais, coller des trucs – c'est une forme d'art. »

Nos regards se sont croisés. Il a souri. J'ai souri. Nous sommes restés là à nous sourire par-delà le flot des mensonges. Je ne lui dirais jamais que je l'avais vu à la bibliothèque, que je m'étais aperçue de sa vulnérabilité. Je lui ai tendu les bras en avançant d'un pas hésitant. Il y a eu un léger grésillement et une odeur de brûlé, et Ben s'est écrié de la cuisine : « Vous venez ! Le riz est en train de brûler ! »

Papa disait toujours : « J'aime bien quand c'est un peu brûlé », ce qui tombait bien, car maman lui faisait volontiers cette faveur. Il lui arrivait d'abuser, comme le premier dimanche où Rip était venu déjeuner à Kippax, quand elle avait posé un poulet calciné tout racorni devant papa afin qu'il le découpe.

« Pauv' bougre, on dirait qu'on l'a incinéré.

– Y a pas de mal à 'cinérer, ça fait aller du corps. »

Je n'avais pas encore dit à maman que Rip était revenu – je ne voulais pas tenter le diable –, mais je l'ai appelée après le dîner pour savoir comment s'était passée l'opération de papa. Elle était d'humeur exubérante.

« Ils ont fait une biopic. Le docteur dit que c'est pas le cancer.

– Ah, super. Comment va-t-il ?

– Il pète la forme. On mange très bien à l'hôpital. Il s'est engueulé sur l'Irak avec le type qu'était dans le lit d'à côté. Keir va rentrer, au fait. Je te l'avais dit ?

– Non. Ça aussi, c'est une bonne nouvelle. »

Je serais contente de revoir Keir. Depuis qu'il s'était engagé dans l'armée, nous vivions dans des mondes éloignés. Aujourd'hui, nous n'avions plus en commun que l'enfance que nous avions partagée, mais maman jouait le rôle du ciment familial en veillant à nous maintenir ensemble.

« Elle nous a envoyé des jolies fleurs, au fait, ta Mrs. Sinclair. Et une carte. Meilleurs vœux de prompt rétablissement.

– Je ne savais pas qu'elle était au courant pour papa.

– Oh, on se donne des nouvelles. Elle appelle de temps en temps. Ou alors c'est moi qui l'appelle.

– Ah bon ? »

Je l'ignorais totalement. Je me suis demandé ce que maman et Mrs. Sinclair pouvaient bien se raconter. Puis je me suis dit qu'elles devaient sans doute parler de nous.

Je me suis resservi un verre de vin et me suis allongée les pieds sur le canapé pendant que Rip et Ben mettaient la casserole de riz à tremper et rangeaient la cuisine. Puis le téléphone a sonné.

« Georgine, venez vite ! Nous avons l'invitation ! »

Mrs. Shapiro avait beau s'égosiller d'une voix essoufflée à l'autre bout du fil, il était hors de question que je bouge.

« Et nous sommes invités à quoi, au juste ?

– Attendez, je regarde… Ah, voilà ! Nous sont invités à l'obsèque ! »

Mon cœur a fait un bond. S'il y avait bien quelque chose dont je n'avais pas besoin, c'était de mauvaises nouvelles.

« Oh non… Qui est-ce ?

– Attendez ! C'est ici ! Je réussis pas lire le nom. On dirait Mrs. Lily et Brown, quatre-vingt-onze ans, a éteint en paix dans le sommeil à Nightmare House. »

La pauvre, elle n'avait jamais réussi à en sortir.

« C'est qui, cette Brown Lily ?

– C'est la vieille dame avec qui vous êtes devenue amie à l'hôpital. Et à Northmere House. Vous savez – celle qui demandait toujours des cigarettes ?

– Celle avec le pantoufles de la morte ? C'est pas mon amie – elle est frappée.

– Mais c'est bien d'être invitée à ses obsèques. Sa famille devait se souvenir de vous.

– Que c'est bien, l'obsèque ?

– Vous ne voulez pas y aller ?

– Bien sûr, il faut aller ! »

Le crématorium se trouvait à Golders Green, à des kilomètres de Hampstead Heath. J'en ai parlé à Nathan, lui disant qu'il pouvait peut-être venir avec son Tati.

« Ça lui plaira. Je suis sûre qu'il y aura beaucoup de chants. »

Nous avons réussi tant bien que mal à nous entasser à quatre dans la Morgan de Nathan, qui n'était en fait qu'une deux-places améliorée. Mrs. Shapiro s'est installée devant, à côté de Nathan. Elle portait un long manteau noir qui sentait bon la naphtaline et le Chanel N° 5 – préférable à son astrakan puant –, assorti d'un petit béret noir très chic orné d'une voilette et d'une plume. Le Tati de Nathan s'est faufilé à côté de moi à l'arrière. Il avait un imperméable et un feutre à la Bogart. J'avais mis ma veste grise élégante avec un foulard noir. La voiture a remonté laborieusement Finchley Road en peinant sous sa cargaison. C'était un samedi matin d'avril, l'air était doux et la lumière étincelante sous le soleil oblique. Déjà, dans les rues résidentielles, les cerisiers en fleur couvraient les jardins d'un voile mousseux.

Le Tati de Nathan a pris la main de Mrs. Shapiro pour l'aider à gravir les marches du crématorium et elle a l'a remercié d'un gracieux signe de tête. Quand nous sommes arrivés, il n'y avait que deux autres personnes dans la chapelle : une dame grisonnante toute frêle qui nous a dit être la nièce de Mrs. Brown, Lucille Watkins, et son père, le frère de Mrs. Brown. C'était un grand monsieur élancé avec les joues roses et l'œil pétillant – un de ces increvables nonagénaires tout secs à l'air gaillard.

« Charlie Watkins, s'est-il présenté, le regard s'attardant sur les doigts au vernis écaillé qu'elle lui tendait élégamment. Je crois que nous nous sommes croisés à l'hôpital. Et vous connaissiez bien notre Lily ? »

J'ai vu du coin de l'œil *Tati* qui l'observait en se hérissant.

« Pas très bien, lui a répondu Mrs. Shapiro en battant des paupières. Seulement à cause de cigarette. Et de pantoufle. Elle avait le pantoufle de la morte.

– Une vraie cheminée d'usine, a-t-il gloussé en hochant la tête en direction du cercueil couvert de fleurs. C'est bien notre Lily, ça. »

Je n'ai pas été particulièrement étonnée de voir Miss Baddiel arriver alors que le service allait commencer.

« C'est toujours teeeellement triste quand un client disparaît », a-t-elle murmuré en cherchant un paquet de mouchoirs dans son sac.

Une musique s'élevait dans la chapelle, des accents d'orgue lugubres qui donnaient le sentiment d'avoir déjà un pied dans la tombe. Le cercueil sous sa grande couronne de fleurs était posé sur un catafalque ornementé à gauche de l'autel. Une plaque apposée au mur nous rappelait que *Mors janua vitae.* La mort est la porte de la vie. J'avais déjà entendu ça quelque part. De hautes fenêtres à petits carreaux plombés tamisaient le soleil qui filtrait en baignant la salle d'une espèce de liquide froid d'apparence glauque. Ça m'a fait penser aux mollusques bivalves cramponnés sous la mer.

Nous nous sommes éparpillés sur les bancs pour donner l'impression que nous étions plus que sept. Mrs. Shapiro s'est assise au premier rang et le Tati de Nathan a pris place derrière elle. Nathan et Miss Baddiel se sont installés de l'autre côté, également devant. La nièce et le père se sont répartis au milieu, et moi, je me suis mise au fond. Quelle tristesse de n'avoir que sept personnes à son enterrement, dont deux que vous n'avez jamais rencontrées ! Un monsieur filiforme en costume noir a accompli un bref rituel liturgique en marmonnant d'une voix monocorde, puis il a disparu. Nous nous sommes tous regardés en nous demandant si c'était fini. Puis, soudain, il y a eu un bruissement derrière nous ; l'orgue s'est interrompu en plein milieu, cédant la place à un air entraînant de grand orchestre. Ba-doop-a-doop-a ! Ba-doop-a-doop-a !

Tout le monde a eu le souffle coupé. Charlie Watkins s'est levé, il a esquissé un déhanchement entre les bancs, s'est faufilé devant sa fille et a rejoint le lutrin en se trémoussant. La musique s'est estompée peu à peu, il a toussoté, puis s'est lancé :

« Mesdames, messieurs, nous sommes ici pour rendre hommage à une grande dame et une grande danseuse, Lily Brown, ma sœur, née Lillian Ellen Watkins en 1916, à Bow. C'était la benjamine d'une famille qui comptait trois sœurs et deux frères. (Il lisait un papier qu'il avait tiré de la poche de son veston, en modulant sa voix à la manière d'un acteur.) Je suis le dernier qui reste, et voilà que toute cette vie passée, le bonheur comme la tristesse, les triomphes comme les déceptions, est emportée par les vagues du temps. » Il s'est mis à chercher un mouchoir dans sa poche. Il y a eu de l'agitation sur les bancs. Ce n'était pas du tout ce à quoi nous nous attendions. Il s'est mouché, puis il a poursuivi : « Toute jeune déjà, Lily dansait comme un ange. »

Les Watkins étaient une famille de comédiens du music-hall. Charlie a raconté comment Lily avait suivi des cours de danse du soir, puis elle était tombée enceinte et s'était enfuie à Southend, avant de revenir à Londres un an plus tard, sans bébé et sans fiancé. Elle avait percé le jour où elle avait été engagée dans la troupe du Daly's. Il s'est interrompu en reniflant dans son mouchoir – ce n'était pas un effet, son émotion était réelle –, puis il s'est penché en avant, s'écartant de son texte.

« Je l'ai vue sur scène, elle lançait la jambe si haut qu'elle aurait pu botter le cul d'une girafe. »

Au premier rang, je voyais Miss Baddiel trembloter comme de la *jelly* en se tamponnant les yeux avec un mouchoir, tandis que Nathan lui enlaçait l'épaule avec sollicitude. Ce geste a éveillé en moi un élan de nostalgie – non pas de Nathan, c'était du passé, mais de la chaleur du réconfort humain.

Lily s'était installée à Golders Green et avait épousé un soldat, qu'elle avait ensuite perdu.

« C'est là qu'elle s'est mise à fumer cigarette sur cigarette comme si elle voulait monter au paradis », a expliqué Charlie.

Il s'est encore mouché, puis a levé les yeux. « Mesdames, messieurs, je vous demande de prier pour l'âme de Lillian Brown. Puisse-t-elle danser avec les anges. »

Le grand orchestre a repris. Ba-doop-a-doop-a ! Ba-doop-a-doop-a ! Puis, dans un fracas de rouleaux, le cercueil a disparu derrière les portes en bois. J'ai songé à la dame que j'avais connue sous le surnom de « la frappée », en m'efforçant de conserver son visage à l'esprit tandis que le cercueil s'éloignait dans un bruit de ferraille, et malgré la musique joyeuse, les larmes me sont montées aux yeux. Le temps nous joue des tours si cruels ! Avant les cigarettes et les ongles de pied racornis, avant les rides creusées et l'esprit chiffonné, il y avait eu une autre Mrs. Brown – une jeune femme qui dansait dans une des plus célèbres troupes de Londres, une jeune femme qui savait profiter de la vie et pouvait botter le cul d'une girafe.

Ba-doop-a-doop-a ! Ba-doop-a-doop-a ! Miss Baddiel, Nathan et le Tati de Nathan se balançaient en cadence en agitant les mouchoirs que Miss Baddiel leur avait tendus. La nièce et Charlie Watkins dansaient en sanglotant et je me suis aperçue que mes pieds étaient irrésistiblement entraînés par le rythme. Seule Mrs. Shapiro restait clouée sur place – je ne voyais pas son visage car elle me tournait le dos. Soudain, un courant d'air a poussé le battant de la porte derrière laquelle avait disparu le cercueil et, je vous assure que je n'invente rien, une bouffée de fumée grise s'est échappée en nous enveloppant de volutes avant d'être emportée.

Nous sommes sortis sous le soleil qui nous piquait les yeux et notre triste petit groupe s'est dirigé d'un pas lourd vers le jardin du Souvenir en longeant les parterres de fleurs. Mrs. Shapiro a allumé une cigarette et s'est assise sur un banc pour la fumer, comme en hommage à sa grincheuse camarade de tabagisme. Je me suis promenée en regardant les noms gravés sur les plaques commémoratives qui couvraient les murs – il y en avait tant. Bientôt, me disais-je, nous serons tous anonymes, si ce n'est pour une poignée de gens qui nous connaissent, jusqu'à ce que ces derniers sombrent à leur tour dans l'anonymat.

C'est toujours comme ça, les obsèques – même lorsqu'on connaît à peine le défunt, la proximité de la mort en elle-même vous plonge dans la mélancolie. Je repensais à ces gens dont les vies mystérieuses avaient effleuré la mienne – la belle Lily Brown avant qu'elle ne devienne la frappée, Mustafa Al-Ali, l'élu, et son jumeau anonyme mort sur le flanc d'une colline, Artem Shapiro qui avait traversé l'Arctique, Naomi Shapiro au regard flamboyant et cette vieille dame que j'appelais Naomi Shapiro mais qui était en réalité une autre. Étaient-ce des gens exceptionnels, ou était-ce l'époque à laquelle ils avaient vécu qui les rendait exceptionnels à nos yeux ? Notre monde protégé d'après guerre avait-il ôté à la vie tout son glamour et son héroïsme (sniff), ne nous laissant qu'une coquille vide – des biens de consommation soigneusement présentés dans leur joli emballage (sniff, sniff) ? Le mouchoir que m'avait donné Miss Baddiel était complètement trempé. Aveuglée par les larmes, j'ai trébuché sur une marche et me suis heurté l'orteil contre un rebord de pierre, manquant de tomber dans l'étang.

Charlie Watkins se cramponnait au bras de sa fille, son grand corps décharné tremblant à chaque souffle. J'avais envie de lui demander ce qui était arrivé au bébé – avait-elle avorté ou avait-il été adopté ? Envie d'en savoir plus sur Mr. Brown – était-ce lui qui l'avait amenée à Golders Green ? L'avait-il aimée ? Était-il resté avec elle jusqu'à la fin ? Mais Charlie avait remis le papier en boule dans sa poche et ses yeux étaient emplis de larmes. Il a montré la cheminée, où un mince rond de fumée parfaitement formé s'agitait dans le vent avant de disparaître.

« La voilà qui s'envole ! Notre ange ! »

Une longue plainte stridente s'est élevée dans l'air, pareille à un bruissement d'ailes d'ange. Nous nous sommes tous arrêtés en regardant autour de nous. C'était un bruit qui donnait le frisson, comme si son esprit était parmi nous, tentant de communiquer de l'au-delà.

La fille de Charlie s'est penchée pour lui chuchoter à l'oreille : « Papa, tu siffles !

– Oh, pardon. »

Il a réglé son appareil auditif.

Ce geste a rompu la tension. Tout le monde s'est mis à rire en essuyant ses larmes et s'est dirigé d'un pas résolu vers le parking. C'est bien gentil de songer au temps qui passe et à la présence de la mort, mais il faut travailler, préparer les repas, vivre sa vie. J'ai rangé le mouchoir trempé, et c'est là que je suis tombée sur un objet dur et long au fond de la poche de ma veste. C'était une clef. Je l'ai sortie. D'où venait-elle ? Quand avais-je mis cette veste pour la dernière fois ? Puis je me suis rappelé. C'était la première fois que j'avais rencontré Mrs. Goodney à Canaan House.

Ce n'est qu'en arrivant au parking que nous nous sommes rendu compte que Mrs. Shapiro avait disparu. Nous nous sommes dispersés en ronchonnant pour parcourir les jardins. Tout le monde avait envie de rentrer. Un vent frais s'était levé et toutes ces émotions nous avaient laissés épuisés et affamés. C'est le Tati de Nathan qui l'a retrouvée. En sortant du crématorium, elle était partie de son côté, avait traversé Hoop Lane et rejoint le cimetière juif. Il l'avait découverte errant parmi les tombes et l'avait ramenée avec sollicitude en lui donnant le bras.

« Elle n'arrête pas de parler d'un artiste, m'a-t-il chuchoté. La pauvre ! »

47

La crémaillère

C'est Mrs. Shapiro qui a eu l'idée de pendre la crémaillère pour l'appartement du dernier étage. Un matin, nous avons établi ensemble la liste des invités en prenant un café dans la cuisine. Il y avait du soleil et une douce brise parfumée pénétrait par la porte de service ouverte. Mrs. Shapiro était d'humeur pétulante. Elle avait les cheveux relevés et portait une blouse froissée pas tout à fait blanche accompagnée de son élégant pantalon marron et de ses pantoufles du *Roi Lion.* Elle a remarqué que je les regardais et a haussé légèrement les épaules.

« Elles sont très vilains, hein ? Mais Wonder Boy les adore.

– Mmm, ai-je fait.

– Nous pouvons inviter ce charmante vieux monsieur de crématorium. Il chante très bien. Dommage il est si vieux. Et son petite-fils.

– Bonne idée. Qui d'autre ? »

Aussi incroyable que cela paraisse, Mr. Ali et les Incapables avaient réussi à installer sans autre mésaventure une douche et des toilettes qui fonctionnaient et trois velux dans les pièces du grenier. Ils avaient mis là toutes leurs affaires, et toutes les vieilleries – du moins ce qu'il en restait – étaient entassées dans une petite mansarde dont le plafond était trop bas pour pouvoir y vivre.

« Ça sera le soirée musicale. Ou peut-être le garden-party. À votre avis ?

– Il ne faut pas fixer de programme, je crois. On ne sait pas ce que le temps nous réserve.

– Vous êtes très sage, Georgine », a-t-elle acquiescé comme si je l'éclairais sur la condition humaine.

En haut, on entendait des coups de marteau et des bruits sourds tandis que Chaïm et les Incapables mettaient la touche finale au parquet. Ils avaient loué une ponceuse pour la journée sans se rendre compte du travail de préparation à effectuer. Mr. Ali était allé faire une mystérieuse course au B&Q. Dans la cuisine, tout était propre ; un tas de vaisselle encore couverte de mousse séchait à côté de l'évier.

« Quand ils auront fini l'appartement d'en haut, on pourra peut-être discuter avec Chaïm et Mr. Ali d'éventuelles améliorations dans la cuisine.

– Pourquoi j'ai besoin l'amélioration ?

– C'est vous qui en avez parlé, vous vous rappelez ? Lave-vaisselle, micro-ondes… »

Elle m'a regardée, stupéfaite. De toute évidence, ces projets lui étaient totalement sortis de l'esprit et elle était préoccupée par autre chose.

« Maintenant, Georgine, cette fête va être une bonne occasion pour vous de trouver le nouveau mari.

– Ah oui ? » Il faut avouer qu'elle avait de la suite dans les idées.

« Nous inviterons mon Nicky et l'autre aussi, le bel homme. Peut-être plus beau encore que mon Nicky, non ?

– Oui, très beau, mais… »

Je ne lui avais pas dit que je ne cherchais pas un nouveau mari. Je voulais seulement recycler l'ancien.

« Il faut faire plus de l'effort, Georgine, si vous voulez attraper l'homme. Vous êtes la jolie femme, mais vous avez laissé aller. Vous devez mettre quelque chose joli. J'ai le joli robe, avec le pois rouge *mit* col blanc. Elle ira bien. Et le rouge à lèvres. Il faut le beau rouge à lèvres assorti. J'ai un que vous pouvez emprunter. Il allait bien *mit* le robe. »

J'ai souri d'un air évasif en repensant au maquillage crasseux qui se décomposait dans le tiroir de sa chambre.

Au bout d'un moment, le vacarme a cessé dans la chambre et Chaïm a passé la tête par la porte. Il était en jean et tee-shirt, et il avait de la sciure dans les cheveux et les sourcils.

« Qu'est-ce qu'on fait de toutes les vieilleries, Ella ? Les affaires des occupants précédents ?

– Ceux qui se sont enfuis ? l'ai-je taquiné.

– Il n'y a pas de quoi rire. Partout en Europe des juifs viennent réclamer leurs biens.

– Comme les Palestiniens avec leurs clefs », ai-je rétorqué en souriant. Il a eu l'air furieux.

« Vous, vous n'êtes pas une juive, Miss Georgiana. Vous ne pouvez pas comprendre ce que ça veut dire.

– C'est une tradition du Yorkshire : appeler un chat un chat.

– Un chat est comme un chat ?

– Mais il avait pas les juifs qui habitaient ici, Chaïm, est intervenue Mrs. Shapiro d'un ton apaisant. Pourquoi tu fais toujours les problèmes ? Laisse les vieilleries où ils sont. Viens prendre le café *mit uns.* »

Chaïm a pris une chaise non sans nervosité. Wonder Boy s'était faufilé dans la cuisine les oreilles couchées et rôdait sous la table, la queue frémissante.

« *Raus*, Wonder Boy ! Va faire le petite vœu plus loin ! » l'a chassé Mrs. Shapiro.

Soudain, un effroyable grincement trépidant a secoué toute la maison. C'était la ponceuse qui se mettait en branle. Wonder Boy a rivalisé en poussant un miaulement de protestation. Chaïm Shapiro s'est levé d'un bond.

« Il faut mieux que je donne le coup de la main à ces garçons. Ils sont complètement incapables. » Il m'a fait un grand sourire. « Un chat est comme un chat. »

Quand nous nous sommes retrouvées seules, Mrs. Shapiro s'est penchée vers moi pour me chuchoter : « Il est fou, hein ? Il était frappé dans l'œil *mit* le bout de verre, vous savez. Les garçons jetaient les pierres sur le bus. Je crois aussi un bout qu'il est allé dans le cerveau. »

Après avoir établi la liste des invités, nous nous sommes réparti les tâches. Mrs. Shapiro a dit qu'elle appellerait Wolfe & Diabello et accepté avec réticence d'inviter également Miss Baddiel. J'ai été chargée d'appeler Nathan et son Tati. J'ai pris mon téléphone dès que je suis arrivée à la maison.

« Ton père a fait une conquête, Nathan.

– Formidable ! Dès que vous vous êtes rencontrés, j'ai su que vous étiez faits l'un pour l'autre. Tu seras une belle-mère parfaite, Georgia. »

L'idée m'a amusée. « C'est ça, je t'enfermerai et je te donnerai des pommes empoisonnées. Alors, tu ne veux pas savoir qui c'est ?

– Je crois que je devine. C'est ta vieille dame, Mrs. Shapiro ?

– Il t'a dit quelque chose ?

– Il a dit que c'est dommage qu'elle soit aussi vieille.

– Elle dit la même chose à propos de lui. En tout cas, vous êtes tous les deux invités à une fête. »

Je lui ai précisé le jour : un samedi, vers seize heures.

« Note-le dans ton agenda. Ce sera une soirée musicale ou une garden-party.

– Je ne sais vraiment pas quoi mettre, a-t-il murmuré en minaudant.

– Si ça peut t'aider, je vais porter une robe rouge à pois blancs avec un col blanc. »

J'allais raccrocher, mais j'avais encore à l'esprit ma conversation avec Chaïm et je me suis soudain souvenue de l'exposition sur la colle.

« Tu te rappelles, Nathan, quand tu m'as dit qu'on te traitait de juif pétri de haine de soi ?

– J'ai dit ça ?

– Oui. Je pensais que c'était parce que tu étais gay. Ou pet… » Je me suis arrêtée. « … ou je ne sais pas.

– Écoute, Georgia, il y a des gens qui se passionnent pour ce qui les différencie. Moi, ce qui me passionne, c'est ce qui les lie. C'est tout.

– Mais… c'est peut-être le fait de ne pas croire en une patrie juive, non ?

– Le patelin d'où tu viens – Kippers ? –, c'est ta patrie ? »

Il avait un ton vaguement agacé.

« Kippax, pas Kippers. Ça devrait s'appeler Fritax Surgelax. » Au moment même où je prononçais ces mots, je m'en suis voulue de cette trahison. « C'est juste que les gens sont obsédés par leur patrie, comme si c'était ce qu'il y avait de plus important dans leur vie. Je trouve ça étrange… » À l'autre bout du fil, j'ai cru percevoir un silence irrité. Mais quand Nathan a repris la parole, il avait la voix triste et non irritée :

« C'était la génération de Tati. Ils ne rêvaient que de Sion. Et c'était un beau rêve. Mais ils se sont aperçus qu'on ne peut pas bâtir des rêves avec des armes. Juste des cauchemars. Est-ce que ça répond à ta question ? »

J'ai réfléchi. Oui et non.

« J'aurais pensé que les juifs seraient… comment dire ? Après toutes ces souffrances… plus compatissants.

– Et pourquoi la souffrance rendrait-elle compatissant ? Ça ne marche pas comme ça, Georgia. Les enfants maltraités deviennent souvent des adultes qui maltraitent à leur tour. C'est ce qu'ils ont appris.

– Mmm. Mais…

– Et si on est convaincu d'être une victime, ou ne serait-ce qu'une victime potentielle, eh bien, on est libre d'agir à sa guise, non ? De tuer autant de gens qu'on veut. »

Mais si nous avions tyrannisé Carole Benthorpe, ce n'est pas parce que nous avions été maltraités, avais-je envie de lui répondre. C'était parce que nous croyions sincèrement que quelque chose – quelque chose qui nous était supérieur – nous en donnait le droit.

« C'est comme quand on colle un joint, Georgia. L'article que tu as corrigé. L'attraction de surface est augmentée quand on accentue la rugosité des supports à coller. Les deux supports sont liés par leurs dommages mutuels. »

Je ne l'avais jamais entendu s'exprimer avec une telle passion. Gay. Quel dommage !

Après avoir raccroché, j'ai continué à penser à notre conversation. Mais nous n'avions pas de mur à Kippax, me disais-je. À la fin de la grève, la communauté avait été divisée et tout le monde était envahi par l'amertume de la trahison et de la défaite. Les gens dénigraient leurs voisins. Les pierres et les quolibets pleuvaient, les voitures étaient rayées, les ivrognes et les gamins se bagarraient. Mais la vie continuait. On était bien forcé de fréquenter les mêmes écoles, les mêmes magasins, de creuser les mêmes parcelles, de se retrouver nez à nez dans le cabinet médical, et, avec le temps, l'habitude de vivre ensemble s'était peu à peu changée en paix. Et, finalement, à la génération suivante personne ne se rappelait plus la raison du conflit. Peut-être le pardon ne tient-il pas à grand-chose, après tout. Peut-être n'est-ce qu'une question d'habitude.

Plus tard, ce jour-là, en m'installant avec un thé et un gâteau danois, je me suis souvenue de l'autre question que je voulais poser à Nathan : danoise. Elle était danoise. Je ne connaissais rien au Danemark, à part les gâteaux. Et *Hamlet*, évidemment. Pourquoi avait-elle quitté le Danemark ? Que s'était-il passé là-bas pendant la guerre ? Il faudrait que je lui demande la prochaine fois.

Finalement, la fête n'a été ni une soirée musicale ni une garden-party, mais un barbecue. L'idée est venue d'Ishmaïl et Nabeel, et ils étaient si enthousiastes que personne n'a eu le courage d'argumenter, mais, en ce qui me concerne, je jugeais la combinaison de viande à moitié calcinée, de microbes provenant de la cuisine de Mrs. Shapiro et d'essence à barbecue particulièrement explosive. Toujours est-il qu'ils ont construit un barbecue improvisé devant la maison, avec des briques et des grilles métalliques qu'ils avaient retirées d'un vieux four que Mrs. Shapiro avait repéré dans une benne. Ils ont acheté à bon marché un lot de côtelettes d'agneau et d'ailes de poulet *halal* chez un boucher de Dalston Lane et Mrs. Shapiro a sorti des hamburgers pâlichons des profondeurs de son réfrigérateur. J'ai pris bonne note de ne pas toucher à ces derniers.

J'avais suggéré à Mr. Ali d'inviter sa femme, mais, apparemment, quand elle avait appris qu'Ishmaïl et Nabeel seraient de la partie, elle avait décliné l'invitation.

« Ça lui donne le migraine », avait expliqué Mr. Ali.

Cependant, elle avait fait porter une énorme jatte de *houmous* décorée d'un filet d'huile d'olive et parsemée de feuilles de coriandre.

« C'est quoi, cette chose ? » Mrs. Shapiro a trempé son doigt dans la jatte, l'a léché en fronçant le nez, puis j'ai vu un sourire de satisfaction se répandre sur son visage.

En Angleterre, la similitude entre BBQ – barbecue – et B&Q est frappante. Est-ce ce qui pousse les hommes à se ruer ainsi pour prendre en charge la cuisine les jours de barbecue ? C'est ce que Rip appellerait une synergie.

À un moment, ils étaient tous les quatre massés autour du barbecue qui fumait – Chaïm, Mr. Ali, Ishmaïl et Nabeel –, soufflant et agitant des journaux pour qu'il s'allume bien. Ishmaïl et Nabeel arrosaient tour à tour les braises de gouttes d'essence avant de reculer d'un bond en éclatant de rire devant les flammes qui jaillissaient. Ils avaient même réussi à s'asperger allégrement d'essence au passage. Mr. Ali avait probablement raison de rester à l'écart. Je les observais de la fenêtre de Mrs. Shapiro, où j'essayais la robe rouge et blanc pendant que Mrs. Shapiro se démenait pour trouver le bon rouge à lèvres.

Le temps était de la partie. Le soleil avait percé juste après le déjeuner et brillé tout l'après-midi. Perchée dans son arbre, la grive poussait son cri de guerre en faisant bouffer ses plumes, tandis que les sept chats de Mrs. Shapiro plus quelques autres félins du voisinage également invités tournaient en rond, attirés par l'odeur de viande. Avec Mrs. Shapiro, j'ai préparé des salades et coupé des *pitas*, puis disposé des assiettes et des verres sur la table blanche en PVC. Une table supplémentaire du bureau ainsi que des chaises de la salle à manger avaient également été installées sur la pelouse.

Nathan et son Tati ont été les premiers à arriver. Nathan avait apporté deux bouteilles de pinot noir et son Tati un bouquet d'iris bleus pour Mrs. Shapiro.

« Merci beaucoup ! » Ses paupières bleu vif se sont mises à papillonner avec extase. C'était un bon début. « Vous voulez boire un petite quelque chose ? »

Elle portait le même pantalon marron assorti d'un pull rayé qu'elle avait mis le jour où elle avait reçu Mr. Wolfe, avec ses escarpins hauts talons garnis d'une bride qui s'enfonçaient dans la pelouse à chaque pas. Elle avait refait sa teinture et portait ses cheveux relevés en un chignon sophistiqué qui tenait grâce à trois peignes en écaille de tortue. Elle était très élégante, en fait. Quant à moi, j'avais mis la petite robe rouge et blanc. Nathan m'a regardée des pieds à la tête.

« Jolie robe.

– Merci. J'aime bien ton pantalon. On est assortis. »

Il avait un pantalon rouge accompagné de ce qui ressemblait à une veste de serveur blanche.

Miss Baddiel est arrivée dans une tenue flottante en mousseline qui pouvait tout aussi bien être un manteau, une robe ou une jupe avec un haut – impossible de savoir comment ça marchait – dans un tourbillon ambre, bronze et or en camaïeu *tye and dye.* Elle voletait dans la brise, lui donnant une allure délicate et éthérée malgré sa corpulence. J'ai remarqué que Mark Diabello la lorgnait d'un œil intéressé en remontant l'allée et j'ai éprouvé une pointe d'agacement. Certes, je l'avais plaqué, mais il était censé me lorgner, moi, pas elle. Il portait le même costume sombre que d'habitude, orné d'une pochette blanche immaculée qui me glissait un coup d'œil aguicheur. La Dépravée a pointé brièvement le bout du nez et eu une pensée d'une dépravation absolue : je parie que les slips ouverts rouges ne se font pas dans sa taille.

« Jolie robe, Georgina. Elle te va très bien. » Il m'a fait une bise sur la joue et m'a tendu un paquet de saucisses Marks & Spencer et une bouteille de champagne.

« Bonne idée. Ça va plaire à Mrs. Shapiro.

– Ton mari vient ?

– Tout à l'heure, oui », ai-je menti. En fait, je ne l'avais pas invité. Ce n'était pas à cause de Mark. Mais parce qu'il serait venu par devoir en se plaignant de rater le foot. Et puis, je ne sais pas, je voulais que Canaan House et ses occupants excentriques demeurent mon jardin secret.

« Nick va venir tout à l'heure, lui aussi. Il avait… euh… du travail à rattraper.

– Il y a quelque chose qu'il faut que tu saches. Qu'il faut que vous sachiez tous les deux, toi et Nick. Seulement… je ne sais pas si je dois te le dire. »

Il a haussé un sourcil perplexe.

« Tu es bien mystérieuse, Georgina. »

Si je n'avais pas bu deux ou trois verres de vin, je me serais peut-être tue, mais j'ai lâché : « Le titre de propriété de la maison… il n'y en a pas. Son mari s'est installé là. Elle avait été abandonnée. Après un bombardement. En fait, je crois que ce n'était même pas son mari. »

Il a eu une drôle d'expression. Ses yeux sont passés par toutes les couleurs et de furieuses contractions ont saisi les plis de ses joues. Il avait l'air sur le point d'exploser. Puis je me suis aperçue qu'il essayait de refréner un fou rire.

« Pas de titre ! Quand je vais dire ça à Nick !

– Mais elle ne peut pas… je ne sais pas… et les droits des occupants sans titres ? »

Il s'est mis à glousser. « Pas de titre ! Ah ah ah ! Non, peut-être que je ne vais pas lui dire, finalement ! Où est la vieille dame ? »

Mrs. Shapiro et Tati avaient disparu dans la maison. Ils avaient ouvert la fenêtre du bureau et approché le vieux gramophone pour qu'on entende la musique dans le jardin. Et ils étaient en train de parcourir la collection de Mrs. Shapiro pour décider ce qu'ils allaient passer. On les voyait discuter en riant par la fenêtre. Ils ont choisi un morceau pour orchestre qui me disait vaguement quelque chose. C'était peut-être un des vieux vinyles de Rip. Que dira-t-elle, me suis-je demandé avec une pointe de remords, quand je lui demanderai de me les rendre ?

« Penny s'excuse. » Nathan s'était faufilé à côté de moi. « Son cousin Darryl se marie.

– Formidable. » J'ai eu un soupçon de regret.

« C'est qui, le type en costume brun ? »

Du côté du barbecue, Mr. Ali et Chaïm Shapiro s'affairaient en se disputant.

À les voir ainsi côte à côte, j'étais frappée par leur ressemblance. Chaïm enfonçait une fourchette dans les ailes de poulet pour voir si elles étaient cuites. Mr. Ali enfournait un bout de côtelette d'agneau. Surprenant mon regard, il m'a fait un grand sourire en se frottant le ventre.

« XXL.

– Le problème avec vous, les Arabes, disait Chaïm,

c'est que vous choisissez toujours de mauvais dirigeants.

– Vous, les juifs, vous mettez tous les bons en prison. »

Mr. Ali a piqué une autre côtelette d'agneau sur une brochette et l'a brandie. Les ailes de poulet commençaient à fumer. Chaïm les a retournées.

« On met seulement les terroristes en prison.

– Tu connais pas Nelson Mandela ? Tu veux la paix, tu libères Marwan Barghouti, a répliqué Mr. Ali en ponctuant ses mots avec la côtelette d'agneau embrochée.

– Ce Barghouti, il est Hamas ou Fatah ? » Chaïm a saisi une aile de poulet fumante entre ses doigts – « Aïe ! C'est chaud ! » – et l'a fait craquer sous ses dents en aspirant pour ne pas se brûler.

« Hamas, Fatah – tous ils écoutent Barghouti ! » La côtelette d'agneau s'est détachée de la brochette que tenait Mr. Ali et a volé au-dessus de nos têtes. Elle a atterri par terre et il l'a de nouveau embrochée couverte de bouts d'herbe et s'est remis à la brandir. « Lui seulement, il peut apporter la paix.

– Mr. Ali, Chaïm, je vous présente mon collègue Nathan Stein », suis-je intervenue. Ils se sont interrompus en plein milieu de leur discussion pour se tourner vers nous.

« Venez ! Mangez le morceau ! » Chaïm lui a agité une aile de poulet sous le nez.

« On discute politique », a expliqué Mr. Ali. Quand il

s'est retourné, j'ai vu qu'il avait un grand sourire et de la sauce barbecue sur la barbe. Ils avaient tous les deux l'air de s'amuser. La viande grésillait sur le barbecue.

« Éloquence est mère de sûreté ! » a ajouté Chaïm.

Au milieu de la pelouse, Moussorgski et Stinker se disputaient un os de poulet. Les chats invités du voisinage, ceux qui avaient un véritable toit, observaient ce manque de savoir-vivre d'un œil réprobateur.

« Délicieux, a dit Nathan qui goûtait une aile de poulet.

– Mieux qu'un éclat de verre enfoncé dans l'œil, hein ? » a lancé Chaïm en riant comme un fou de sa propre plaisanterie.

Le Danemark, me suis-je dit. Il ne faut pas que j'oublie de lui demander pour le Danemark.

Ishmaïl avait bricolé un tournebroche ingénieux, mais il y avait trop d'os dans les côtelettes et les ailes de poulet pour qu'on puisse les piquer dessus ; quant aux saucisses, elles éclataient. Intelligent mais incapable. C'est souvent comme ça. À présent, Nabeel et lui couraient dans tous les sens, les mains chargées d'assiettes de viandes carbonisées à mesure qu'elles sortaient du barbecue, et les offraient à la ronde avec leur plus beau sourire. Ils étaient fébriles et n'arrêtaient pas de se bousculer en faisant tomber des bouts de viande par terre. Wonder Boy était dans les buissons, où il tentait de violer une des invitées en visite (il était loin de se douter que c'était sa dernière aventure !), Mrs. Shapiro était assise sur une des chaises blanches, les pieds posés sur celle d'en face, et fumait une cigarette en donnant discrètement les saucisses

Marks & Spencer crues aux chats, qui se jetaient dessus en grognant. Tati était attablé à côté d'elle et descendait allégrement du vin rouge avec un hamburger – ce devait être un de ceux du réfrigérateur ; j'espérais qu'il avait une constitution robuste. Mark Diabello remplissait les verres. Miss Baddiel approvisionnait tout le monde en mouchoirs.

« Je travaille essentiellement avec des personnes âgées, l'ai-je entendue expliquer à Mark Diabello de sa voix veloutée. Je m'occupe de régler leurs problèmes de logement pour leur permettre de rester indépendantes en vivant chez elles.

– Fascinant, a-t-il murmuré. Moi aussi, je suis dans le logement. »

Des flots de musique coulaient dans le jardin, s'élevant en virevoltant au-dessus de la scène.

Ensuite, tout s'est passé si vite que je ne suis pas très sûre de l'ordre dans lequel se sont déroulés les événements, mais, en gros, voici ce qui est arrivé. C'est la grive qui a commencé. De son perchoir dans le frêne, elle a avisé un bout de *pita* tombé par terre. Wonder Boy, qui avait assouvi ses pulsions, était tapi dans les buissons, l'œil rivé sur l'oiseau. À l'instant où la grive plongeait en piqué, Wonder Boy a aplati le museau au ras du sol en se tortillant, prêt à bondir, la queue frémissante. L'oiseau a fondu sur la *pita*. J'ai attrapé ce qui me tombait sous la main – en l'occurrence une côtelette d'agneau – et je l'ai balancé sur Wonder Boy. La côtelette a dessiné un arc en tournoyant comme un boomerang. D'habitude je suis incapable de viser, mais cette fois j'ai frappé en plein dans le mille. Wonder Boy a poussé un miaulement et fait un bond de côté, juste sous les pieds de Nabeel qui traversait le jardin avec une assiette d'ailes de poulet. Nabeel a percuté Ishmaïl qui a chancelé et trébuché contre le barbecue, qui s'est renversé en éparpillant des braises dans tous les sens, enflammant l'essence qui n'avait pas été bien rebouchée et s'était répandue sous la fenêtre ouverte du bureau, où un rideau claquait au vent. Les chats se sont jetés frénétiquement sur les ailes de poulet disséminées sur la pelouse. Wonder Boy a attrapé la plus grosse et filé dans l'allée. Il y a eu un coup de vent. Le rideau s'est embrasé. Mark Diabello a arrosé les flammes de champagne, mais il était déjà trop tard. Dans la rue, il y a eu un crissement de freins et un choc sourd. Les flammes se sont engouffrées par la fenêtre. Nick Wolfe est apparu au portail, tenant délicatement le corps sans vie de Wonder Boy par une patte. Mrs. Shapiro s'est levée d'un bond, elle a poussé un cri et s'est évanouie. Tati a essayé de réanimer Mrs. Shapiro en lui faisant du bouche-à-bouche. Le feu s'est propagé des rideaux à des paperasses qui traînaient sur l'étagère placée sous la fenêtre. La musique est devenue indistincte, puis elle s'est interrompue. Mr. Ali a téléphoné aux pompiers sur son portable, mais n'a pas réussi à se faire comprendre. Le feu qui grondait dans le bureau a gagné le hall d'entrée. Nathan a pris son portable pour appeler les pompiers et a réussi à les joindre. Je restais plantée là à regarder, les poings serrés, regrettant de ne pas avoir pu rattraper au vol la côtelette d'agneau, en proie à un sentiment horrible de culpabilité.

Plusieurs heures plus tard, alors que les pompiers étaient repartis, que Mrs. Shapiro avait été emmenée dans un logement provisoire en compagnie de Miss Baddiel, qu'Ishmaïl et Nabeel étaient rentrés avec Mr. Ali et Chaïm avec Nathan et son Tati, et que Wolfe et Diabello eurent vidé les bouteilles et regagné leurs pénates, je suis revenue à la maison dans le crépuscule embaumé. *Inspirer – deux, trois, quatre. Souffler – deux, trois, quatre.*

J'ai respiré à fond en remarquant que l'air pollué par la circulation londonienne était cependant imprégné de la douceur de la sève qui monte et des jeunes pousses. J'ai remarqué les pivoines dans les jardins et le vert des feuilles fraîchement déployées. J'ai remarqué que mes poings étaient encore serrés et que j'avais des marques d'ongles dans le creux des paumes. J'ai ouvert les mains et elles se sont relâchées. Elles pendaient comme des jeunes feuilles. En arrivant devant la maison, je me suis aperçue que Violetta se trouvait à côté de moi.

Ben et Rip étaient déjà rentrés. Ils étaient allés au foot et buvaient une bière en regardant la télévision – une rétrospective des actualités de la semaine.

« C'était bien, la fête ? m'a demandé Rip sans lever les yeux.

– Super. » Je me suis affalée sur le canapé. Violetta a sauté sur mes genoux en ronronnant.

« Regarde-moi ça, a dit Rip en montrant l'écran. Qui l'aurait cru ? » Deux hommes interviewés souriaient devant une forêt de caméras et de micros. L'un des deux ressemblait vaguement au pasteur Ian Paisley. Je ne savais pas du tout qui pouvait être l'autre. « Ces deux vieilles crapules !

– C'est qui ?

– Ian Paisley et Martin McGuinness, a dit Ben qui regardait l'émission depuis le début. Ils ont conclu un accord.

– Ah bon ? En Irlande du Nord, tu veux dire ? »

Aussi loin que je me souvienne, ce confit avait toujours été à la une de l'actualité. Comment étaient-ils parvenus à cette paix ? Comment se faisait-il que je n'étais pas au courant ? Je me rappelais une femme qui avait perdu ses cheveux. Mo Mowlam. Quand elle était morte, nous habitions encore à Leeds, je crois.

« Qui aurait cru que ce serait possible ? La paix est déclarée. » Rip s'est tourné vers moi. Il souriait, puis son sourire est devenu narquois. « C'est quoi, cette tenue ?

– Oh, j'ai eu envie de me déguiser pour la fête. »

Mon jean, mon pull et mon manteau de Batwoman avaient été avalés par les flammes – et même s'ils n'avaient pas disparu, les pompiers avaient barré l'accès à la maison.

« Tu… Tu as changé, Georgie. Tu n'es plus la même. »

Il continuait à me dévisager, comme s'il me découvrait.

« Moins ?…

– Plus…

– J'ai expérimenté… » J'ai hésité. Comment lui expliquer qu'au cours des six derniers mois j'avais été Georgine, Georgina, Georgette, Mrs. George et Miss Georgiana ?

Sans compter Miss Tempest et la Dépravée… « … différentes facettes de ma personnalité.

– Ça te va bien, m'man, a dit Ben. Ça fait un peu rétro. »

Plus tard, une fois terminé le résumé du foot à la télévision, une fois coupé le martèlement sourd de la musique de Ben, une fois Violetta lovée sur le canapé après avoir englouti une boîte de thon, je suis restée un long moment au lit à songer à ce qui s'était passé ce jour-là à Canaan House en écoutant le silence qui m'enveloppait. Et c'est là que j'ai entendu un crépitement imperceptible – si imperceptible que si je tendais l'oreille, il disparaissait. C'était le crépitement des éclairs d'inspiration jaillis du bureau en mezzanine. J'ai enfilé ma robe de chambre et mes pantoufles et je suis allée aux nouvelles. Il y avait un filet de lumière sous la porte. J'ai frappé doucement.

« Entre. »

Rip était devant l'ordinateur en caleçon, une tasse de café froid près du coude, le regard rivé sur l'écran.

« Tu travailles tard.

– J'ai un rapport à finir, m'a-t-il répondu sans se retourner.

– Le Projet de développement ?

– Non. J'ai fini le Projet de développement. »

J'ai jeté un œil par-dessus son épaule et vu clairement sur l'écran qu'il ne travaillait pas sur un rapport, mais sur son CV. Il n'a même pas essayé de l'éteindre ou de réduire la fenêtre.

« Est-ce que… ça va, Rip ?

– À ton avis ? »

Je lui ai passé le bras autour de l'épaule – une habitude affectueuse qui l'emportait sur le cerveau pinailleur et les émotions imprévisibles. Il avait la peau si chaude, les épaules si larges. Et pourtant, à le voir penché ainsi sur sa chaise, presque affaissé, j'ai été soudain ébranlée par la pitié. Je lui ai caressé les cheveux.

« Tu es fatigué. Tu devrais aller te coucher.

– Il faut que je finisse ça. Je dois l'envoyer demain.

– C'est pour quoi ?

– Une boîte qui s'appelle la Synergy Foundation. »

Je ne sais pas pourquoi, mais je me suis sentie découragée. Synergy Foundation. Qu'est-ce que c'était encore que ça ? On aurait dit une crème pour la figure. *Inspirer – deux, trois, quatre…*

« Ça a l'air intéressant. Tu veux un autre café ?

– Je veux bien, oui. »

Je suis descendue à la cuisine préparer deux cafés. Puis je me suis souvenue de l'œuf de Pâques des *Space Invaders* qui traînait au fond du placard.

« Ça te dit, un bout de chocolat ? »

J'ai écrasé l'œuf dans son papier et nous avons terminé à nous deux le chocolat écœurant. Une heure plus tard, quand il s'est glissé dans le lit de camp en toile, je me suis faufilée à côté de lui.

48

Une cargaison de bonnes affaires

Canaan est désormais un chantier de construction. Les ravages de l'incendie étaient relativement limités, mais après le départ des pompiers les experts venus constater les dégâts avaient trouvé une bombe datant de la guerre qui n'avait pas explosé, profondément enfouie au milieu des racines de l'araucaria. Toute la rue avait dû être évacuée pendant que les démineurs procédaient à une explosion contrôlée. Nous avons tous assisté à la scène derrière un cordon rouge et blanc. C'était une belle journée venteuse et la poussière a soufflé dans tous les sens – finalement, c'est tout ce qui est resté, de la poussière. Mrs. Shapiro pleurait en silence et quand je l'ai prise par l'épaule pour la consoler, j'ai fondu en larmes, moi aussi. Je crois même que je sanglotais plus qu'elle.

« Vous savez, Georgine, vous avez raison, m'a-t-elle dit en se tamponnant les yeux avec le mouchoir répugnant qu'elle avait tiré de la poche du manteau d'astrakan. Ce maison était trop grand pour moi. Trop les problèmes.

Trop les souvenirs. Comme le piège. Maintenant il faut passer autre chose. »

Heureusement, Mark Diabello avait réussi à faire enregistrer le titre de propriété au nom de Mrs. Shapiro en se servant des soixante années où elle s'était dûment acquittée de ses impôts locaux pour appuyer sa demande, si bien qu'elle avait pu vendre le terrain à un promoteur immobilier pour une somme substantielle. Seul Mark connaît la somme en question, et il est tenu au secret.

Elle s'est acheté un joli appartement à Golders Green, dans une résidence pour personnes âgées – malheureusement, les animaux domestiques n'y sont pas autorisés –, et a installé Chaïm et Moussorgski dans un appartement d'Islington. Violetta est restée avec moi. Nous nous tenons compagnie, et quand tout le monde est sorti, nous profitons du calme pour nous mettre sur le canapé et partager nos fétides souvenirs. Je me demande parfois si Wonder Boy lui manque, mais je ne crois pas. Le reliquat de la vente de Canaan House est allé avec les autres occupants félins à la Société protectrice des chats. Mrs. Shapiro refuse de révéler le montant, mais je suis sûre qu'il suffirait amplement à nourrir une ribambelle de minous efflanqués pour le restant de leur petite vie pestilentielle.

À la fête, je n'avais pas eu l'occasion d'interroger Chaïm sur le Danemark, mais je le retrouve un samedi de septembre dans un café d'Islington Street, non loin de son appartement. Il pleut de nouveau – j'ai l'impression qu'il a plu quasiment toute l'année –, mais il a déniché un petit coin confortable à côté de la devanture et feuillette une brochure de voyages. J'ai failli ne pas le reconnaître tant il n'a rien à voir avec l'homme au costume marron. Il porte un jean noir avec une chemise bleue à col ouvert et des lunettes à monture invisible très élégantes. On ne se douterait jamais qu'il a un œil en verre. Je secoue mon parapluie et on se serre dans les bras, joue contre joue, la mienne mouillée, la sienne qui pique. Puis nous commandons nos cafés. Il me parle de son travail d'agent de voyages spécialisé dans les circuits en Terre sainte, mais je ne suis pas d'humeur à bavarder de choses et d'autres. Je veux mettre la dernière pièce au puzzle de Canaan House.

Je sors la photo de mon sac – celle de la jeune femme sous la voûte en pierre – et je la pousse devant lui.

« C'est pour vous, Chaïm. Parlez-moi d'elle. »

Il prend la photo et l'examine, puis le sourire de bébé à fossettes vient éclairer son visage.

« Oui, c'est elle. Elle sourit comme une Monalissa.

– Vous m'avez dit qu'elle venait du Danemark.

– Vous connaissez l'histoire des juifs danois ? C'est différent de tous les autres juifs en Europe.

– Racontez-moi. »

Il a ôté ses lunettes et s'est calé sur sa chaise. Il a conservé la photo à la main, mais on dirait que son regard plonge au-delà de la photo, dans une autre époque et un autre lieu.

« Elle s'appelait Naomi Lowentahl. Elle est née en 1911 à Copenhague. Merveilleux, merveilleux Copenhague ! Vous êtes allée ?

– Non, ai-je fait en secouant la tête.

– Moi non plus. Peut-être je ferai un voyage l'année prochaine. Ils vivaient dans le quartier juif. Mes grands-parents sont enterrés là-bas, dans le cimetière juif. C'était la plus jeune de trois enfants. Leur mère est morte quand elle avait dix ans. Comme moi. » Un nuage passe sur son visage. « Mais elle avait toujours son père et deux grands frères. Elle était gâtée-chérie, avec tous ces hommes qui couraient derrière elle. »

Le père de Naomi, le grand-père de Chaïm, était mathématicien à l'université et Naomi elle-même était professeur de maths dans un lycée. Ses frères étaient militants du mouvement sioniste des années trente qui s'était développé dans les communautés juives d'Europe, engendré par l'antisémitisme et les persécutions.

« Et Naomi ?

– Naomi était quelquefois avec ses frères, quelquefois avec son père. Mon grand-père était de ceux qui croyaient que les juifs pouvaient être assimilés comme des citoyens à part entière dans les pays où ils vivaient. Il croyait que les nuages qui s'accumulaient au-dessus de l'Europe seraient simplement chassés par les vents du progrès et des lumières. » Il s'est tu, triturant ses lunettes. « Mais, hélas, les éventualités devaient démontrer sa tragique erreur. »

Quand les Allemands avaient envahi le Danemark en 1940, ces débats avaient pris un caractère d'urgence. Le gouvernement danois avait conclu un accord avec les occupants – le beurre et le lard danois en échange de l'autonomie. En outre, il avait refusé de livrer les juifs. « Juifs et chrétiens, nous sommes tous danois », disaient-ils.

Malgré l'accord, il n'y avait guère de soutien actif envers les nazis et, en 1943, l'entente avec l'Allemagne s'était sérieusement détériorée. Dès 1943, les nazis projetaient en secret de rafler et d'exterminer les sept mille juifs du Danemark. Chaïm a souri. « Ils se sont dit que leur solution finale ne serait plus aussi finale quand ils ont vu ces insolents juifs danois se pavaner en toute improbité. »

En fait, c'est l'attaché allemand qui avait dévoilé le projet de déportation allemand en en divulguant les détails à un homme politique danois. Ce qui devait être une opération secrète rondement menée avait été contrarié par le refus pur et simple du peuple danois. Pas ici, au Danemark. Pas nos juifs.

Spontanément, ici et là, à mesure que le bruit circulait, amis, voisins, collègues avaient offert de l'aide, de l'argent, des transports, des cachettes. Ils ne voulaient pas être mêlés aux horreurs qui souillaient le reste de l'Europe. C'est le chef de service de Naomi, un luthérien, qui était passé tard le soir du 29 septembre à son appartement pour la prévenir qu'il y avait deux bateaux de passagers amarrés à quai, avec pour ordre d'embarquer cinq mille juifs – ils devaient lever l'ancre le 1er octobre. Il lui avait conseillé d'aller à l'hôpital Bispebjerg, où avait été installé un refuge.

Elle et son vieux père avaient empilé tout ce qu'ils pouvaient dans une valise et s'étaient rendus à l'hôpital. Ils s'étaient trouvé un coin tranquille dans le service psychiatrique et avaient vu avec une appréhension grandissante les juifs de la ville affluer heure après heure, seuls ou en groupe, hébétés, angoissés, chargés de valises en carton contenant leurs biens les plus précieux. Au bout du compte, deux mille personnes avaient été ainsi entassées dans les services psychiatriques, les dortoirs des infirmières et tous les endroits imaginables. Il était impossible de garder le secret et ce n'était pas nécessaire – tout l'hôpital, du directeur aux agents de service, coopérait. Le personnel s'occupait d'eux et les nourrissait en se servant dans les cuisines de l'hôpital, et à mesure que se répandait la rumeur, les gens du coin faisaient parvenir des dons de nourriture et d'argent. Jour et nuit, les ambulances les emmenaient dans des cachettes secrètes sur la côte.

D'autres juifs, dont ses frères, avaient été cachés par leurs voisins dans des églises, des écoles ou des bibliothèques, et bien d'autres encore chez des particuliers. Dans les stations balnéaires du Nord, des groupes de soutien s'étaient proposés d'abriter les juifs en fuite qui attendaient un bateau et des conditions météorologiques favorables pour passer en Suède, pays neutre. Même les gardes-côtes étaient dans le coup.

Entassés avec douze autres dans la coque nauséabonde d'un bateau de pêche, Naomi et son père avaient effectué la courte traversée jusqu'en Suède le 3 octobre 1943. Ils avaient été arrêtés par une patrouille allemande, mais le pêcheur s'était contenté de tirer sur sa pipe d'un air borné en leur offrant des harengs, tandis que dans la cale, sous ses pieds, les passagers retenaient leur souffle. Le pêcheur, qui avait l'impression d'avoir vécu une grande aventure, avait posé en souriant dans le port suédois en compagnie de sa cargaison humaine avant de repartir en chercher une autre.

« J'ai la photo, dit Chaïm. Je vous montrerai. »

La Suède grouillait de réfugiés et partout on ne parlait que de résistance, de liberté, d'union internationale des juifs, de sécurité, de Sion. Dans le centre de réfugiés de Göteborg, elle avait retrouvé ses frères. Bien qu'ils soient sionistes, ils s'étaient liés d'amitié avec un jeune socialiste bundiste de Biélorussie. Il s'appelait Artem Shapiro.

« Ç'a été le coup de foudre ? »

Chaïm sourit. Le *cappuccino* a laissé au-dessus de sa lèvre une petite moustache de mousse.

« Je n'ai pas le moins d'idée. Vous savez, je n'étais pas encore né. »

Sur les sept mille juifs du Danemark, moins de cinq cents étaient tombés aux mains des nazis, et la plupart de ces derniers avaient survécu à Terezin car les autorités danoises leur faisaient parvenir de la nourriture et des médicaments. À la fin de la guerre, les juifs qui étaient retournés au Danemark avaient retrouvé leurs logements intacts et soigneusement entretenus, leurs jardins arrosés, et même leurs chiens et leurs chats bien nourris et le poil soyeux.

J'ignore pourquoi, mais c'est l'image de ces matous dodus de Copenhague qui me serre la gorge et je cherche un mouchoir tandis que Chaïm termine son récit. J'ai vu les photos des morts vivants décharnés de Belsen, les monceaux de cadavres, les horribles piles de chaussures d'enfant. Je sais tout ce qui s'est passé, mais je veux croire qu'autre chose est possible.

« Merci, Chaïm. Vous m'avez dit ce que je voulais savoir. »

Il bruine encore quand je traverse Islington Green pour aller au Sainsbury's. J'ai donné rendez-vous à Rip dans le parking à treize heures et j'ai donc du temps devant moi pour faire quelques courses. Il est allé à une réunion de l'équipe de la maison de la justice de Finsbury Park, où il prend son poste la semaine prochaine. Synergy Foundation a rejeté sa candidature.

Si l'on s'attarde un peu au Sainsbury's un samedi matin, on a l'impression de voir défiler le monde entier – à moins que ce ne soit mon imagination qui comble les vides. J'aperçois le même vendeur de *Big Issue* qui rôde sous l'auvent, près de l'entrée, et voilà le conducteur de la Robin Reliant qui traverse la rue avec sa canne. La fille de BOYCOTTEZ LES PRODUITS D'ISRAËL est toujours là, ses pétitions à la main, si ce n'est que ses cheveux ont poussé et qu'elle recueille des signatures pour sauver les baleines. Ben est avec elle – il vient souvent ici le samedi matin –, et lui aussi a les cheveux plus longs et coiffés en petites *dreadlocks* naissantes qu'il porte attachées dans la nuque avec son foulard de pirate.

« Salut, m'man ! »

Je m'arrête pour signer leur pétition, bien que je l'aie déjà signée plusieurs fois. La jeune fille a l'air vaguement piteux, pensant peut-être que je la méprise d'avoir lâché sa cause, mais je me contente de sourire, car je comprends désormais que tout – les baleines et les dauphins, les Palestiniens et les juifs, les chats de gouttière, les forêts tropicales, les grandes demeures et les villages de mineurs –, tout est étroitement lié, maintenu par une force mystérieuse, que l'on peut appeler colle, si l'on veut.

Je prends des bières pour Rip, quand je remarque Mark Diabello et Cindy Baddiel qui flânent main dans la main au rayon des vins. Il est en pantalon beige et chemise à carreaux, et je constate qu'il commence à bedonner et qu'il a les tempes grisonnantes, mais lorsqu'il se retourne vers moi, une douce chaleur envahit mon pelvis – oui, il demeure le héros du *Cœur éclaté*.

« Bonjour, Georgina ! » Il me salue en m'embrassant sur les deux joues et Miss Baddiel me serre entre ses bras grassouillets. Elle n'a pas changé. Je vérifie discrètement si ses poignets portent des brûlures de velcro – tu n'as pas honte, Georgie ! –, mais ils sont lisses et bien dodus.

« Merci de t'être donné toute cette peine pour faire enregistrer la maison, dis-je à Mark. Comment va ? »

Deux mois auparavant, Wolfe & Diabello a mystérieusement disparu de la rue pour céder la place à Wolfe & Lee. Mark m'explique qu'il dirige à présent une association de logement pour les anciens délinquants.

« C'est… Comment dire ?… Plus gratifiant. »

Le timbre minéral de sa voix me donne le frisson.

« Je suis contente que tout se soit bien fini.

– À bientôt », me disent-ils.

Voilà quelqu'un que je ne tiens pas à voir. C'est Mrs. Goodney qui arrive en sens inverse en poussant son caddie. Si je pouvais, je l'éviterais, mais l'allée est étroite et il n'y a nulle part où se cacher, alors je me contente de rester là en souriant.

« Bonjour, me dit-elle. Je n'aurais pas pensé vous trouver ici.

– Moi non plus. » J'en suis encore à me demander si je dois me montrer amicale ou non. « Comment ça va à l'hôpital ?

– Oh, j'ai laissé tomber tout ça. Trop de problèmes. Il n'y a jamais de reconnaissance. Les bonnes âmes dans votre genre, vous vous accrochez à l'idée romantique que les personnes âgées veulent rester jusqu'à leur mort dans leur vieille baraque qui tombe en ruine. Mais c'est faux. Ce qu'elles veulent, c'est un petit logement facile à chauffer et à entretenir, avec tout le confort moderne. C'est toujours un déchirement de déménager. Elles ont besoin d'un peu d'aide, parfois. Mais une fois que c'est fait, elles ne veulent plus jamais revenir. Enfin, maintenant je dirige un petit bar à ongles du côté de Stoke Newington Church Street. » Elle jette un œil à mes mains. « Passez me voir un jour. »

Au rayon traiteur, je tombe sur Nathan et Raoul qui discutent gravement des mérites comparés de l'huile d'olive et de l'huile d'avocat. Nathan a le bras négligemment passé sur l'épaule de Raoul, avec la même spontanéité qu'il avait mise un jour à me consoler, bien que ce dernier ait quasiment une tête de plus que lui et soit loin d'être aussi beau. Ils me saluent chaleureusement et me donnent des nouvelles de Mr. Ali, qui vient d'installer un nouveau jacuzzi dans leur appartement de Hoxton. Ishmaïl habite toujours chez les Ali, du côté de Tottenham, et doit commencer ses études d'ingénieur à la fin du mois, mais Nabeel est rentré en Palestine. Son frère aîné a été tué au cours d'un raid israélien sur Gaza une semaine à peine après notre barbecue – une victime collatérale – et Nabeel se retrouve désormais chef de famille. Le doux Nabeel, le gentil fan d'Arsenal qui sait si bien s'occuper des animaux et faire le café – ça me fait mal au cœur –, j'ai du mal à l'imaginer en chef de quoi que ce soit.

« Viens dîner chez nous un de ces jours, suggère Nathan.

– Volontiers. Dis, tu me feras de la *custard* aux œufs et à la vanille ?

– Il faut qu'on achète de la vanille, déclare Raoul d'un ton sérieux. On l'a finie avec le bavarois, tu te souviens ?

– Regarde si tu ne trouves pas Tati et Ella, dit Nathan. Ils sont dans les parages. »

Effectivement, les voilà qui remontent une allée en poussant le landau juché sur ses grandes roues, penchés l'un sur l'autre comme deux jeunes mariés. Je la vois qui lève la tête tandis qu'il se baisse pour lui donner un baiser moustachu en lui murmurant quelque chose à l'oreille. Elle se met à rire et s'appuie contre lui. À les voir contempler le landau, on croirait qu'il y a un bébé dedans, mais quand je jette un œil à l'intérieur, je ne vois qu'une cargaison de bonnes affaires.

Remerciements

Nombreux sont ceux qui ont contribué à ce livre. Merci à Ewen Kellar de m'avoir fait découvrir le domaine des adhésifs, à Cathy Dean pour nos longues discussions sur le bricolage, à Mickey Rosato de m'avoir éclairée sur les pratiques des agents immobiliers, à tous ceux qui m'ont confié leurs histoires d'amants impossibles, d'animaux impossibles, de plomberies impossibles et autres misères – je ne citerai pas de noms afin de n'embarrasser personne, mais vous vous reconnaîtrez aisément. Merci également à ceux qui m'ont aidée à mieux appréhender la réalité complexe du Moyen-Orient – Raja Shehadeh, Donald Sassoon, Saleh Abdel Jawad, Naomi Ogus, Eitan Bronstein, Graham Birkin –, j'ai beaucoup appris en discutant avec vous. Merci à Merilyn Feickert pour les références bibliques et à Val Binney et Steve Blomfield de m'avoir permis de comprendre l'épilepsie.

L'écrivain est parfois en proie à la solitude et je remercie du fond du cœur tous ceux qui m'ont accueillie et encouragée pendant que j'écrivais ce roman, plus particulièrement les Widger, les Pierce, Anne MacLeod et sa famille, Mina Hosseinipour, Janine Edge, Theo et Viv à Bushy Park et les sœurs de la Compassion dans Whanganui River Road. Merci à la famille Tyldesley de s'être occupée de moi et à Dave et Sonia de m'avoir supportée.

Un grand merci, enfin, à mon agent Bill Hamilton et à mon éditrice Juliet Annan d'être si durs avec moi et de ne rien me laisser passer. Et merci à la merveilleuse équipe de Penguin pour tout le reste.

Table des matières

III. COHÉSION

IV. DES ADHÉSIFS DANS LA MAISON

Éditions Alto
280, rue Saint-Joseph Est, bureau 1
Québec (Québec)
G1K 3A9
www.editionsalto.com